John le Carré est né en 1931. Après des études universitaires à Berne et Oxford, il enseigne à Eton, puis travaille pendant cinq ans pour le Foreign Office. Parmi ses derniers livres parus, *La Constance du jardinier* a connu un grand succès international et a été adapté à l'écran par Fernando Meirelles. *Un homme très recherché* est son vingt et unième roman. John le Carré est commandeur de l'ordre des Arts et des Lettres.

John le Carré

UN HOMME
TRÈS RECHERCHÉ

ROMAN

*Traduit de l'anglais
par Mimi et Isabelle Perrin*

Éditions du Seuil

TEXTE INTÉGRAL

TITRE ORIGINAL
A Most Wanted Man
ÉDITEUR ORIGINAL
Hodder & Stoughton, Londres
© David Cornwell, 2008
ISBN original : 978-0-340-97706-4

ISBN 978-2-7578-1468-0
(ISBN 978-2-02-098051-7, 1ʳᵉ publication)

© Éditions du Seuil, octobre 2008, pour la traduction française

*Pour mes petits-enfants,
nés et à naître*

La règle d'or est d'aider ceux que nous aimons à nous échapper.

FRIEDRICH VON HÜGEL

1

On ne peut guère reprocher à un Turc champion de boxe poids lourd déambulant dans une rue de Hambourg au bras de sa mère de ne pas remarquer qu'il est suivi par un grand échalas en manteau noir.

Géant débraillé et jovial au large sourire naturel et à la tignasse noire attachée en catogan, Big Melik, comme le surnommaient ses voisins admiratifs, marchait d'un pas désinvolte en occupant la moitié du trottoir à lui tout seul. À vingt ans, c'était une célébrité locale, et pas seulement pour ses prouesses sur le ring : capitaine en titre des juniors de son club de sport islamique, trois fois deuxième au championnat régional d'Allemagne du Nord sur cent mètres papillon et, cerise sur le gâteau, gardien de but vedette de son équipe de football du samedi.

Comme la plupart des géants, il avait plus l'habitude d'être regardé que de regarder lui-même, autre explication au fait que le grand échalas ait réussi à le suivre trois jours et trois nuits durant sans se faire remarquer.

Les regards des deux hommes se croisèrent pour la première fois alors que Melik et sa mère Leïla sortaient de l'agence de voyages al-Umma, où ils venaient d'acheter des billets d'avion pour se rendre au mariage de la sœur de Melik dans le village familial près d'Ankara. Se sentant observé, Melik tourna la tête et se retrouva

11

face à face avec un jeune homme de sa taille, d'une maigreur effrayante, à la barbe hirsute, aux yeux caves rougis, vêtu d'un long manteau noir assez ample pour trois magiciens. Il portait un keffieh noir et blanc autour du cou et une sacoche de touriste en peau de chameau sur l'épaule. Il dévisagea Melik, puis Leïla, puis de nouveau Melik en le suppliant sans ciller de ses yeux enfoncés au regard farouche.

L'air désespéré du jeune homme n'avait pas de quoi troubler Melik outre mesure, car l'agence de voyages donnait sur le parvis de la principale gare ferroviaire, où traînaient à longueur de journée toutes sortes d'âmes en peine : des SDF allemands, des Asiatiques, des Arabes, des Africains ou des Turcs comme lui (mais moins chanceux), sans parler des culs-de-jatte en petite voiture électrique, des dealers et de leurs clients, des mendiants et de leurs chiens, et du cow-boy septuagénaire affublé d'un stetson et d'une culotte de cheval en cuir clouté d'argent. Sans emploi pour la plupart, certains n'avaient même rien à faire sur le sol allemand, où ils étaient tout juste tolérés, selon une politique de paupérisation délibérée, jusqu'à leur expulsion sommaire, généralement à l'aube. Seuls les nouveaux arrivants ou les têtes brûlées prenaient le risque. Les clandestins plus futés évitaient la gare.

Autre bonne raison de ne pas remarquer le grand échalas : la musique classique que les autorités de la gare diffusent à pleine puissance sur le parvis grâce à une rangée de haut-parleurs bien orientés, le but n'étant pas d'inspirer aux auditeurs des sentiments de paix et de bien-être mais de les inciter à déguerpir.

En dépit de tout cela, le visage du grand échalas s'imprima sur la conscience de Melik, qui se sentit un instant honteux de son propre bonheur. Mais pourquoi donc ? Un événement inespéré venait de se produire, et il avait hâte de téléphoner à sa sœur pour lui annoncer que leur mère Leïla, après six mois passés à soigner son mari agonisant et un an à le pleurer de tout son cœur, débordait de joie à l'idée d'aller assister au mariage de sa fille, se demandait quelle tenue elle allait bien pouvoir mettre, si la dot était suffisante et le marié aussi bel homme que tout le monde le prétendait, y compris la principale intéressée.

Pourquoi donc Melik n'aurait-il pas dû bavarder avec sa mère sur le chemin du retour, ce qu'il fit allègrement ? Mais il y avait la force d'inertie du grand échalas, se dit-il plus tard. Ces rides sur un visage aussi jeune que le mien. Ce souffle d'hiver par un beau jour de printemps.

**

Cela s'était passé le jeudi.

Le vendredi soir, quand Melik et Leïla sortirent de la mosquée, il était là de nouveau, le même grand échalas, même keffieh, même pardessus trop grand, blotti dans l'ombre d'un porche crasseux. Cette fois, Melik remarqua que ce corps décharné était légèrement de guingois, comme décentré et incapable de se redresser sans en avoir reçu l'ordre. Et ce regard brûlant, encore plus étincelant que la veille. Melik le soutint, ce qu'il regretta aussitôt, et détourna les yeux.

Cette deuxième rencontre était d'autant moins prévisible que Leïla et Melik évitaient les mosquées, même modérées et turcophones. Depuis le 11 Septembre, les mosquées de Hambourg étaient devenues des lieux dangereux. Il suffisait de choisir la mauvaise, ou de choisir la bonne mais le mauvais imam, et l'on risquait de se retrouver avec toute sa famille sous surveillance policière à vie. Nul doute que dans presque chaque rangée en prière se trouvait un informateur qui se gagnait ainsi les faveurs des autorités. Personne n'était près d'oublier, fût-il musulman, indicateur de police ou les deux, que la ville-État de Hambourg avait accueilli à son insu trois des terroristes du 11 Septembre, sans compter leurs camarades de réseau et co-conspirateurs, ni que Mohammed Atta, qui avait précipité le premier avion sur les Tours Jumelles, avait vénéré son Dieu vengeur dans une humble mosquée hambourgeoise.

En outre, depuis la mort de son mari, Leïla et son fils s'adonnaient moins à leur pratique religieuse. Le vieil homme avait été musulman, certes, mais aussi laïc, son engagement en faveur des droits des travailleurs lui ayant valu d'être expulsé de son pays. En fait, la seule raison de leur présence à la mosquée était que Leïla en avait soudain éprouvé le besoin impérieux. Elle était heureuse. Le poids de son chagrin s'allégeait. Or le premier anniversaire de la mort de son mari approchait, et elle souhaitait dialoguer avec lui et lui faire part de la bonne nouvelle. Ayant d'ores et déjà raté la grande prière du vendredi, ils auraient tout aussi bien pu prier chez eux. Mais la lubie de Leïla faisait loi. Arguant à juste titre que les prières personnelles ont plus de chances d'être entendues le soir, elle avait insisté pour se rendre à la dernière prière de la journée, dans une mosquée de ce fait pratiquement vide.

La deuxième rencontre de Melik avec le grand échalas était donc clairement due au hasard, tout comme la première. Comment l'expliquer autrement ? Tel était du moins le raisonnement du brave Melik, qui ne voyait le mal nulle part.

* * *

Le lendemain étant un samedi, Melik prit le bus pour se rendre à l'autre bout de la ville, à la fabrique de bougies familiale que dirigeait son riche oncle paternel. Les relations entre son oncle et son père avaient parfois été tendues, mais, depuis la mort de ce dernier, Melik avait appris à respecter l'amitié de son oncle. En montant à bord du bus, qui ne vit-il pas sinon le grand échalas assis sous l'abri en verre, qui le regardait partir ? Et six heures plus tard à son retour, le même, toujours là à l'attendre, enveloppé dans son keffieh et son pardessus de magicien, blotti dans le même coin de l'abri.

À sa vue, Melik, qui avait pour règle de vie d'aimer sans distinction l'humanité entière, éprouva soudain une aversion peu charitable. Il avait la désagréable impression que le grand échalas l'accusait de quelque chose. Pis encore, le gamin avait un air de supériorité, malgré sa triste apparence. Et à quoi rimait ce manteau noir, en plus ? Lui attribuait-il quelque pouvoir d'invisibilité ? Ou bien voulait-il par cet artifice se montrer ignorant de nos coutumes occidentales au point de ne pas se rendre compte de l'image qu'il projetait ?

Quoi qu'il en soit, Melik décida de le semer. Au lieu d'aller le trouver pour lui demander s'il avait besoin d'aide ou s'il était souffrant, ce qu'il eût fait en d'autres circonstances, il prit le chemin du retour à grandes enjambées, certain que le grand échalas ne pourrait pas suivre le rythme.

Il faisait une chaleur inhabituelle en cette journée de printemps et le soleil tapait sur le trottoir encombré par la foule, mais le grand échalas réussit par miracle à soutenir l'allure de Melik, claudiquant, ahanant, soufflant, transpirant, tressaillant parfois comme sous l'effet d'une douleur, et le rattrapant aux passages pour piétons.

Quand Melik entra dans la petite maison en brique que sa mère possédait maintenant sans plus de dettes ou presque après des années de lésinerie familiale, il se passa à peine quelques instants avant que résonne le carillon de la porte d'entrée. Et lorsqu'il redescendit au rez-de-chaussée, il trouva le grand échalas sur le seuil, sa sacoche sur l'épaule, les yeux rougis après la marche forcée, la sueur ruisselant sur son visage comme une pluie d'été, qui tenait d'une main tremblante un bout de carton marron sur lequel était écrit en turc : *Je suis un étudiant en médecine musulman. Je suis fatigué et je souhaite loger chez vous. Issa.* Et comme pour appuyer ses dires, un bracelet d'or fin duquel pendait une minuscule réplique dorée du Coran ornait son poignet.

Seulement, Melik débordait à présent d'indignation. Il n'était certes pas le plus grand intellectuel de l'histoire de son école, mais il refusait de se sentir culpabilisé et humilié, d'être suivi et harcelé par un mendiant arrogant. À la mort de son père, Melik avait fièrement assumé son rôle de chef de famille et protecteur de sa mère. Preuve supplémentaire de son autorité, il avait accompli ce que son père n'avait pas réussi à obtenir avant sa mort : en tant que résident turc de la deuxième génération, il s'était embarqué, pour lui et sa mère, sur la longue route semée d'embûches vers la citoyenneté allemande, où chaque détail de la vie de la famille était examiné au microscope, huit années d'une conduite irréprochable constituant une condition préalable. La dernière chose dont lui et sa mère avaient besoin était donc qu'un vagabond détraqué se prétendant étudiant en médecine vienne mendier à leur porte.

« Fiche le camp ! ordonna-t-il en turc au grand échalas d'un ton bourru, lui barrant l'entrée. Va-t'en, arrête de nous suivre et ne t'avise pas de revenir. »

Ne constatant aucune réaction sur le visage défait si ce n'est une légère grimace de douleur comme sous l'effet d'une gifle, Melik répéta son ordre en allemand. Mais, alors qu'il s'apprêtait à lui claquer la porte au nez, il remarqua Leïla sur les marches derrière lui qui regardait le garçon et le bout de carton qu'il tenait dans sa main agitée d'un tremblement incontrôlable.

Et il vit qu'elle avait déjà des larmes de pitié dans les yeux.

* * *

Le dimanche se passa, et le lundi matin Melik trouva une excuse pour ne pas se rendre au commerce de primeurs de son cousin à Wellingsbüttel. Il devait rester s'entraîner en vue du championnat de boxe amateur, aller à la salle de gym et à la piscine olympique, prétexta-t-il auprès de sa mère. En réalité, il jugeait imprudent de la laisser seule avec un psychopathe dégingandé en proie à un complexe de supériorité qui, lorsqu'il n'était pas en train de prier ou de regarder fixement le mur, rôdait dans la maison en touchant tous les objets d'un geste tendre comme au souvenir d'un passé lointain. Aux yeux de son fils, Leïla était une femme incomparable mais, depuis la mort de son mari, versatile et guidée par ses seules émotions. Ceux qu'elle avait décidé d'aimer ne pouvaient rien faire de mal, or Issa, avec ses manières douces, sa timidité et ses brusques élans de bonheur naissant, avait été instantanément adopté dans ce cercle très fermé.

Le lundi puis le mardi, Issa ne fit guère que dormir, prier et effectuer ses ablutions. Il communiquait en mauvais turc avec un accent guttural étrange, en rafales furtives comme si parler lui était interdit, mais d'un ton pourtant étrangement didactique à l'oreille de Melik. En dehors de cela, il mangeait. Où diable emmagasinait-il toute cette nourriture ? Quelle que soit l'heure du jour, quand Melik entrait dans la cuisine l'autre était là, penché au-dessus d'un plat de riz à l'agneau et aux légumes, la cuiller toujours en action, l'œil aux aguets de peur qu'on ne lui dérobe sa pitance. Son repas fini, il sauçait le bol avec un morceau de pain qu'il engloutissait, marmonnait un merci à Dieu et, affichant un vague sourire satisfait comme s'il avait un secret trop précieux pour être partagé, emportait le bol à l'évier et

17

le lavait au robinet, geste que Leïla n'aurait jamais, au grand jamais, autorisé à son époux ou à son fils. La cuisine était son domaine. Interdit aux hommes !

« Alors, quand penses-tu démarrer tes études de médecine, Issa ? lui demanda Melik d'un ton désinvolte, à portée d'oreille de sa mère.

– Très bientôt, si Dieu le veut. Je dois être fort. Je ne dois pas être mendiant.

– Il te faudra un permis de séjour, tu sais. Et une carte d'étudiant. Et environ cent mille euros pour le gîte et le couvert. Et une belle petite voiture pour sortir tes copines.

– Dieu est grand dans Sa miséricorde. Quand je ne mendie plus, Il m'aidera. »

Pareille assurance dépassait la simple piété, estima Melik.

« Il nous coûte beaucoup d'argent, maman, déclarat-il en faisant irruption dans la cuisine alors qu'il savait Issa au grenier. Avec tout ce qu'il mange, et tous ces bains !

– Pas plus que toi, Melik.

– Non, mais moi c'est moi, et lui c'est lui. Nous ne savons rien de lui.

– Issa est notre invité. Quand il aura recouvré la santé, avec l'aide d'Allah nous envisagerons son avenir », répliqua sa mère d'un ton altier.

Les efforts peu crédibles d'Issa pour se faire oublier le rendaient encore plus voyant aux yeux de Melik. Qu'il se glisse en crabe dans l'étroit couloir ou s'apprête à emprunter l'échelle pour monter au grenier où Leïla lui avait installé un lit, il faisait montre d'une retenue que Melik jugeait outrancière, quêtant la permission de ses yeux de biche et s'aplatissant contre le mur pour laisser passer Melik ou Leïla le cas échéant.

« Issa a fait de la prison, annonça Leïla un matin d'un ton suffisant.

– Tu en es sûre ? s'exclama Melik, atterré. On abrite un taulard ? La police est au courant ? C'est lui qui te l'a dit ?

– Il m'a raconté qu'en prison à Istanbul on ne leur donne qu'un bol de riz et un quignon de pain par jour, expliqua Leïla, qui, avant que Melik ait eu le temps de protester davantage, entonna l'une des sentences favorites de son défunt époux : "Honorons l'invité et portons secours à ceux qui souffrent. Tout acte de charité sera récompensé au paradis." Ton propre père n'a-t-il pas été emprisonné en Turquie, Melik ? Ceux qui vont en prison ne sont pas tous des criminels. Pour des gens comme Issa et ton père, la prison est un titre de gloire. »

En tout état de cause, Melik savait qu'elle nourrissait aussi certaines pensées qu'elle ne tenait pas vraiment à dévoiler. Allah avait répondu à ses prières en lui envoyant un second fils pour compenser la perte de son mari. Et le fait qu'il s'agisse d'un ancien taulard clandestin à moitié fou qui se faisait des illusions sur lui-même ne lui importait visiblement pas.

* * *

Il venait de Tchétchénie.

C'est ce qu'ils découvrirent le troisième soir, quand, à la stupeur des deux hommes, Leïla articula quelques phrases en tchétchène, ce que Melik ne l'avait jamais entendu faire. Le visage hâve d'Issa s'éclaira soudain d'un sourire surpris qui céda aussitôt la place à un mutisme total. L'explication que donna Leïla de ses aptitudes linguistiques était pourtant simple : toute jeune, en Turquie, elle avait joué avec des enfants tchétchènes dans son village, et glané ainsi quelques bribes de leur langue. Elle avait deviné qu'Issa était tchétchène dès qu'elle avait posé les yeux sur lui, mais elle avait gardé ça pour elle parce que, avec les Tchétchènes, on ne sait jamais.

Il venait de Tchétchénie, sa mère était morte, et le seul souvenir qu'il avait d'elle était le petit coran sur le bracelet en or qu'elle lui avait attaché au poignet avant de mourir. Mais quand et comment était-elle morte, quel âge avait-il quand il avait hérité de son bracelet, autant de questions qu'il ne comprenait pas ou ne voulait pas comprendre.

« Les Tchétchènes sont détestés dans le monde entier, expliqua Leïla à Melik tandis qu'Issa continuait de manger, tête baissée. Mais pas par nous. Tu m'entends, Melik ?

– Bien sûr que je t'entends, maman.

– Tout le monde persécute les Tchétchènes sauf nous, poursuivit-elle. C'est normal dans toute la Russie et partout ailleurs. Pas seulement les Tchétchènes, mais tous les musulmans de Russie. Poutine les persécute et Bush l'y encourage. Tant que Poutine appelle ça la guerre contre le terrorisme, il peut faire tout ce qu'il veut aux Tchétchènes, personne ne l'arrêtera. Pas vrai, Issa ? »

Mais le court instant de bonheur d'Issa s'était envolé depuis longtemps. Son visage tourmenté s'était rembruni, ses yeux de biche étincelaient à nouveau de souffrance, et sa main décharnée s'était refermée d'un geste protecteur sur son bracelet. Dis quelque chose, bon sang ! l'exhortait intérieurement Melik, outré. Moi, si on me fait la surprise de me parler en turc, je réponds en turc, c'est la moindre des politesses ! Alors pourquoi tu ne dis pas quelques mots aimables en tchétchène à ma mère ? À moins que tu sois trop occupé à t'enfiler sa nourriture à l'œil ?

Là n'était pas son seul sujet d'inquiétude. À la faveur d'une des conversations d'Issa avec sa mère dans la cuisine, il avait discrètement inspecté le grenier qu'Issa considérait désormais comme son fief et fait quelques découvertes révélatrices : de la nourriture mise de côté comme en vue d'une évasion, une petite photo en buste dans un cadre doré de la sœur de Melik lors de ses fiançailles à dix-huit ans, dérobée à la précieuse collection de portraits de famille exposés par sa mère dans le salon, et la loupe de son père posée sur un exemplaire des Pages jaunes de Hambourg ouvert à la rubrique consacrée aux nombreuses banques de la ville.

« Dieu a donné à ta sœur un beau sourire qui réchauffera le cœur d'Issa », expliqua béatement Leïla en réponse aux protestations indignées de Melik, persuadé qu'ils hébergeaient un clandestin doublé d'un pervers.

* * *

Issa venait donc de Tchétchénie, qu'il en parlât ou non la langue. Ses parents étaient morts, mais, questionné à leur sujet, il se montrait aussi perplexe que ses hôtes, se bornant à fixer un coin de la pièce d'un doux regard, sourcils levés. Il était apatride, SDF, ex-taulard et clandestin, mais Allah lui fournirait les moyens d'étudier la médecine une fois qu'il ne serait plus un mendiant.

C'est vrai, Melik avait lui aussi rêvé jadis de devenir médecin et même arraché à son père et à ses oncles la promesse qu'ils financeraient ses études, ce qui aurait contraint la famille à un véritable sacrifice. S'il avait mieux réussi ses examens et fait moins de sport, c'est là qu'il serait aujourd'hui, en première année de médecine, à travailler d'arrache-pied pour l'honneur de sa famille. Il était donc compréhensible que le postulat insouciant d'Issa selon lequel Allah lui permettrait de réussir là où Melik avait échoué de façon patente incitât celui-ci à faire fi des avertissements de Leïla et, autant que le lui permettait son bon cœur, à se lancer dans un interrogatoire poussé de son invité indésirable.

La maison était à lui, car Leïla était allée faire des courses et ne rentrerait que dans l'après-midi.

« Alors, tu as étudié la médecine ? lança-t-il en s'asseyant près d'Issa pour créer un climat de confiance et en se figurant être l'interrogateur le plus subtil du monde. C'est bien, ça.

– J'ai été dans des hôpitaux, monsieur.

– En tant qu'étudiant ?

– Non, malade, monsieur. »

Pourquoi tous ces « monsieur » ? Une habitude contractée en prison ?

« Mais être malade, c'est différent d'être docteur, non ? Un docteur doit trouver ce qui ne va pas chez les gens, alors qu'un malade se contente d'attendre que le docteur le guérisse. »

Issa soupesa cette affirmation selon le processus complexe qu'il appliquait à toute affirmation si anodine fût-elle, riant aux anges, caressant sa barbe de ses doigts effilés, puis affichant un large sourire radieux sans répondre.

« Tu as quel âge ? demanda Melik avec une brusquerie involontaire. Si ça ne te dérange pas que je te pose cette question, ajouta-t-il d'un ton sarcastique.

– Vingt-trois ans, monsieur, répondit Issa, là encore après mûre réflexion.

– C'est plutôt vieux, non ? Même si tu obtenais ton permis de séjour demain, tu ne pourrais pas devenir médecin avant d'avoir trente-cinq ans, environ. En plus, il faudrait apprendre l'allemand, et donc payer aussi pour ça.

– Et si Dieu le veut j'épouserai une femme bien et j'aurai beaucoup des enfants, deux garçons, deux filles.

– En tout cas, pas ma sœur. Elle se marie le mois prochain. Désolé.

– Elle aura beaucoup des fils si Dieu le veut, monsieur.

– Et d'abord, comment t'es arrivé à Hambourg ?
lança Melik selon un nouvel angle d'attaque.

– C'est insignifiant. »

Insignifiant ? D'où sortait-il ce mot ? Et en turc, en
plus ?

« Tu ne savais pas que les réfugiés sont encore plus
mal traités dans cette ville que partout ailleurs en Allemagne ?

– Hambourg sera chez moi, monsieur. C'est ici qu'ils
m'ont amené. C'est la volonté divine d'Allah.

– Qui t'a amené ? Qui c'est, *ils* ?

– C'était mélangé, monsieur.

– Mélangé ?

– Peut-être des Turcs. Peut-être des Tchétchènes. On
les paie. Ils nous emmènent à un bateau. Ils nous
mettent dans un conteneur. Il n'y a pas beaucoup de
l'air dans le conteneur. »

Issa commençait à transpirer, mais Melik était allé
trop loin pour faire marche arrière.

« *Nous* ? C'est qui, nous ?

– Un groupe, monsieur. D'Istanbul. Un mauvais
groupe. Des hommes mauvais. Je respecte pas ces
hommes, déclara-t-il en retrouvant son ton supérieur,
malgré son turc hésitant.

– Combien vous étiez ?

– Peut-être vingt. Le conteneur, froid. Très froid après
quelques heures. Le bateau va au Danemark. J'étais
heureux.

– À Copenhague, c'est ça ? Copenhague, au Danemark.
La capitale.

– Oui, *Copenhague*, acquiesça-t-il, l'air ravi comme
si Copenhague était une bonne idée. Là-bas je serais
arrangé. Je serais libéré des mauvais hommes. Mais le

23

bateau pas allé d'abord à Copenhague. Le bateau doit en premier aller en Suède. À Göteborg, c'est ça ?

– C'est le nom d'un port suédois, je crois, reconnut Melik.

– À Göteborg, le bateau va arrêter, il va prendre une cargaison et il va aller après à Copenhague. Quand le bateau arrive à Göteborg, on est très malades, on a très faim. Sur le bateau on nous dit : "Faites pas du bruit. Les Suédois sont durs. Ils vous tueront." On fait pas du bruit. Mais les Suédois n'aiment pas notre conteneur. Les Suédois ont un chien, dit-il avant de réfléchir un instant. "Votre nom, s'il vous plaît ? aboie-t-il soudain au point de faire sursauter Melik. Quels papiers, s'il vous plaît ? Vous venez de prison ? Quels crimes, s'il vous plaît ? Vous vous échappez de prison ? Comment, s'il vous plaît ?" Les médecins sont efficaces. J'admire ces médecins. Ils nous laissent dormir. Je suis reconnaissant à eux. Un jour, je serai un médecin comme eux. Mais là je dois m'enfuir si Dieu le veut. S'échapper en Suède, pas bon. Il y a des barbelés de l'OTAN. Il y a beaucoup des gardes. Mais il y a aussi des toilettes. Et là, une fenêtre. Et après, la grille vers le port. Mon ami peut ouvrir la grille. Il est du bateau. Alors je retourne au bateau. Le bateau m'emmène à Copenhague. Enfin ! moi je dis. À Copenhague, il y a un camion pour Hambourg. J'aime Dieu, monsieur. Mais j'aime aussi l'Ouest. À l'Ouest, je serai libre adorer Dieu.

– C'est un camion qui t'a amené à Hambourg ?

– C'était arrangé.

– Un camion *tchétchène* ?

– Mon ami doit d'abord m'emmener à la route.

– Ton ami de l'équipage ? Cet ami-là ? Le même ?

– Non, monsieur. Un autre ami. Aller à la route, c'est difficile. Avant le camion, on doit dormir une nuit dans un champ, dit-il, puis il leva les yeux, une expression de joie intense illuminant un instant son visage défait. Il y avait des étoiles. Dieu est miséricordieux. Dieu soit loué ! »

Aux prises avec les invraisemblances de ce récit, mortifié par cette ferveur mais exaspéré tant par les nombreuses ellipses que par sa propre incapacité à les combler, Melik sentait sa frustration gagner ses bras et ses poings, et ses nerfs de boxeur se nouer dans son ventre.

« Et alors il t'a déposé où, ce camion magique venu de nulle part ? Où ça ? »

Mais Issa n'écoutait plus, si toutefois il l'avait jamais fait. Soudain (du moins cela sembla-t-il soudain à Melik, qui le regardait d'un œil impartial quoique interdit), tout ce qui s'était accumulé en lui explosa. Il se leva en titubant, porta une main à sa bouche, clopina, plié en deux, jusqu'à la porte, qu'il ouvrit à grand-peine alors qu'elle n'était pas verrouillée, et tangua le long du couloir jusqu'à la salle de bains. Peu après, la maison s'emplit de râles et de raclements de gorge comme Melik n'en avait plus entendu depuis la mort de son père. L'accalmie fut progressive, et suivie de grands bruits d'eau, de la porte de la salle de bains qui s'ouvre et se referme, puis du craquement des barreaux de l'échelle conduisant au grenier qu'Issa regagnait. Tomba ensuite un profond silence inquiétant, interrompu tous les quarts d'heure par le piaillement du coucou électronique de Leïla.

* * *

Quand Leïla revint à 16 heures chargée de ses courses, elle décrypta sans mal l'atmosphère et reprocha à Melik de manquer à ses devoirs d'hôte et de déshonorer le nom de son père. Après quoi elle se retira elle aussi dans sa chambre, se drapant dans son isolement jusqu'à ce que sonne pour elle l'heure de préparer le dîner. Bientôt des odeurs de cuisine envahirent la maison, mais Melik ne quitta pas son lit. À 20 h 30, Leïla fit résonner le gong en cuivre, précieux cadeau de mariage qui sonnait toujours comme un reproche aux oreilles de Melik. Sachant qu'elle ne tolérait pas le moindre retard en pareil moment, il se glissa jusqu'à la cuisine en évitant son regard.

« Issa, mon grand, descends, s'il te plaît ! » cria Leïla.

En l'absence de réponse, elle empoigna la canne de son défunt époux et en martela le plafond de la virole en caoutchouc, fixant un regard glacial et accusateur sur Melik, qui, du coup, entreprit l'ascension jusqu'au grenier.

En slip, couvert de sueur, Issa était couché en chien de fusil sur son matelas. Il avait ôté le bracelet de sa mère et le serrait au creux de sa main moite. Il portait autour du cou une bourse en cuir crasseuse fermée par une lanière. Malgré ses yeux grands ouverts, il ne semblait pas conscient de la présence de Melik, qui voulut lui toucher l'épaule mais retint son geste, horrifié. Le torse d'Issa était tout strié de meurtrissures bleues et orange, dont certaines semblaient dues à des coups de fouet et d'autres à des matraques. Sur la plante de ses pieds, ceux-là même qui avaient martelé les trottoirs de Hambourg, Melik découvrit des trous suppurants de la taille de brûlures de cigarette. Prenant Issa dans ses bras et lui passant une couverture autour de la taille par décence, il le souleva doucement, appela Leïla et fit descendre le corps inerte par la trappe dans ses bras qui l'attendaient.

« Installe-le dans mon lit, murmura Melik, en larmes. Je dormirai par terre. Aucune importance. Je lui donnerai même ma sœur pour lui sourire », ajouta-t-il au souvenir du petit cadre dérobé, qu'il remonta chercher dans le grenier en empruntant l'échelle.

* * *

Le corps martyrisé d'Issa reposait dans le peignoir de bain de Melik, ses jambes contusionnées dépassant du bout du lit, sa main toujours fermée sur le bracelet en or, son regard résolument fixé sur le mur aux trophées : photos de presse du champion triomphant, ceintures de boxe, gants victorieux. Melik, lui, était accroupi par terre. Il avait voulu appeler un médecin à ses frais, mais Leïla le lui avait interdit. Trop dangereux. Pour Issa, mais aussi pour nous. Que deviendrait notre demande de naturalisation ? D'ici à demain matin, sa fièvre va baisser et il va commencer à se remettre.

Mais la fièvre ne baissa pas.

Dissimulée sous un voile, accomplissant une partie du chemin en taxi pour semer d'éventuels poursuivants, Leïla se rendit impromptu dans une mosquée à l'autre bout de la ville que fréquentait, disait-on, un médecin turc récemment arrivé. Trois heures plus tard, elle rentra furibonde. Le jeune médecin était un imbécile et un charlatan. Il ne connaissait rien à rien. Il n'avait pas la moindre qualification ni aucun sens de ses responsabilités religieuses. Si ça se trouve, il n'était même pas médecin du tout.

Pendant son absence, la température d'Issa avait enfin un peu baissé, et Leïla put appliquer certaines techniques de soins rudimentaires acquises avant que la famille puisse se payer un médecin ou ose en consulter un. Si Issa avait souffert de lésions internes, il n'aurait jamais pu avaler toute cette nourriture, raisonna-t-elle. Elle se permit donc de lui donner de l'aspirine pour juguler sa fièvre, et de lui concocter un de ses bouillons à base d'eau de cuisson de riz additionnée de plantes médicinales turques.

Consciente qu'Issa, vivant ou mort, ne permettrait jamais qu'elle touche son corps nu, elle donna à Melik des serviettes, une compresse à lui appliquer sur le front et une cuvette d'eau fraîche pour l'éponger toutes les heures. Bourrelé de remords, Melik fut bien obligé de détacher la bourse en cuir du cou d'Issa afin de lui administrer ces soins.

Après une longue hésitation, et dans le seul intérêt de son hôte malade (du moins s'en convainquit-il), et seulement une fois qu'Issa se fut tourné vers le mur pour tomber dans un demi-sommeil entrecoupé de grommellements en russe, il se décida à dénouer la lanière et à ouvrir le col de la bourse.

Il trouva d'abord un rouleau de coupures de presse russes jaunies. Il ôta l'élastique qui les maintenait, puis les étala sur le sol. Toutes comportaient la photo d'un officier de l'Armée rouge en uniforme, la soixantaine passée, la mine patibulaire, le front large, la mâchoire carrée. Deux des coupures étaient des annonces de cérémonies du souvenir, ornées de croix orthodoxes et d'insignes régimentaires.

Puis Melik tomba sur une liasse de dix billets de cinquante dollars tout neufs retenus par un trombone. À cette vue, ses soupçons l'envahirent de nouveau. Un fugitif affamé, SDF, sans le sou, torturé, avec *cinq cents dollars intacts* en poche ? Les avait-il volés ? Contrefaits ? Était-ce la raison de son séjour en prison ? Ou bien ce qui lui restait après avoir payé les passeurs à Istanbul, le membre d'équipage bienveillant qui l'avait caché et le chauffeur du camion qui l'avait discrètement convoyé de Copenhague à Hambourg ? S'il lui restait encore cinq cents dollars, combien pouvait-il bien avoir eu, au départ ? Ses aspirations médicales n'étaient peut-être pas si chimériques, après tout.

La troisième découverte de Melik fut une enveloppe blanche toute sale, roulée en boule comme si quelqu'un avait voulu la jeter puis s'était ravisé. Ni timbre ni adresse, le rabat déchiré. Il la défroissa et en retira une lettre chiffonnée d'une page, dactylographiée en caractères cyrilliques. Il supposa que l'en-tête en grosses lettres noires comportait une adresse, une date et le nom de l'expéditeur. Au bas du texte incompréhensible, une signature illisible à l'encre bleue suivie d'un numéro à six chiffres écrit d'une main très soigneuse, chaque chiffre repassé plusieurs fois comme pour dire *n'oublie pas*.

Enfin, il trouva une clé tubulaire pas plus grosse qu'une des jointures de ses mains de boxeur, tournée à la machine et armée de crans complexes sur trois côtés. Trop petite pour une porte de prison et pour la grille menant au bateau à Göteborg, songea-t-il, mais juste la bonne taille pour des menottes.

Il remit ces possessions dans la bourse, qu'il glissa sous l'oreiller trempé de sueur afin qu'Issa l'y retrouve à son réveil. Le lendemain matin, il restait en proie à un sentiment de honte tenace. Tout au long de sa nuit de veille, étendu par terre aux pieds d'Issa, il avait été tourmenté par des images du corps martyrisé de son hôte, ainsi que par la conscience de sa propre médiocrité.

En tant que boxeur il connaissait la douleur, du moins le croyait-il. En tant que gamin des rues turc il avait reçu et donné bien des raclées. Récemment, au cours d'un match de championnat, une grêle de coups l'avait projeté dans cette zone rouge sombre d'où les boxeurs craignent de ne pas revenir. Et lors d'une compétition de natation contre des natifs du pays, il avait testé l'extrême limite de son endurance, du moins le croyait-il.

Pourtant, comparé à Issa, il n'avait encore rien connu.

Issa est un homme, et je ne suis qu'un gamin. J'ai toujours voulu avoir un frère, le voilà qui débarque sur le pas de ma porte et je le repousse. Il a souffert pour défendre ses convictions, pendant que moi je cherchais une gloire facile sur le ring.

* * *

Aux premières lueurs de l'aube, la respiration irrégulière qui avait angoissé Melik toute la nuit fit place à un râle régulier. En remplaçant la compresse, il fut soulagé de constater que la fièvre d'Issa était tombée. Dans la matinée, celui-ci put s'adosser tel un pacha contre une pile de coussins en velours à glands dorés que Leïla avait remontés du salon, et elle le nourrit d'une bouillie reconstituante de sa confection. Il portait de nouveau au poignet le bracelet en or de sa mère.

Rongé par la honte, Melik attendit qu'elle eût refermé la porte derrière elle pour s'agenouiller tête baissée près d'Issa.

« J'ai fouillé dans ta bourse, mais j'en suis profondément honteux. Qu'Allah le Miséricordieux me pardonne. »

Issa se réfugia dans l'un de ses éternels silences, puis posa une main émaciée sur l'épaule de Melik.

« N'avoue jamais, mon ami, lui conseilla-t-il d'une voix lasse en prenant sa main dans la sienne. Si tu avoues, ils te gardent pour toujours. »

2

Il était 18 heures le vendredi suivant quand l'établissement bancaire privé Brue Frères S.A., anciennement sis à Glasgow, Rio de Janeiro et Vienne, aujourd'hui à Hambourg, se mit au repos pour le week-end.

À 17 h 30 précises, un gardien musclé avait fermé les portes de la jolie maison bourgeoise en bordure de la Binnenalster. Quelques minutes plus tard, la caissière principale avait verrouillé la chambre forte et enclenché l'alarme, la secrétaire en chef avait congédié toutes ses filles puis inspecté leurs ordinateurs et corbeilles à papier, et Frau Ellenberger, la plus ancienne employée de la banque, avait basculé les téléphones sur répondeur, enfoncé son béret sur sa tête, ôté l'antivol de son anneau en fer dans la cour et enfourché son vélo pour aller chercher sa petite-nièce à son cours de danse. Mais non sans avoir pris le temps de réprimander gentiment son employeur, M. Tommy Brue, le dernier associé survivant porteur du célèbre nom.

« Monsieur Tommy, vous êtes pire que nous autres Allemands ! protesta-t-elle dans un anglais irréprochable en passant la tête par la porte du saint des saints. Pourquoi vous épuiser à la tâche ? C'est le printemps ! Vous n'avez donc pas remarqué les crocus et les magnolias ? Vous avez soixante ans, ne l'oubliez pas. Vous devriez rentrer chez vous et boire un verre de vin avec Mme Brue dans votre superbe jardin ! Sinon, vous allez être "usé jusqu'à la corde" », l'avertit-elle, plus pour faire étalage de son amour de Beatrix Potter que par espoir d'amender son patron.

Brue leva la main droite et la fit tourner en une joviale imitation de bénédiction papale.

« Partez en paix, Frau Elli ! l'expédia-t-il d'un ton faussement résigné. Puisque mes employés refusent de travailler pour moi en semaine, je n'ai d'autre choix que de travailler pour eux le week-end. *Tschüss !* ajouta-t-il en lui envoyant un baiser.

– *Tschüss*, monsieur Tommy, et saluez votre charmante épouse pour moi.

– Je n'y manquerai pas. »

Mais tous deux savaient bien ce qu'il en serait réellement. Téléphones et couloirs silencieux, aucun client pour réclamer son attention, sa femme Mitzi à sa soirée de bridge chez ses amis les von Essen : Brue était maître en son royaume, avec tout loisir de passer en revue la semaine écoulée, de planifier celle à venir et même de sonder son âme immortelle si l'envie lui en prenait.

* * *

Eu égard à la chaleur hors saison, Brue était en bras de chemise et bretelles, la veste de son complet sur mesure soigneusement drapée sur un antique valet muet en bois près de la porte : *Randall's of Glasgow*, tailleurs des Brue depuis quatre générations. Le bureau sur lequel il travaillait était celui-là même que Duncan Brue, fondateur de la banque, avait emporté à bord avec lui quand il avait fait voile depuis l'Écosse en 1908 avec de l'espoir pour tout bagage et cinquante souverains d'or en poche.

L'énorme bibliothèque en acajou qui occupait un mur entier appartenait elle aussi à la légende familiale. Derrière sa belle vitrine s'alignaient, rangée après rangée, des chefs-d'œuvre de la culture universelle sous reliure en cuir : Dante, Goethe, Platon, Socrate, Tolstoï, Dickens, Shakespeare, et, assez curieusement, Jack London. Le meuble avait été accepté par le grand-père de Brue en remboursement partiel d'une créance douteuse, et les livres avec. S'était-il senti tenu de les lire ? La légende ne le disait pas. Mais il les avait déposés à la banque.

Sur le mur face à Brue, tel un panneau de signalisation toujours sur son chemin, trônait l'authentique arbre généalogique peint à la main dans son cadre doré. Les racines de ce vénérable chêne s'enfonçaient profondément dans les rives argentées du Tay, ses branches s'étalaient à l'est vers la vieille Europe et à l'ouest vers le Nouveau Monde, et des glands dorés indiquaient les villes étrangères dans lesquelles des mariages étaient venus enrichir la lignée des Brue, et ses fonds disponibles par la même occasion.

Brue était le digne descendant de cette noble lignée, quoique le dernier. En son for intérieur, il ne pouvait ignorer que « Frères », comme seule la famille surnommait l'établissement, était un havre de pratiques obsolètes. Frères lui survivrait mais touchait à son terme naturel. Il y avait bien Georgie, la fille qu'il avait eue de Sue, sa première épouse, sauf que sa dernière adresse en date était celle d'un ashram près de San Francisco. Le monde de la banque n'avait jamais vraiment fait partie de son projet de vie.

Brue lui-même faisait tout sauf fin de race, en revanche. Bien bâti, d'une beauté discrète, un front large constellé de taches de rousseur, une tignasse drue d'Écossais d'un brun-roux qu'il avait réussi à dompter et séparer par une raie, il exsudait l'assurance que confère la richesse, l'arrogance en moins. Il avait un visage avenant (sauf lorsqu'il le figeait sous un masque d'impassibilité pour raison professionnelle) et singulièrement épargné par les rides, malgré une vie entière passée dans la banque – ou peut-être grâce à cela. Quand des Allemands le qualifiaient de typiquement anglais, il riait de bon cœur et promettait d'essuyer l'affront avec un stoïcisme tout écossais. S'il représentait une espèce en voie de disparition, il s'en félicitait intérieurement : Tommy Brue, sel de la terre, fiable en cas de coup dur, sans ambition démesurée mais d'autant plus respectable, marié à une perle, convive idéal pour les dîners en ville, et assez bon joueur de golf. Telle était l'idée qu'il se faisait de sa réputation, bien méritée d'ailleurs.

* * *

Après un dernier coup d'œil aux cours à la clôture et un calcul de leur impact sur les avoirs de la banque (le petit fléchissement habituel du vendredi soir, rien d'affolant), Brue éteignit son ordinateur et parcourut la pile de dossiers que Frau Ellenberger avait présélectionnés à son intention.

Toute la semaine il s'était débattu dans les arcanes presque inextricables du monde bancaire actuel, où l'on a aussi peu de chances de savoir à qui va réellement l'argent qu'on prête que de savoir qui a imprimé les billets. Pour ses séances du vendredi, en revanche, ses priorités étaient définies autant par son humeur du moment que par de vrais impératifs. S'il se sentait l'âme généreuse, il pouvait passer la soirée à restructurer le fonds caritatif d'un client à titre gracieux ; s'il avait plutôt envie de légèreté, il s'intéressait à un haras, un établissement thermal, une chaîne de casinos ; si l'heure était au moulinage de chiffres, talent acquis par le labeur plutôt qu'hérité par atavisme, il écoutait volontiers du Mahler tout en épluchant les plaquettes de courtiers, d'investisseurs en capital-risque et de fonds de pension concurrents.

Ce soir-là, toutefois, il ne pouvait se permettre le luxe de choisir. Un client important faisait l'objet d'une enquête de la Bourse de Hambourg, et même si Haug von Westerheim, le président de la commission, avait assuré Brue qu'aucune poursuite ne serait engagée, il se sentit obligé de se plonger dans les dernières pièces du dossier. Mais avant cela, il s'enfonça dans son fauteuil pour revivre ce moment incroyable où le vieux Haug avait enfreint sa propre règle d'or de confidentialité.

Sous les marbres somptueux du Club anglo-allemand, un fastueux dîner en tenue de soirée bat son plein. Le gratin de la finance hambourgeoise fête l'un des siens. Tommy Brue a soixante ans ce soir, pas moyen d'y échapper, car, comme son père Edward Amadeus aimait à le lui répéter : *Tommy, mon fils, l'arithmétique est l'unique composante de notre métier qui ne ment pas.* L'ambiance est euphorique, la nourriture savoureuse, le vin encore meilleur, les riches sont heureux. Haug von Westerheim, patron septuagénaire et anglophile d'une entreprise de transports routiers, homme d'influence et homme d'esprit, propose un toast à la santé de Brue.

« Mon cher Tommy, vous avez trop lu Oscar Wilde à notre goût, commence-t-il en anglais d'une voix aigrelette, une flûte de champagne à la main, debout devant un portrait de la reine dans sa jeunesse. Vous avez peut-être entendu parler de Dorian Gray ? Nous en sommes convaincus. Nous avons la nette impression que vous l'avez pris pour exemple et que dans les coffres de votre banque se cache le hideux portrait de Tommy tel qu'à son âge actuel. Et vous, contrairement à votre reine bien-aimée, vous refusez de vieillir avec grâce. Vous êtes assis là et vous nous souriez comme un farfadet de vingt-cinq ans, du même sourire que lorsque vous êtes arrivé de Vienne voici sept ans avec l'intention de nous déposséder de nos richesses chèrement acquises. »

Sous des applaudissements soutenus, Westerheim prend la main distinguée de Mitzi, l'épouse de Brue, et, avec un surcroît de galanterie car elle est viennoise, y dépose un baiser et informe l'assemblée que sa beauté, contrairement à celle de Brue, est réellement éternelle. Emporté par une émotion sincère, Brue se lève avec l'intention de s'emparer de la main de Westerheim à son tour, mais le vieil homme, enivré tant par son triomphe que par la boisson, l'enserre dans une étreinte virile et lui murmure à l'oreille d'une voix rauque : « Mon cher Tommy, cette enquête sur un de vos clients, on va s'en occuper… D'abord on ajourne pour raisons techniques… et puis on la jette dans l'Elbe… Bon anniversaire, Tommy, mon ami… Vous êtes un type bien… »

Brue chaussa ses lunettes à monture demi-cerclée et réexamina les charges pesant sur son client. Il songea qu'un autre banquier aurait déjà appelé Westerheim pour le remercier du petit mot discrètement glissé, histoire de l'y tenir. Mais Brue ne l'avait pas fait. Il était incapable de lier ce vieil ami à une promesse irréfléchie faite dans le feu de son soixantième anniversaire.

Il prit un stylo et griffonna un mot à l'intention de Frau Ellenberger : *Première chose lundi matin, veuillez appeler le secrétariat du comité d'éthique pour leur demander s'ils ont fixé une date. Merci ! TB.*

Bon, c'est fait, se dit-il. À présent, le vieux peut décider sereinement de maintenir l'audience ou de l'annuler.

La seconde tâche du soir concernait Marianne Fofolle, comme la surnommait Brue en la seule présence de Frau Ellenberger. Veuve d'un florissant marchand de bois hambourgeois, Marianne était l'héroïne du plus ancien feuilleton de Brue Frères, la cliente qui donne chair à tous les clichés sur la banque privée. Dans l'épisode de ce soir, s'étant récemment fait convertir par un pasteur luthérien danois de trente ans, elle est sur le point de renoncer à ses biens temporels – soit un trentième des réserves de la banque – en faveur d'une mystérieuse fondation à but non lucratif contrôlée par ledit pasteur.

Le rapport du détective privé engagé par Brue de sa propre initiative n'était guère rassurant. Le pasteur avait récemment été accusé de fraude, mais acquitté faute de témoins, et il était par ailleurs le père de plusieurs enfants naturels de femmes différentes. Comment le pauvre Brue, banquier de son état, allait-il pouvoir l'annoncer à sa cliente enamourée sans qu'elle lui retire son compte ? Marianne Fofolle avait un seuil de tolérance assez bas pour les mauvaises nouvelles même dans ses meilleurs jours, comme il en avait plus d'une fois fait l'expérience à ses dépens. Et Brue avait dû user de tout son charme – sans aller jusqu'à la dernière extrémité, vous aurait-il assuré ! – pour l'empêcher de confier son compte à un jeune flagorneur chez Goldman Sachs. Marianne avait un fils qui risquait de perdre une fortune dans cette histoire et qu'elle adorait par intervalles, mais, autre rebondissement, il suivait en ce moment une cure de désintoxication dans le Taunus. Un petit voyage discret à Francfort pourrait résoudre le problème…

Brue griffonna une autre note pour sa fidèle Frau Ellenberger : *Merci de contacter le directeur de la clinique pour savoir si le jeune homme est en état de recevoir un visiteur (moi !).*

Dérangé par un bourdonnement émanant du téléphone près de son bureau, Brue jeta un coup d'œil aux diodes pour repérer si l'appel concernait sa ligne d'urgence sur liste rouge, auquel cas il décrocherait. Comme ce n'était pas le cas, il s'intéressa au brouillon du rapport semestriel de Frères qui, bien que correct, manquait de lustre. À peine s'y était-il attelé qu'il fut de nouveau distrait par le téléphone.

S'agissait-il d'un nouveau message, ou les murmures de tout à l'heure s'étaient-ils imprimés dans sa mémoire ? À 19 heures un vendredi soir ? La ligne ouverte au public ? Sans doute un faux numéro. Cédant à la curiosité, il appuya sur la touche de la boîte vocale. D'abord un bip électronique, suivi de Frau Ellenberger demandant poliment au correspondant, en allemand puis en anglais, de laisser un message ou de rappeler pendant les heures d'ouverture.

Et ensuite une voix féminine, jeune, allemande, aussi pure que celle d'un enfant de chœur.

* * *

Le quotidien du banquier privé, comme Brue aimait à pontifier après un ou deux scotchs en agréable compagnie, n'était pas, contrairement à ce que l'on pourrait se figurer, l'argent. Ce n'était pas les marchés haussiers ou baissiers, les fonds spéculatifs ni les produits dérivés. C'était les emmerdes. C'était la montée régulière, pour ne pas dire permanente, de la matière fécale jusqu'au cou, passez-moi l'expression. Alors, si vous n'aimiez pas vivre dans un constant état de siège, il y avait fort à parier que le métier de banquier privé n'était pas pour vous. Il en avait fait la remarque avec un certain succès dans son discours préparé en réponse au toast du vieux Westerheim.

En tant que vétéran des emmerdes, Brue avait peaufiné deux réactions distinctes au fil des ans pour le moment critique et proverbial où il se retrouvait dedans jusqu'au cou. S'il siégeait à une réunion du conseil d'administration avec les regards du monde entier braqués sur lui, il se levait, glissait les pouces dans sa ceinture et se promenait autour de la salle en affichant un calme olympien.

En l'absence de public, il optait pour son second choix, à savoir se figer dans la position où il se trouvait au moment de la nouvelle et titiller sa lèvre inférieure de son index, ce qu'il fit ce soir-là en écoutant le message une deuxième puis une troisième fois à partir du bip initial.

« Bonsoir. Je m'appelle Annabel Richter, je suis avocate, et je souhaiterais parler au plus vite et en personne à M. Tommy Brue de la part d'un client que je représente. »

Que je représente mais ne nomme pas, remarqua méthodiquement Brue pour la troisième fois. Un ton sec, un accent du sud de l'Allemagne, une diction cultivée, une expression prohibant toute circonlocution.

« Mon client m'a demandé de présenter ses respects à…, commence-t-elle, s'interrompant comme pour consulter une note. À un M. Lipizzan. Je répète : *Lipizzan*. Comme les chevaux, voyez-vous, monsieur Brue ? Les célèbres chevaux blancs de l'école espagnole d'équitation de Vienne, où se trouvait autrefois le siège de votre banque ? Je pense que votre banque connaît très bien les lipizzans. »

Le registre monte alors d'un cran. Le message anecdotique concernant des chevaux blancs devient l'appel au secours d'un enfant de chœur.

« Monsieur Brue, mon client ne dispose que de très peu de temps. Je préfère ne pas en dire plus par téléphone, cela va de soi. Il se peut d'ailleurs que vous en sachiez plus que moi sur sa situation, ce qui accélérera les choses. Je vous serais donc reconnaissante de bien vouloir me rappeler sur mon portable dès réception de ce message afin que nous puissions convenir d'un rendez-vous. »

Elle aurait pu s'arrêter là, mais non. La voix d'enfant de chœur se fait plus insistante.

« Si c'est tard le soir, cela me convient, monsieur Brue. Même très tard. En passant il y a un instant devant votre bureau, j'ai vu de la lumière. Ce n'est peut-être pas vous qui êtes en train de travailler, mais en tout cas il y a quelqu'un. Dans ce cas, que cette personne ait l'amabilité de transmettre au plus vite ce message à M. Tommy Brue, car lui seul a le pouvoir d'intervenir. Merci de votre attention. »

Et merci à vous, Frau Annabel Richter ! songea Brue, qui se leva, le pouce et l'index toujours accrochés à sa lèvre inférieure, et se dirigea vers la baie vitrée comme s'il s'agissait de l'issue de secours la plus proche.

Absolument, madame, ma banque connaît très bien les lipizzans, si par « banque » vous entendez moi-même, mon unique confidente Frau Elli et nulle autre âme qui vive. Ma « banque » paierait une fortune pour voir partir au galop le dernier de ses lipizzans vers Vienne, d'où ils sont venus, et ne plus jamais revenir. Peut-être le savez-vous, d'ailleurs.

Une idée horrible lui vint à l'esprit, à moins qu'elle n'ait été enfouie en lui depuis sept ans et n'ait décidé de faire surface qu'aujourd'hui. Une fortune, ne serait-ce pas justement là ce que vous recherchez, Frau Annabel Richter ? Vous et votre auguste client qui dispose de si peu de temps ?

S'agirait-il d'un chantage, par le plus grand des hasards ?

Sous votre pureté d'enfant de chœur et vos accents de sérieux professionnel, seriez-vous, avec votre complice (pardon, votre client), en train de faire allusion à l'étrange particularité des chevaux lipizzans, qui naissent noirs comme jais et ne blanchissent qu'avec l'âge, particularité ayant conduit à baptiser de leur nom un type original de compte bancaire conçu par mon défunt père bien-aimé, l'éminent et décoré Edward Amadeus Brue, qu'à tous autres égards je continue de vénérer comme le pilier même de la probité bancaire, durant ses dernières jeunes années à Vienne, quand l'argent sale d'un Empire du Mal en pleine chute s'échappait par camions entiers à travers un Rideau de Fer en plein effilochage ?

* * *

Brue arpenta lentement la pièce.

Mais pourquoi diable avoir agi ainsi, mon cher père ?

Pourquoi, alors que tu avais joui toute ta vie de la bonne réputation de ton nom et de celui de tes ancêtres, que tu l'avais cultivée tant dans ta vie privée que dans ta vie publique selon la plus pure tradition écossaise de circonspection, de sagesse et de sérieux, pourquoi tout risquer pour une bande d'escrocs et de profiteurs de l'Est dont l'unique exploit avait été de piller les richesses de leur pays au moment où celui-ci en avait le plus besoin ?

Pourquoi leur ouvrir grand les portes de ta banque, ta banque chérie, ton bien le plus précieux ? Pourquoi offrir un asile à leur butin mal acquis, assorti de garanties inédites de secret et de sécurité ?

Pourquoi tourner et contourner toutes les normes et les règles dans une tentative désespérée et – même à l'époque, Brue l'avait perçu – irréfléchie de s'établir aux yeux d'une bande de gangsters russes comme le banquier de choix à Vienne ?

D'accord, tu détestais le communisme, le communisme agonisait, et tu étais impatient de le voir enterré. Mais les escrocs auxquels tu accordais toutes ces faveurs en étaient les oligarques !

Pas besoin de noms, camarades ! Confiez-nous simplement votre butin pendant cinq ans en échange d'un numéro ! Et la prochaine fois que vous reviendrez nous voir, vos investissements lipizzans seront fringants, galopants, blancs comme neige ! Nous faisons ça exactement comme les Suisses, mais nous sommes britanniques alors nous le faisons encore mieux !

Sauf que non, songea Brue avec mélancolie, les mains jointes derrière le dos, en s'immobilisant pour regarder par la baie vitrée.

Non, parce que les grands hommes devenus gâteux avec l'âge meurent, parce que l'argent change de place et les banques aussi, parce que d'étranges personnages appelés auditeurs entrent en scène et que le passé disparaît. Sauf qu'il ne disparaît jamais vraiment, n'est-ce pas ? Quelques mots prononcés par une voix d'enfant de chœur et le voilà qui revient au galop.

* * *

Quinze mètres en contrebas, la cavalerie blindée de la ville la plus riche d'Europe rentrait au bercail pour embrasser les enfants, dîner, regarder la télévision, faire l'amour et dormir. Sur le lac, des skiffs et de petits yachts voguaient dans le rougeoiement crépusculaire.

Elle est là quelque part, songea-t-il. Elle a vu la lumière dans mon bureau.

Elle est là à faire ses vocalises avec son prétendu client, à se demander combien ils vont m'extorquer pour ne pas avoir révélé l'existence des comptes lipizzans.

Il se peut d'ailleurs que vous en sachiez plus que moi sur la situation de mon client.

Eh bien, il se peut aussi que non, Frau Annabel Richter. Et pour être honnête, je préfère ne rien savoir, même si le contraire semble inéluctable.

Et puisque vous refusez de m'en dire plus par téléphone, scrupules que j'apprécie, et puisque, n'étant pas doué de super-pouvoirs extrasensoriels, je me vois mal l'identifier parmi les six ou sept lipizzans survivants, à supposer qu'il y en ait encore qui n'aient pas été fusillés, emprisonnés, ou qui n'aient pas tout bêtement oublié dans les vapeurs de l'alcool où diable ils ont bien pu fourrer ces quelques millions, je n'ai d'autre choix, dans la plus pure tradition du chantage, que d'accéder à votre demande.

Il composa son numéro.

« Richter.

– Ici Tommy Brue, de la banque Brue. Bonsoir, Frau Richter.

– Bonsoir, monsieur Brue. Je voudrais vous parler dès que possible, je vous prie. »

Tout de suite, par exemple. Une voix un peu moins mélodieuse, un peu plus cassante, que lorsqu'elle avait plaidé pour obtenir son attention.

* * *

L'hôtel Atlantic se trouvait à dix minutes à pied de la banque, sur un sentier de gravier très fréquenté en bordure du lac, doublé d'un autre sentier qui résonnait des cliquetis et crissements des vélos et des jurons de leurs propriétaires pressés de rentrer chez eux. Un petit vent frais s'était levé, et le ciel avait pris une teinte bleunoir. Il s'était mis à tomber de grosses gouttes de pluie, qu'à Hambourg on baptise des pelotes de fil. Sept ans plus tôt, quand Brue était un nouveau venu dans cette ville, sa progression parmi la foule aurait pu être ralentie par les vestiges de sa réserve britannique. Ce soir il fendait son chemin, le coude toujours prêt à repousser d'éventuels parapluies prédateurs.

À l'entrée de l'hôtel, un portier en redingote rouge le salua de son haut-de-forme. Dans le vestibule, Herr Schwarz, le concierge, vint l'accompagner jusqu'à la table que Brue réservait pour les clients qui préféraient parler affaires ailleurs qu'à la banque, située dans le coin le plus reculé, entre une colonne en marbre et des peintures à l'huile de navires hanséatiques, sous le regard courroucé de Guillaume II représenté en faïence bleu ardoise.

« J'attends une dame que je n'ai pas encore eu le plaisir de rencontrer, Peter, confia Brue avec un sourire de complicité masculine. Une certaine Frau Richter. Je pense qu'elle est jeune. Faites en sorte qu'elle soit jolie, aussi.

– Je ferai de mon mieux », promit gravement Herr Schwarz, soudain plus riche de vingt euros.

Sans aucune raison, Brue se souvint d'une pénible conversation qu'il avait eue avec sa fille Georgie, alors âgée de neuf ans. Il avait entrepris de lui expliquer que maman et papa s'aimaient toujours mais qu'ils allaient se séparer. Mieux valait vivre chacun de son côté en bonne entente que se quereller, lui avait-il dit sur les conseils d'un psychiatre qu'il méprisait. Et mieux valaient deux foyers heureux qu'un seul malheureux. Et que Georgie pourrait voir maman et papa aussi souvent qu'elle le désirait, mais pas ensemble comme avant. En fait, Georgie s'intéressait davantage à son nouveau petit chiot.

« S'il ne te restait qu'un seul schilling autrichien au monde, qu'est-ce que tu en ferais ? lui demanda-t-elle d'un air pensif en flattant le ventre du chiot.

– Je l'investirais, bien sûr, ma chérie. Et toi, qu'en ferais-tu ?

– Je le donnerais à quelqu'un comme pourboire. »

Plus surpris par lui-même que par Georgie, Brue se demanda pourquoi il s'infligeait cette histoire à cet instant. Sans doute la similarité de leurs voix, se dit-il, un œil sur les portes battantes. Portera-t-elle un micro caché ? Son « client », si elle l'amène, en portera-t-il un ? Si c'est le cas, ce sera en pure perte.

Il se rappela sa dernière rencontre avec un maître chanteur : un autre hôtel, une autre femme, une Anglaise vivant à Vienne. Enrôlé par un client de Frères qui ne voulait confier son problème à nul autre, Brue l'avait rencontrée à l'heure du thé dans l'un des discrets pavillons du Sacher. C'était une imposante mère maquerelle en vêtements de deuil. Sa « fille » s'appelait Sophie.

« C'est une de mes meilleures, Sophie, alors bien sûr que j'ai honte, avait-elle expliqué sous le bord de son chapeau de paille noir. Mais elle pense à aller trouver les journaux, voyez-vous. Je lui ai dit de ne pas le faire, mais elle ne veut rien savoir, elle est si jeune ! Votre ami a des manières un peu rudes, pas très agréables. Bref, personne n'aime entendre parler de soi dans les journaux, n'est-ce pas ? Pas quand on est directeur général d'une grande entreprise publique, ça peut nuire. »

Brue s'était déjà renseigné auprès du chef de la police de Vienne, qui se trouvait être un client de Frères. Sur ses conseils, il avait consenti à une enveloppe exorbitante tandis que des inspecteurs en civil enregistraient la conversation depuis une table voisine.

Cette fois-ci, néanmoins, Brue n'avait pas un chef de la police dans sa manche, et la cible visée n'était pas un client mais lui-même.

* * *

Dans le grand hall de l'Atlantic, comme dans la rue, c'était l'heure de pointe. De son poste privilégié, Brue suivait en toute tranquillité l'arrivée et le départ des clients, certaines femmes portant fourrures et boas, certains hommes le costume funèbre du cadre moderne, d'autres le jean déchiré du clochard millionnaire.

Un cortège d'hommes âgés en smoking et de femmes en robe de bal pailletée déboucha d'un couloir intérieur, conduit par un chasseur qui poussait un chariot rempli de bouquets enveloppés dans de la cellophane. Un vieux richard doit fêter son anniversaire, songea Brue, qui se demanda un instant s'il s'agissait d'un de ses clients, et Frau Elli avait-elle pensé à envoyer une bouteille ? Je dis vieux, mais si ça se trouve il n'est pas plus vieux que moi, eut-il le courage de reconnaître.

Les gens le trouvaient-ils vraiment vieux ? Sans doute. Sue, sa première femme, disait toujours à regret qu'il était *né* vieux. Allons, soixante ans, c'était prévu dès le départ dans le contrat, si on avait la chance d'y arriver. Que lui avait donc dit Georgie quand elle était devenue bouddhiste ? « La cause de la mort, c'est la naissance. »

Il consulta son bracelet-montre en or, cadeau d'Edward Amadeus pour ses vingt et un ans. Dans deux minutes elle sera en retard, sauf que les avocats et les banquiers ne le sont jamais. Et les maîtres chanteurs non plus, supposa-t-il.

Derrière les portes battantes, une bourrasque balayait la rue. La pèlerine de la redingote du portier en haut-de-forme battait comme des ailes inutiles tandis qu'il courait d'une limousine à l'autre. Une pluie torrentielle se mit à tomber, voitures et piétons disparurent dans un brouillard laiteux. En surgit soudain, telle l'unique rescapée d'une avalanche, une petite silhouette râblée dans des vêtements informes, la tête et le cou protégés par un foulard. L'espace d'un horrible instant, Brue s'imagina qu'elle avait jeté un enfant en travers de ses épaules, puis il s'aperçut qu'il s'agissait d'un énorme sac à dos.

Elle gravit les marches, franchit les portes battantes, entra dans le hall et s'arrêta. Elle bloquait le passage aux gens derrière elle mais ne s'en souciait pas, si même elle le savait. Elle ôta ses lunettes mouillées de pluie, sortit de son anorak un coin du foulard et s'en servit pour les essuyer avant de les chausser à nouveau. Quand Herr Schwarz lui parla, elle répondit par un bref hochement de tête et tous deux regardèrent dans la direction de Brue. Herr Schwarz s'apprêtait à l'escorter, mais elle l'arrêta d'un signe de tête. Elle fit passer son sac à dos sur une épaule et avança vers Brue entre les tables, regardant droit devant elle, ignorant les autres clients sur son chemin.

Pas de maquillage, pas un seul centimètre de chair à nu en dessous de la gorge, remarqua Brue en se levant pour l'accueillir. Un petit corps athlétique aux mouvements précis et fluides sous l'accoutrement disgracieux. Une allure quelque peu martiale, typique des femmes actuelles. Des lunettes rondes, sans monture, qui accrochaient l'éclat des lustres. Pas de clignement d'yeux. Une peau de bébé. Trente ans et trente centimètres de moins que moi, mais les maîtres chanteurs se présentent sous tous formats et se font plus jeunes de jour en jour. Un visage d'enfant de chœur assorti à la voix d'enfant de chœur.

Pas de complice à l'horizon. Un jean bleu marine, des rangers aux pieds. Une beauté miniature en tenue de camouflage. Coriace mais vulnérable, déterminée à cacher sa chaleur féminine mais en vain. Georgie.

« Frau Richter ? Parfait. Je suis Tommy Brue. Que puis-je vous offrir ? »

La main était si petite qu'il relâcha instinctivement son étreinte.

« Ils ont de l'eau, dans cet endroit ? s'enquit-elle en lui adressant un regard noir derrière ses lunettes.

– Bien sûr, répondit-il en faisant signe au serveur. Vous êtes venue à pied ?

– À vélo. De l'eau plate, s'il vous plaît. Pas de citron. À température. »

* * *

Assise en face de lui, bien droite sur son trône en cuir, les mains appuyées sur les accoudoirs, les genoux serrés l'un contre l'autre, son sac à dos à ses pieds, elle le détailla : d'abord les mains, puis la montre en or, les chaussures, enfin les yeux, mais sans s'y attarder. Rien qui semblât la surprendre. À son tour, Brue la soumit à une inspection aussi poussée, quoique plus discrète : sa façon comme il faut de siroter son eau avec le coude contre le corps et l'avant-bras devant le torse, son aisance dans ce cadre opulent qu'elle semblait résolue à réprouver, sa bonne éducation sous-jacente, sa classe évidente malgré ses efforts pour la cacher.

Elle avait enlevé son foulard, découvrant un béret de laine d'où s'échappait une touffe de cheveux châtain clair qu'elle prit soin d'emprisonner à nouveau avant de boire une gorgée d'eau et de reprendre son inspection de Brue. Ses yeux fixes, agrandis par les lunettes, étaient gris-vert. *Aux reflets de miel*, se souvint-il. Où avait-il lu cela ? Dans l'un des romans qui s'empilaient par dizaines sur le chevet de Mitzi. Une petite poitrine haute, soigneusement dissimulée.

Brue sortit une carte de visite d'une poche cousue dans la doublure de soie bleue de sa veste Randall's et la lui tendit par-dessus la table avec un sourire affable.

« Pourquoi *Frères* ? » s'enquit-elle.

Pas de bagues, des ongles courts comme ceux d'un enfant.

« C'est une idée de mon arrière-grand-père.

– Il était français ?

– Non, il se rêvait français, répondit Brue, dégainant sa réponse toute faite. Il était écossais, et beaucoup d'Écossais se sentent plus proches de la France que de l'Angleterre.

– Il avait des frères ?

– Non. Moi non plus, d'ailleurs. »

Elle plongea vers son sac à dos, ouvrit la fermeture éclair d'un compartiment puis d'un autre. Par-dessus son épaule, Brue remarqua successivement des mouchoirs en papier, un flacon de produit pour lentilles de contact, un portable, des clés, un bloc-notes, des cartes de crédit et une chemise beige indexée et numérotée à la façon d'un dossier d'avocat. Pas de magnétophone ni de micro repérables, mais comment en être sûr, avec la technologie actuelle ? De toute façon, sous son accoutrement, elle aurait pu porter une ceinture lestée de dix kilos d'explosifs.

Elle lui tendit une carte.

SANCTUAIRE NORD, lut Brue. *Fondation caritative chrétienne œuvrant dans le nord de l'Allemagne pour la protection des personnes déplacées ou apatrides*. Bureaux dans l'est de la ville. Numéros de téléphone et de fax, adresse mail. Numéro de compte à la Commerzbank. Je pourrai en toucher un mot au directeur régional lundi si besoin est, histoire de vérifier leur degré de solvabilité. *Annabel Richter, conseiller juridique*. Les paroles de son père revinrent le hanter : « Ne crois jamais une jolie femme, Tommy. C'est une engeance criminelle de tout premier ordre. »

« Vous devriez également jeter un coup d'œil à ceci, dit-elle en lui agitant sous le nez une carte d'identité.

– Oh allons, pourquoi donc ? protesta-t-il, alors qu'il y avait lui-même pensé.

– Je ne suis peut-être pas celle que je prétends être.

« – Vraiment ? Qui pourriez-vous être ?

– Certains de mes clients se voient contactés par des gens qui se disent avocats alors qu'ils ne le sont pas.

– Mon Dieu, quelle horreur ! J'espère vivement que cela ne m'arrivera jamais. Sauf que cela m'est peut-être déjà arrivé sans que je le sache, évidemment. Ce serait affreux », déclara-t-il avec une feinte désinvolture, mais s'il espérait qu'elle la partagerait il fut déçu.

Sur la photographie, elle avait les cheveux épars, d'autres lunettes et le même visage, le regard noir en moins. Annabel Richter, née à Fribourg-en-Brisgau en 1977, donc aussi jeune que puisse être une avocate allemande, si toutefois c'était bien ce qu'elle était. S'étant carrée dans son fauteuil comme un boxeur qui récupère entre deux rounds, elle continuait de le regarder derrière ses lunettes de grand-mère, du haut de son petit corps discipliné, guindé et caparaçonné.

« Vous avez entendu parler de nous ? lança-t-elle.

– Pardon ?

– Sanctuaire Nord. Vous êtes au courant de notre travail ? Vous connaissez, ou pas du tout ?

– Non, désolé. »

Elle secoua lentement la tête et regarda d'un air incrédule le hall d'entrée, les couples d'âge mûr dans leurs beaux atours, les jeunes riches bruyants au bar et le pianiste maison qui jouait des chansons d'amour que personne n'écoutait.

* * *

« Et qui finance votre organisation caritative ? demanda Brue de son ton le plus pragmatique.

– Quelques églises, l'État de Hambourg quand il se pique de vertu…, répondit-elle avec un haussement d'épaules. On se débrouille.

– Depuis quand êtes-vous dans ce business ? Votre organisation, je veux dire.

– Ce n'est pas un business. Nous faisons du bénévolat. Ça fait cinq ans.

– Et vous, personnellement ?

– Deux ans, plus ou moins.

– À plein temps ? Vous n'avez pas d'autre activité ? »

En clair : Pas de travail au noir ? Un peu de chantage par-ci par-là ?

Elle était lasse de cet interrogatoire.

« J'ai un client, monsieur Brue. Officiellement, il est représenté par Sanctuaire Nord, mais il vient de me donner pouvoir à titre personnel pour toute démarche relative à votre banque, et il m'a donné son accord pour que je vous contacte, ce que je fais en ce moment.

– Son accord ? répéta Brue en élargissant son sourire vissé.

– Des instructions, si vous préférez. Quelle différence ? Comme je vous l'ai indiqué au téléphone, la situation de mon client à Hambourg est délicate. Il y a des limites à ce qu'il est prêt à me dire, de même qu'il y en a à ce que je peux vous dire. Après un certain nombre d'heures passées en sa compagnie, je suis persuadée que le peu qu'il me confie est la vérité. Pas toute la vérité, juste une petite partie censurée à mon intention, mais la vérité vraie. C'est une évaluation que nous devons toujours faire, dans mon organisation. Nous devons nous satisfaire du peu qu'on nous fournit et faire avec. Nous préférons être bernés que cyniques. Voilà qui nous sommes. Voilà les principes que nous défendons, ajouta-t-elle d'un ton de défi, accusant implicitement Brue de défendre les principes inverses.

– J'entends bien ce que vous me dites et je le respecte, l'assura-t-il pour lui renvoyer la balle, ce qu'il savait très bien faire.

– Nos clients ne sont pas ce que vous pourriez considérer comme des clients "normaux", monsieur Brue.

– Vraiment ? Je ne crois pas avoir jamais rencontré un client "normal", plaisanta Brue sans succès.

– Dans l'ensemble, nos clients sont plutôt du genre de ceux que Frantz Fanon a appelés *Les Damnés de la terre*. Vous connaissez ce livre ?

– J'en ai entendu parler mais je ne l'ai pas lu, hélas !

– En l'espèce, ce sont des apatrides. Souvent traumatisés. Ils ont aussi peur de nous que du monde où ils entrent et de celui qu'ils ont quitté.

– Je vois, dit Brue, qui ne voyait rien du tout.

– Mon client croit, à tort ou à raison, que vous êtes son salut, monsieur Brue. C'est pour vous qu'il est venu à Hambourg. C'est grâce à vous qu'il pourra rester en Allemagne, obtenir un statut légal et faire des études. Sans vous, il retournera en enfer. »

Brue envisagea un « oh mon Dieu » ou un « comme c'est triste », mais se ravisa sous le regard inflexible de la jeune femme.

« Il croit qu'il lui suffira de mentionner *M. Lipizzan* et de vous fournir un certain numéro de référence – référence à qui ou à quoi je n'en sais rien, et peut-être que lui non plus – pour que, abracadabra, toutes les portes s'ouvrent à lui.

– Depuis combien de temps est-il ici, si je peux me permettre ?

– Disons deux semaines.

– Et il a mis tout ce temps pour me contacter, alors que je suis censé être la raison de sa venue ? Cela me paraît un peu difficile à comprendre.

– Il est arrivé ici en mauvais état, terrifié, sans connaître âme qui vive. C'est la première fois qu'il vient en Occident. Il ne parle pas un mot d'allemand. »

Il faillit dire à nouveau « je vois », mais se retint.

« En plus, pour des raisons qui m'échappent totalement, le fait même de devoir vous contacter lui répugne, reprit-elle. Il préférerait nettement faire l'autruche et mourir de faim. Hélas, étant donné sa situation ici, vous êtes son seul espoir. »

* * *

C'était au tour de Brue, mais de faire quoi ? *Quand tu te trouves dans un trou, ne creuse pas, Tommy, renforce tes défenses*, lui disait son père.

« Pardonnez-moi, Frau Richter, commença-t-il d'un ton respectueux, mais sans nullement concéder qu'il ait fait quoi que ce soit qui requière son pardon. Qui a bien pu donner à votre client l'information – l'impression, dirais-je plutôt – que ma banque pouvait accomplir ce miracle pour lui ?

– Pas juste votre banque, monsieur Brue, vous aussi personnellement.

– Désolé, je ne comprends pas comment cela se pourrait. Je vous ai demandé d'où il tenait cette information.

– D'un avocat, peut-être ? De quelqu'un comme moi, ajouta-t-elle d'un ton méprisant.

– Et dans quelle langue avez-vous obtenu cette information de votre client, je vous prie ? demanda-t-il, optant pour une autre approche.

– À propos de M. Lipizzan ?

– Et d'autres choses. Ne serait-ce que mon nom, déjà.

– Mon client vous dirait que cette question est insignifiante, rétorqua-t-elle, son jeune visage dur comme pierre.

– Puis-je vous demander s'il y avait des intermédiaires présents quand il vous a donné ses instructions ? Un interprète qualifié, par exemple ? Ou bien êtes-vous en mesure de communiquer directement avec lui ? »

La mèche de cheveux s'était à nouveau échappée du béret, mais cette fois Annabel l'attrapa et se mit à la tortiller tout en jetant un regard furieux alentour.

« En russe, dit-elle, avant de lui montrer soudain un certain intérêt : Et vous, vous parlez russe ?

– Gentiment. En fait, plutôt bien. »

Cet aveu sembla déclencher en elle une sorte de prise de conscience de sa féminité. Elle sourit et lui fit vraiment face pour la première fois.

« Où avez-vous appris ?

– Moi ? À Paris. Eh oui, c'est follement décadent !

– Paris ! Pourquoi Paris ?

– Mon père m'y avait envoyé. Il y tenait beaucoup. Trois ans à la Sorbonne avec plein de poètes émigrés barbus. Et vous ? s'enquit-il, mais l'instant de connivence était passé.

– Il m'a donné une référence, annonça-t-elle en fouillant dans son sac à dos. Un numéro spécial qui dira quelque chose à M. Lipizzan. Peut-être à vous aussi. »

Elle déchira une page de son bloc-notes et la lui donna. Six chiffres écrits à la main. Par elle, supposa-t-il. Commençant par 77, ce qui correspondait à un lipizzan.

« Ça concorde ? demanda-t-elle en le défiant de son regard implacable.

– Avec quoi ?

– Le numéro que je viens de vous donner est bien la référence utilisée par la banque Brue Frères ou non ? » expliqua-t-elle comme à un enfant récalcitrant.

Brue réfléchit à la question – ou plus exactement à la façon de l'éluder.

« Eh bien, Frau Richter, vous faites grand cas de la confidentialité du client, et moi de même, commença-t-il, très à l'aise. Ma banque ne divulgue pas l'identité de ses clients, ni la nature de leurs transactions. Je suis certain que vous respectez ce principe. Nous ne révélons rien, sauf quand la loi nous y oblige. Si vous me dites *M. Lipizzan*, je vous comprends. Si vous mentionnez un numéro de référence, je consulte nos registres, ajouta-t-il avant de marquer une pause en attendant une réaction, mais le visage de la jeune femme resta résolument fermé. Vous êtes personnellement aussi honnête que faire se peut, cela va de soi. En revanche, vous seriez surprise de savoir combien il existe d'escrocs en ce bas monde, dit-il en hélant le serveur.

– Ce n'est pas un escroc, monsieur Brue.

– Non, bien sûr, c'est votre client. »

Ils s'étaient levés. Qui le premier, il l'ignorait. Elle, sans doute. Il n'avait pas pensé que leur entrevue serait si brève et, malgré le chaos en lui, il se prit à souhaiter qu'elle se prolongeât.

« Je vous appellerai quand j'aurai fini mes recherches. D'accord ?

– Quand ça ?

– Ça dépend. Si je fais chou blanc, ce sera très vite.

– Ce soir ?

– C'est possible.

– Vous retournez à la banque tout de suite ?

– Pourquoi pas ? S'il s'agit d'une situation de détresse, comme vous semblez le suggérer, on va faire ce qu'on peut. Ça s'impose. C'est bien naturel.

– Il est en train de se noyer. Tout ce que vous avez à faire, c'est de lui tendre la main.

– Oui, enfin, ce genre d'appel au secours, j'en entends assez souvent dans mon métier.

– Il vous fait *confiance*, insista-t-elle, horripilée par le ton qu'il venait d'employer.

– Comment est-ce possible alors qu'on ne s'est jamais rencontrés ?

– Bon, d'accord, il ne vous fait pas confiance, c'est son père qui vous faisait confiance. Et vous êtes tout ce qu'il lui reste.

– Eh bien, c'est très déroutant. Pour vous autant que pour moi, j'imagine. »

Elle remit son sac à dos sur l'épaule et traversa le hall d'un pas martial jusqu'aux portes battantes, de l'autre côté desquelles le portier en haut-de-forme l'attendait avec sa bicyclette. La pluie tombait toujours à verse. Annabel sortit un casque de la boîte en bois fixée au guidon, le coiffa, attacha la bride, puis enfila un pantalon imperméable. Sans un regard ni un signe de la main, elle disparut.

* * *

Sise en demi-sous-sol à l'arrière du bâtiment, la chambre forte de Frères faisait près de quatre mètres sur trois. Il y avait eu maintes blagues échangées avec l'architecte sur le nombre de débiteurs insolvables qu'on pourrait y enfermer, d'où son surnom maison : *l'oubliette**. Grâce aux progrès de la technologie, toute autre banque privée aurait pu se passer d'archives et même de chambre forte, mais Frères ne pouvait se défaire du bagage de son histoire et voilà ce qu'il en restait, véhiculé depuis Vienne par camion blindé et déposé dans ce mausolée de briques peintes en blanc équipé de déshumidificateurs et protégé par des consoles de diodes et de touches numériques qui exigeaient un code, une empreinte de pouce et quelques mots doux. La compagnie d'assurance avait requis la reconnaissance d'iris, mais quelque chose en Brue s'y était refusé.

Une fois à l'intérieur, il emprunta une allée bordée de coffres antédiluviens jusqu'à une armoire en acier perchée contre le mur du fond. Il entra un code, l'ouvrit et chercha parmi les dossiers suspendus jusqu'à ce que,

* En français dans le texte *(NdT)*.

se référant à la feuille arrachée au calepin d'Annabel Richter, il trouve le bon dossier, d'un orange défraîchi, retenu par des pinces à dessin en métal. Une étiquette sur la tranche indiquait la référence, mais pas de nom. À la lueur jaunâtre des plafonniers, il tourna les pages à un rythme régulier, pas tant pour les lire que pour les parcourir. Il fouilla de nouveau dans l'armoire, et en sortit cette fois une boîte à chaussures contenant des bristols cornés. Il les passa en revue et y pêcha la carte dont la référence correspondait à celle du dossier.

KARPOV, lut-il. *Grigori Borissovitch, colonel dans l'Armée rouge. 1982. Membre fondateur.*

Ton meilleur millésime, songea-t-il. Ma coupe empoisonnée. Je n'ai jamais entendu parler d'un Karpov, mais c'est logique, non ? Les lipizzans étaient ton écurie privée.

Tout mouvement sur ce compte et toute instruction client à communiquer sur-le-champ et en personne à EAB avant toute action, signé *Edward Amadeus Brue,* lut-il.

En personne *à toi.* Les escrocs russes étant ta chasse gardée. Les escrocs de moindre envergure (les gestionnaires de portefeuille, les courtiers d'assurance, les confrères banquiers) peuvent bien poireauter une demi-heure en salle d'attente et finir par se résoudre à voir la caissière principale, mais les escrocs russes, sur ton ordre personnel, sont envoyés direct à EAB.

Pas imprimé, pas tamponné par Frau Elli, à l'époque ta jeune et dévouée secrétaire très particulière, mais écrit par toi à l'encre bleue de ton éternel stylo-plume, avec en bas ta signature, au cas où le lecteur fortuit (non qu'il y en ait jamais eu, Dieu sait !) se trouverait ignorer que EAB signifie Edward Amadeus Brue, officier de l'Ordre de l'Empire britannique, le banquier qui jamais de sa vie n'a contourné la moindre règle, jusqu'à les violer toutes à la fin de sa vie.

Brue referma l'armoire puis la chambre forte et, le dossier coincé sous le bras, remonta l'élégant escalier jusqu'à la pièce où, deux heures plus tôt, sa quiétude du vendredi soir avait été si brutalement perturbée. Les vestiges de Marianne Fofolle jonchant son bureau lui semblaient vieux d'un an, les soupçons éthiques de la Bourse de Hambourg anecdotiques.

Et une fois de plus : *pourquoi ?*

Tu n'avais pas besoin de cet argent, très cher père, aucun de nous n'en avait besoin. Tu aurais pu te contenter de ce que tu étais : le vénérable et riche doyen du milieu bancaire viennois, dont le mot d'ordre était la droiture.

Et quand j'ai fait irruption dans ton bureau un beau soir et que j'ai prié Frau Ellenberger (*Fräulein*, à l'époque, et une fort jolie *Fräulein*, d'ailleurs) de nous laisser seuls, et que j'ai soigneusement fermé la porte derrière elle, et que je nous ai servi à tous les deux un grand scotch, et que je t'ai dit que j'en avais plus qu'assez de nous entendre surnommés Mafia Frères, qu'as-tu fait ?

Tu as affiché ton sourire de banquier – certes un peu crispé, je te l'accorde –, et tu m'as tapé sur l'épaule en me disant qu'il existe des secrets dans ce monde que même un fils bien-aimé n'a pas intérêt à connaître.

Tes paroles mot pour mot. Un superbe écran de fumée. Même Fräulein Ellenberger en savait plus que moi, mais tu lui avais fait jurer de garder le secret dès le premier jour de son noviciat.

Tu m'as bien eu, hein ? Tu étais déjà mourant, mais voilà un autre de tes secrets que je n'étais pas digne de partager. Et, alors que la Faucheuse et les autorités viennoises étaient au coude à coude dans leur course à qui t'attraperait le premier, intervient la reine d'Angleterre si chère à ce vieux Westerheim, qui décide tout d'un coup, pour des raisons impénétrables aux simples mortels, de te convoquer à l'ambassade britannique, où, avec la pompe de circonstance, son loyal ambassadeur te fait officier de l'Ordre de l'Empire britannique, honneur que tu convoitais depuis toujours, m'informat-on par la suite alors que tu ne me l'avais jamais dit.

Et pendant la cérémonie, tu as pleuré.

Et j'ai pleuré.

Et ton épouse, ma mère, aurait pleuré si elle avait été là, mais dans son cas la Faucheuse avait gagné depuis longtemps.

Et au moment où tu l'as rejointe à la Joyeuse Banque du Ciel, ce que tu fis, dans une résurgence de ta prudence légendaire, moins de deux mois plus tard, le déménagement à Hambourg semblait plus judicieux que jamais.

* * *

Nos clients ne sont pas ce que vous pourriez considérer comme des clients « normaux », monsieur Brue.

Le menton dans la main, Brue feuilletait en tous sens le mince dossier mutique. L'index avait été censuré, certains papiers retirés pour protéger l'identité du titulaire. Un journal des contacts (seuls les lipizzans en contenaient) fournissait le lieu et la date des rendez-vous entre le client félon et son banquier félon, mais pas leur objet.

Le capital du titulaire était investi dans un fonds de placement offshore des Bahamas, pratique courante pour les lipizzans.

Le fonds de placement appartenait à une fondation du Liechtenstein.

La part du titulaire dans la fondation du Liechtenstein était sous forme de bons au porteur confiés à Frères.

Ces bons devaient être remis au *requérant agréé*, sur production du *numéro de compte adéquat, des pièces d'identité conformes* et de ce qui était chastement défini comme *l'instrument nécessaire à l'accès*.

Pour plus de détails, cf. le dossier personnel du titulaire du compte, sauf que c'est impossible parce qu'il est parti en fumée le jour même où Edward Amadeus Brue, officier de l'Ordre de l'Empire britannique, a officiellement remis à son fils les clés de la banque.

Bref, pas de transfert officiel et, comme de bien entendu, pas de procédure normalisée : juste un « coucou, c'est moi » de l'heureux détenteur du numéro de référence, d'un permis de conduire et dudit *instrument*, et un paquet de junk bonds passait officieusement d'une main sale à une autre – le scénario idéal du blanchiment d'argent.

* * *

« Quoique », murmura Brue à voix haute.

Quoique, dans le cas du colonel Grigori Borissovitch Karpov, anciennement de l'Armée rouge, le *requérant agréé*, si c'est bien ce qu'il s'avère être, est l'un des damnés de la terre, qui répugne à devoir me contacter et qui préférerait nettement mourir de faim. Et il est en train de se noyer, et tout ce que j'ai à faire c'est de lui tendre la main. Il croit que je suis son salut, et sans moi il retournera en enfer.

Mais ce que Brue se rappelait, c'était la main d'Annabel Richter : pas de bagues, les ongles courts comme ceux d'un enfant.

Il n'y avait plus de circulation. Vendredi. La soirée bridge de Mitzi. Brue consulta sa montre. Dieu que le temps passait vite ! Comment s'était-il fait si tard ? Cela dit, tard, c'était relatif. Parfois, leurs parties se poursuivaient jusqu'au petit matin. Il espérait qu'elle était en train de gagner. Elle y attachait de l'importance. Pas à l'argent, mais au fait de gagner. Georgie était l'exact opposé de sa belle-mère. Une tendre, cette Georgie. Jamais contente tant qu'elle ne perdait pas. Si on la faisait entrer les yeux bandés dans une pièce pleine de gens parmi lesquels un raté complet, on pouvait parier sa chemise que c'était lui qu'elle adopterait en un rien de temps.

Et vous, Annabel Richter de Sanctuaire Nord, vous êtes de quel genre ? Battante ou loser ? Si vous travaillez à sauver le monde, vous appartenez sans doute à la seconde catégorie. Mais vous jetteriez vos dernières forces dans un baroud d'honneur, ça c'est sûr. Edward Amadeus vous aurait adorée.

Sans plus y réfléchir, Brue composa une fois de plus le numéro de portable d'Annabel.

3

La première indication de la présence d'Issa en ville se fit jour dans les locaux exigus de l'Unité des recrutements étrangers, qui dépendait de l'Office de protection de la constitution de Hambourg (nom pompeux dissimulant le Service de renseignement intérieur), tard l'après-midi de sa quatrième journée d'errance dans les rues, environ au moment où il arrivait, frissonnant et en sueur, sur le seuil de chez Leïla et suppliait qu'on le laisse entrer.

L'Unité – selon le sobriquet utilisé par sa structure d'accueil récalcitrante – n'était pas installée avec les Protecteurs dans le bâtiment principal de leur complexe en banlieue, mais en face, tout au fond de la cour, aussi près du périmètre de barbelés que faire se pouvait sans s'y couper. L'équipe de seize personnes et ses maigres auxiliaires (analystes, guetteurs, oreilles et chauffeurs) avaient été relégués dans de vieilles écuries SS désaffectées dotées d'un clocher hors d'usage et d'une vue imprenable sur des pneus et des jardinets à l'abandon.

Imposée aux Protecteurs par le Comité de pilotage mixte récemment fondé à Berlin avec pour mission avouée de restructurer des services de renseignement éclatés et notoirement inefficaces, l'Unité était considérée comme l'étape préliminaire d'un plan de suppression des précieuses segmentations à des fins de centralisation et de rationalisation du système. Quoique théoriquement sous commandement local et dépourvue des pouvoirs accordés à la police fédérale, elle n'était responsable ni devant l'antenne hambourgeoise des Protecteurs ni devant leur quartier général à Cologne, mais devant ce même mystérieux organisme berlinois tout-puissant qui l'avait imposée à l'origine aux Protecteurs.

De qui ou de quoi cet organisme omnipotent de Berlin se composait-il ? Son existence même semait la terreur au cœur de l'espiocratie allemande conservatrice. Certes, en principe, le Comité de pilotage mixte n'était qu'un aréopage de mandarins recrutés dans chacun des principaux services et chargés d'améliorer leur coopération au lendemain d'une série d'attentats évités de peu sur le sol allemand. Après une période de gestation de six mois, selon la version officielle, ses recommandations devaient être transmises pour examen aux deux centres de décision de l'espionnage allemand, le ministère de l'Intérieur et la Chancellerie, et en gros cela s'arrêterait là.

Ou pas.

Car en réalité, les attributions du Comité de pilotage étaient d'une portée révolutionnaire : rien de moins que la création d'un nouveau système de commandement et de contrôle qui chapeauterait tous les services d'espionnage du plus grand au plus petit et serait, de façon inédite pour le système fédéral allemand, présidé par un coordinateur (ou plutôt un tsar) du renseignement new-look doté de pouvoirs sans précédent.

Alors, qui donc serait ce nouveau coordinateur tout-puissant ?

Personne ne doutait qu'il serait tiré des rangs obscurs du Comité de pilotage. Mais dans quelle faction ? La stabilité politique de l'Allemagne étant suspendue à une coalition versatile, de quel côté pencherait-il ?

À quelles allégeances, à quels impératifs serait-il soumis quand il s'attaquerait à son immense tâche ? Quelles promesses aurait-il à tenir ? Et quelle voix écouterait-il quand il commencerait son grand nettoyage ?

Ainsi, dans leur éternelle lutte de pouvoir pour la primauté dans le domaine du renseignement intérieur, la police fédérale continuerait-elle à damer le pion aux Protecteurs assiégés ? Le Service fédéral de renseignement extérieur serait-il encore le seul habilité à opérer clandestinement hors du territoire ? Si oui, se purgerait-il enfin du poids mort des ex-soldats et pseudo-diplomates qui encombraient ses antennes à l'étranger ? Des gens très bien quand il s'agissait de défendre les ambassades allemandes en période d'émeutes populaires, c'est certain, mais beaucoup moins compétents pour le délicat travail de recrutement et de traitement de réseaux clandestins.

Rien d'étonnant donc à ce que, contaminées par cette ambiance de suspicion et d'angoisse qui avait envahi l'ensemble des services secrets allemands, les relations entre les mystérieux intrus de Berlin et leurs hôtes forcés de Hambourg fussent au mieux glaciales, affectant les moindres détails de leurs interactions quotidiennes, ni à ce que l'intérêt éveillé d'un côté de la cour par l'arrivée d'Issa ne se manifestât pas de l'autre. Sans l'œil imaginatif (*trop* imaginatif, selon certains) de l'imprévisible Günther Bachmann à l'Unité, l'entrée discrète d'un homme se faisant appeler Issa aurait pu ne jamais être repérée.

* * *

D'ailleurs, ce Günther Bachmann de Berlin, qui était-il, au juste, dans la vie ?

S'il existe en ce monde des gens prédestinés à l'espionnage, Bachmann était de ceux-là. Rejeton polyglotte d'une extravagante Germano-Ukrainienne ayant contracté une série de mariages mixtes, unique officier de son service censé n'avoir rien réussi à l'école si ce n'est se faire renvoyer définitivement du lycée, avant l'âge de trente ans Bachmann avait bourlingué sur toutes les mers du globe, fait du trekking dans l'Hindou Kouch et de la prison en Colombie, et écrit un roman impubliable d'un millier de pages.

Pourtant, au fil de ces expériences invraisemblables, il avait découvert son patriotisme et sa vraie vocation, d'abord en tant qu'auxiliaire irrégulier d'un lointain avant-poste allemand, puis en tant qu'agent expatrié sans couverture diplomatique à Varsovie pour sa connaissance du polonais, à Aden, Beyrouth, Bagdad et Mogadiscio pour son arabe, et enfin à Berlin pour ses péchés, condamné à y végéter après avoir engendré un scandale quasi épique dont seuls quelques détails avaient atteint le moulin à ragots : un excès de zèle, dirent les rumeurs, une tentative de chantage malavisée, un suicide, un ambassadeur allemand rappelé en hâte.

Après quoi, retour discret à Beyrouth sous un autre faux nom, pour y faire une fois encore ce qu'il avait toujours fait mieux que personne, quoique pas forcément selon les règles – mais depuis quand les règles s'appliquaient-elles à Beyrouth ? –, c'est-à-dire repérer, recruter et diriger par tous les moyens des agents actifs sur le terrain, ce qui constitue le nerf de la vraie collecte de renseignements. Mais au bout du compte même Beyrouth était devenu trop dangereux pour lui, et un bureau à Hambourg avait soudain semblé le lieu le plus sûr, sinon pour Bachmann, du moins pour ses maîtres à Berlin.

Sauf que Bachmann n'était pas du genre à se laisser mettre au rancart. Ceux qui considéraient Hambourg comme une placardisation se trompaient lourdement. La quarantaine bien entamée, c'était un homme volcanique au physique inclassable, large d'épaules, toujours dépenaillé, les revers de son veston souvent parsemés de cendre jusqu'à ce qu'elle en soit époussetée par l'insigne Erna Frey, sa collègue et assistante de longue date. Dynamique, charismatique, irrésistible, c'était un bourreau de travail au sourire conquérant. Sa tignasse châtain clair faisait plus jeune que le réseau de rides sur son front. Il avait des dons d'acteur pour flatter, charmer ou intimider. Il pouvait se montrer suave et grossier dans la même phrase.

« Je veux qu'on le laisse libre de circuler, dit-il à Erna Frey, debout près de lui dans l'antre humide réservé aux analystes dans les écuries SS, où Maximilian, leur génie de l'informatique, faisait défiler des images d'Issa sur ses écrans. Je veux qu'on le laisse parler à qui on lui a dit de parler, prier où on lui a dit de prier, et dormir où on lui a dit de dormir. Personne ne doit l'aborder avant nous, surtout pas ces enfoirés d'en face. »

* * *

Le premier repérage d'Issa, si on pouvait l'appeler ainsi, n'avait apparemment intéressé personne. Il s'agissait d'un avis de recherche lancé dans le cadre de la coopération européenne par le quartier général de la police suédoise à Stockholm, notifiant tous les pays signataires qu'un immigrant russe clandestin s'était évadé de sa prison en Suède, nom, photographie et signes particuliers à l'appui, localisation actuelle inconnue. Une demi-douzaine d'avis similaires pouvaient circuler en une journée. Au centre opérationnel des Protecteurs, en face, il fut dûment réceptionné, téléchargé, ajouté à des rangées de ses semblables sur les murs de la salle de repos, puis ignoré.

Toutefois, les traits d'Issa avaient dû s'imprimer sur la rétine de l'œil interne de Maximilian. Au fil des heures suivantes, alors que l'atmosphère se tendait dans l'antre des analystes de Bachmann, des membres de l'équipe arrivèrent d'autres coins des écuries pour partager cette ébullition. Âgé de vingt-sept ans, Maximilian présentait un bégaiement sévère, une mémoire encyclopédique et le don de collationner des bribes éparses d'informations. Mais l'heure du dîner était passée depuis longtemps quand il se renfonça dans son siège et croisa derrière sa tête rousse ses longs doigts parsemés de taches de rousseur.

« Repassez-moi ça, s'il vous plaît, Maximilian », ordonna Bachmann, exceptionnellement en anglais, rompant le silence recueilli.

Maximilian rougit et obéit.

Apparut la photo anthropométrique de face et de profil d'Issa prise par la police suédoise, sous la mention RECHERCHÉ et son nom en majuscules tel un avertissement : KARPOV, Issa.

Un texte de dix lignes en caractères gras le décrivait comme un activiste musulman en fuite, né à Grozny en Tchétchénie vingt-trois ans plus tôt, réputé violent, à approcher avec prudence.

Les lèvres serrées. Pas de sourire, volontaire ou autorisé.

Des yeux péniblement grands ouverts après des jours et des nuits passés dans l'obscurité puante du conteneur. Pas rasé, le visage émacié, l'air désespéré.

« Comment on sait si c'est son vrai nom qu'il a fourni ? demanda Bachmann.

– Il ne l'a pas fourni, intervint Erna Frey alors que Maximilian tardait à répondre. Il a donné un nom tchétchène, mais ses camarades dans le conteneur l'ont dénoncé. "C'est Issa Karpov, l'aristocrate russe en cavale."

– L'aristocrate ?

– C'est dans le rapport. Ses camarades l'ont trouvé snob. D'un genre spécial. Comment on peut être snob dans un conteneur, mystère !

– La police suédoise pense qu'il est retourné au bateau et qu'il a graissé la patte à l'équipage, débita Maximilian d'une seule haleine en maîtrisant son bégaiement. La dernière escale du bateau était Copenhague », ajouta-t-il, l'articulation de ce dernier mot constituant un véritable triomphe de la volonté sur la nature.

Images floues d'un barbu maigre en long pardessus sombre, avec un keffieh autour du cou et un bonnet à motif en zigzag sur la tête, qui descend de l'arrière d'un camion en pleine nuit.

Le chauffeur du camion lui fait un signe d'adieu.

Le passager s'éloigne sans le lui rendre.

Images familières du parvis de la gare principale de Hambourg, des files et des files de taxis jaune pastel.

La même silhouette mince allongée sur un banc de la gare.

La même silhouette s'assoit, parle à un homme corpulent qui fait de grands gestes, accepte de sa part un gobelet de carton et en boit le contenu.

Juxtaposition de la photo anthropométrique d'Issa et des clichés améliorés du barbu maigre sur le banc de la gare.

Autre photo du même barbu maigre debout de toute sa hauteur sur le parvis de la gare.

« Les Suédois l'ont mesuré, dit Maximilian après quelques ratés. Il est très grand. Il mesure près de deux mètres. »

Sur l'écran, une toise virtuelle apparaît à côté du barbu allongé, puis assis. Elle indique un mètre quatre-vingt-treize.

« Mais comment diable vous est venue l'idée d'aller récupérer les images de la gare de Hambourg ? s'insurgea Bachmann. On vous donne la photo anthropométrique suédoise d'un type qui est parti au Danemark, et vous, vous passez en revue les clodos avinés de la gare de Hambourg ? Je devrais vous faire boucler pour pratique de la voyance ! »

Rouge de plaisir, Maximilian leva inutilement une main pour attirer l'attention et, de l'autre, cliqua sur l'écran.

Image agrandie du même camion sur le parvis de la gare, vue latérale, pas de signes distinctifs.

Image agrandie du même camion, vue arrière. Maximilian zooma sur la plaque d'immatriculation. En partie cachée par un bout de chiffon noir. Sont visibles un côté de l'emblème de l'Union européenne et les deux premiers chiffres d'un numéro danois. Maximilian essaya de parler, mais en vain. Sa charmante petite amie à moitié arabe, Niki, de la section d'écoute, s'exprima à sa place.

« Les Suédois ont interrogé les autres clandestins à son sujet, dit-elle, approuvée d'un signe de tête par Maximilian. Il allait à Hambourg. Il refusait d'aller où que ce soit d'autre. Tout s'arrangerait pour lui à Hambourg.

– Il a dit pourquoi ?

– Non. Il s'est refermé comme une huître. Ses compagnons l'ont trouvé dingue.

– En sortant du conteneur, ils devaient tous l'être plus ou moins. Quelles langues parle-t-il ?

– Russe.

– C'est tout ? Pas tchétchène ?

« – D'après les Suédois, non. Ils n'ont peut-être pas essayé.

– Mais son prénom, c'est *Issa*. Ça veut dire Jésus en arabe. Jésus Karpov. Il a un nom de famille russe et un prénom musulman. C'est quoi, cette histoire ?

– Allons, Günther, ce n'est pas Niki qui l'a baptisé, murmura Erna Frey.

– Et pas de nom patronymique, déplora Bachmann. Qu'est-ce qu'il en a fait, de son patronyme russe ? Il l'a oublié en prison ? »

Au lieu de lui répondre, Niki reprit l'histoire à la place de son petit ami.

« Maximilian a eu un coup de génie, Günther. Il s'est dit que si Copenhague était la prochaine escale du bateau et Hambourg la destination finale du jeune type, il n'y avait qu'à visionner les images du quai de la gare de Hambourg à chaque arrivée d'un train en provenance de Copenhague. »

Comme toujours avare de compliments, Bachmann feignit de ne pas l'entendre.

« Issa Sans Patronyme Karpov a été le seul à sortir de ce camion danois à l'immatriculation cachée ?

– Oui, le seul. Hein, Maximilian ? Le seul et unique, confirma-t-elle tandis que Maximilian hochait vigoureusement la tête. Personne d'autre n'est sorti du camion danois, et le chauffeur est resté dans l'habitacle.

– Bon alors c'est qui, le vieux poussah ?

– Le vieux poussah ? répéta Niki, un instant déroutée.

– Le gros type avec le gobelet en carton. Le vieil obèse qui a parlé à notre homme sur le parvis de la gare. Il portait une casquette de marin noire. Ne me dites pas que je suis seul à avoir repéré le vieux poussah, c'est impossible. Notre homme lui a répondu. En quelle langue se parlaient-ils ? En russe ? En tchétchène ? En arabe ? En latin ? En grec ancien ? Ou alors notre homme parle allemand et on ne le sait pas ? »

Maximilian leva de nouveau une main et, de l'autre, cliqua sur la séquence du vieux poussah pour l'agrandir. D'abord en temps réel, puis au ralenti : un homme âgé, costaud, chauve, d'allure militaire, chaussé de bottes d'équitation, offrant poliment un gobelet en polystyrène ou en carton. Ses gestes ont quelque chose d'étrangement compassé, presque cérémonieux. Et en effet, le vieux poussah et notre homme sont bien en train de discuter.

« Montrez-moi son poignet.

– Son poignet ?

– Au jeune, dit sèchement Bachmann. Le poignet droit du jeune quand il prend le gobelet, nom de Dieu ! Montrez-le-moi en gros plan. »

Un beau bracelet, en or ou en argent. Un minuscule livre ouvert y est suspendu.

« Où est Karl ? J'ai besoin de lui ! » cria Bachmann en pivotant et en ouvrant les bras comme s'il venait de se faire dévaliser.

Or Karl était debout juste devant lui. Karl, l'ancien gamin des rues de Dresde avec trois condamnations pour délinquance juvénile et un diplôme en sciences sociales. Karl au sourire timide et suppliant.

« Karl, allez à la gare, s'il vous plaît. Peut-être que la rencontre fortuite entre le vieux poussah et notre homme n'était pas si fortuite que ça. Peut-être que notre homme devait recevoir des ordres ou rencontrer son contact. Ou peut-être qu'on a juste affaire à un pauvre vieux dont la seule distraction dans la vie est d'offrir des gobelets de café à des beaux gosses paumés dans des gares à 2 heures du matin. Parlez aux bénévoles qui dirigent la Mission pour les sans-abri là-bas. Demandez-leur s'ils savent qui a donné ce gobelet à notre homme en plein milieu de la nuit. C'est peut-être un habitué. Ne leur montrez pas de photos, ça les effaroucherait. Parlez-leur gentiment et évitez la police ferroviaire. Préparez une jolie petite histoire en cas de besoin. Genre, le vieux poussah est votre oncle, vous l'avez perdu de vue depuis longtemps, vous lui devez de l'argent. Mais surtout ne faites pas de vagues. Vous restez discret, vous vous fondez dans le paysage, bref, vous savez faire. Compris ?

– Compris. »

Bachmann s'adressa alors à tous : Niki, son amie Laura, deux guetteurs qui avaient suivi Karl dans la pièce, Maximilian et Erna Frey.

« Voilà où on en est, mes amis. On cherche un homme qui n'a ni patronyme ni rien de normal. D'après son dossier, c'est un activiste russo-tchétchène et un criminel violent qui s'achète un ticket de sortie de sa prison turque – et d'ailleurs, qu'est-ce qu'il foutait là, au passage ? –, qui fausse compagnie à la police portuaire suédoise, qui achète son passage sur le bateau d'où il a débarqué, qui sort en douce des docks de Copenhague, qui affrète un camion pour Hambourg, qui accepte un gobelet offert par un vieux poussah avec lequel il engage la conversation dans Dieu sait quelle langue et qui porte un bracelet coranique. Un tel homme mérite toute notre considération, vu ? »

Sur ce, il retourna à son bureau d'un pas lourd, comme toujours suivi de près par Erna Frey.

* * *

Étaient-ils mariés ?

Si ça se trouve, oui, car Bachmann et Erna Frey étaient tout l'opposé l'un de l'autre. Alors que Bachmann détestait l'exercice physique, fumait, jurait, buvait trop de whisky et ne s'intéressait à rien d'autre qu'au travail, Erna Frey, elle, était grande, sportive, frugale,

72

avec une coiffure courte facile à entretenir et une démarche résolue. Affublée à vie du prénom d'une tante vieille fille, envoyée par ses riches parents dans l'école religieuse huppée de Hambourg pour jeunes filles de bonne famille, elle en était sortie pétrie d'austères vertus allemandes, chasteté, zèle, piété, honnêteté et dignité, jusqu'à ce qu'un sens de l'humour ravageur doublé d'un scepticisme salutaire vienne tout gâcher. Une autre femme aurait pu échanger son prénom suranné contre un modèle plus récent, mais pas Erna. Dans les tournois de tennis, elle écrasait ses adversaires des deux sexes grâce à ses balles coupées et volleyées ; lors de randonnées alpines, elle devançait des hommes deux fois plus jeunes qu'elle ; mais sa plus grande passion était la navigation en solitaire, et il se savait qu'elle mettait de côté le moindre sou gagné pour s'acheter un bateau et faire le tour du monde.

Au travail, en revanche, ce couple mal assorti était comme mari et femme, partageant dans le même bureau téléphones, dossiers, ordinateurs, odeurs et manies. Quand Bachmann, au mépris du règlement, allumait une de ses immondes cigarettes russes, Erna Frey toussait ostensiblement et ouvrait grand les fenêtres, mais là s'arrêtait sa réprobation. Bachmann pouvait tirer sur sa cigarette jusqu'à ce que la pièce ressemble à une fumerie de poisson, Erna ne protestait pas. Couchaient-ils ensemble ? Selon les bruits de couloir, ils avaient essayé et conclu à un désastre. Cela dit, quand ils travaillaient tard, ils n'hésitaient pas à dormir tous les deux à l'étroit dans la chambre de secours au bout du couloir.

Et quand la jeune équipe s'était réunie pour la première fois dans la galerie hâtivement réaménagée qui surplombait les écuries devenues leur nouveau foyer, où les avaient accueillis le vin du pays de Bade préféré de Bachmann et le sanglier aux airelles cuisiné par

Erna Frey, ces deux-là semblaient former un couple si soudé et interagir si naturellement que leurs invités n'auraient pas été surpris de les voir se tenir la main, du moins jusqu'au moment où Bachmann entreprit d'expliquer à ses troupes récemment assemblées la raison de leur présence sur cette putain de planète. Son discours tour à tour ordurier et messianique, mi-leçon d'histoire à sa façon mi-appel au combat, fut fatalement baptisé la Cantate de Bachmann. En voici l'intégralité :

* * *

« Le 11 Septembre, il y a eu deux sites touchés, déclara-t-il, s'adressant à eux tantôt depuis un côté de la galerie, tantôt depuis le fond de la salle, ou encore surgissant tel un djinn courtaud sous les poutres devant eux, ses poings martelant ses paroles. L'un des deux sites était New York. L'autre, dont on parle beaucoup moins, était ici même à Hambourg. »

Il tendit le bras vers la fenêtre.

« Cette cour que vous voyez là était enfouie sous les décombres, rien que du papier. Et les pathétiques barons du renseignement allemand fouillaient dedans pour essayer de trouver quelle énorme bourde ils avaient bien pu commettre. Des génies ont afflué des quatre coins du monde occidental pour nous offrir leurs lumières et assurer leurs arrières à la con. D'insignes Protecteurs de notre constitution sacrée venus de Cologne (que Dieu nous protège des Protecteurs ! ajouta-t-il, soulevant des rires qu'il ignora), des espiocrates de notre distingué Service de renseignement extérieur, des beaux messieurs-dames de notre omnisciente Commission de surveillance du renseignement au Bundestag, des Américains issus de plus d'agences que j'en avais jamais entendu parler (seize au dernier recensement) et prêts à tout pour se refiler le bébé. Je vous le dis : pendant les semaines suivantes, il y a eu un tel défilé d'experts de mes deux pour prodiguer leur expertise que les pauvres bougres qui essayaient de faire tourner la boutique et de déblayer les gravats ont bien regretté qu'ils ne soient pas passés quelques semaines plus tôt. Comme ça il n'y aurait jamais eu de Mohammed Atta ni de singes hurleurs des médias pour leur vomir dessus. »

Il fit le tour de la galerie, coudes écartés, poings fermés.

« Hambourg a merdé. Tout le monde a merdé, mais c'est Hambourg qui a porté le chapeau, dit-il avant de se mettre à jouer les deux parties d'une conférence de presse imaginaire : *"Monsieur, pourriez-vous nous dire exactement combien d'arabophones travaillent pour votre organisation en ce moment dans cette ville ?"* cria-t-il en sautant vers sa gauche. "Aux dernières nouvelles, un et demi", répondit-il en sautant vers sa droite. *"Monsieur, qui avez-vous mis sur écoute et pris en filature au cours des mois précédant l'Apocalypse ?"* poursuivit-il avec un nouveau petit saut de côté. "Eh bien, madame, maintenant que j'y pense… deux Chinois soupçonnés d'avoir volé nos super-secrets industriels… des adolescents néo-nazis qui peignent des svastikas sur des tombes juives… la prochaine génération de la Fraction armée rouge… ah oui, et puis aussi vingt-huit ex-communistes cacochymes qui veulent faire renaître cette bonne vieille RDA." »

Il disparut soudain pour resurgir à l'autre bout de la galerie, le visage sombre.

« Hambourg est une ville coupable, déclara-t-il posément. Consciemment ou non. Hambourg a peut-être même *attiré* ces terroristes. Nous ont-ils choisis, ou bien les avons-nous choisis ? Quels signaux Hambourg envoie-t-elle au terroriste islamiste antisioniste de base décidé à foutre en l'air l'Occident ? Des siècles d'antisémitisme ? Oui. Des camps de concentration au coin de la rue ? Oui. Bon, je vous l'accorde, Hitler n'est pas né à Blankenese. Mais ça aurait pu, ne vous y trompez pas. La bande à Baader ? Ulrike Meinhof, qui est née tout près d'ici, est devenue la fille adoptive chérie de Hambourg. Elle est même allée s'entraîner chez les Arabes. Elle a fait la fête avec leurs tarés, elle a détourné des avions avec eux. Ulrike était peut-être une sorte de signal. Il y a beaucoup trop d'Arabes qui aiment les Allemands pour de mauvaises raisons. Y compris nos terroristes du 11 Septembre, si ça se trouve. On ne le leur a jamais demandé. Et maintenant, c'est trop tard. »

Il laissa le silence régner un instant, puis sembla reprendre courage.

« Mais il y a aussi de *bonnes* choses à Hambourg, poursuivit-il avec entrain. Nous sommes des gens de la mer. Nous sommes une ville-État de centre-gauche, accueillante et cosmopolite. Nous sommes des commerçants de classe internationale avec un port de classe internationale et un flair de classe internationale pour repérer les bonnes affaires. Nos étrangers ne sont pas des étrangers pour nous. Nous ne sommes pas un bled paumé à l'intérieur des terres où les étrangers ont l'air de Martiens. Ils font partie de notre paysage. Durant des siècles, des millions de Mohammed Atta ont bu notre bière, baisé nos putes et repris leur bateau. Mais on ne leur a pas dit par ici la sortie, on ne leur a pas demandé ce qu'ils venaient foutre là, parce que pour nous ils faisaient partie du décor. Bien sûr, on est en Allemagne, mais on est *à part* en Allemagne. On est *mieux* que l'Allemagne. On est Hambourg, mais on est aussi New York. D'accord, on n'a pas les Tours Jumelles – cela dit New York non plus, maintenant. En revanche, nous, on est *attirants*. On sent toujours aussi bon pour les sales types. »

Nouveau silence le temps qu'il médite ses dernières paroles.

« Enfin, si c'est de signaux qu'on parle, personnellement je pointerais du doigt notre nouvelle tolérance lèche-cul pour la diversité religieuse et ethnique. Parce qu'une ville coupable qui fait amende honorable de ses anciens péchés, qui affiche une tolérance infinie, étonnante, aveugle, ça aussi c'est une sorte de signal. C'est pratiquement une invitation à venir nous mettre à l'épreuve. »

Il se rapprochait de son cheval de bataille, le sujet que tous attendaient, le motif qui justifiait qu'on les ait arrachés à Berlin ou Munich pour les reléguer dans d'anciennes écuries SS à Hambourg. Il fustigea d'abord l'incapacité lamentable des services secrets occidentaux (et en premier lieu, allemands) à recruter la moindre source active de valeur contre la cible islamiste.

« Vous croyez que tout a changé après le 11 Septembre ? aboya-t-il, furieux contre eux ou contre lui-même. Vous croyez que, dès le 12, les agents de notre formidable Service de renseignement extérieur, mus par une vision planétaire de la menace terroriste, ont coiffé leur keffieh pour aller dans les souks d'Aden, de Mogadiscio, du Caire, de Bagdad ou de Kandahar acheter quelques petits tuyaux sur où et quand exploserait la prochaine bombe et qui appuierait sur le bouton ? Bon, d'accord, on connaît tous la mauvaise blague : on ne peut pas acheter un Arabe, mais on peut en louer un. Eh ben nous, on n'a même pas été foutus d'en louer un ! À de très rares exceptions que je vous épargnerai, rayon sources actives, on avait que dalle. Et on a toujours que dalle aujourd'hui.

« Oh, bien sûr, il y avait toute une liste de nobles journalistes, industriels et humanitaires allemands qui émargeaient chez nous, dont certains n'étaient pas allemands d'ailleurs, trop heureux de nous vendre leurs déchets industriels contre un revenu complémentaire non imposable. Mais ça nous donne pas des *sources actives*, ça. Ça nous donne pas des imams radicaux désenchantés et vénaux, ni des gamins islamistes pas loin de toucher leur ceinture d'explosifs. Ça nous donne pas les agents dormants d'Oussama, ni ses recruteurs, ses messagers, ses logisticiens, ses bailleurs de fonds, ni même des gens qui connaissent des gens qui les connaissent. Ça nous donne juste des convives charmants pour le dîner. »

Il attendit que les rires se fussent calmés.

« Et quand nous nous sommes rendu compte de ce qui nous manquait, nous n'avons pas réussi à mettre la main dessus. »

Nous, remarquèrent-ils. *Nous* à Beyrouth. *Nous* à Mogadiscio et à Aden. Le *nous* royal de Bachmann. Lui avait pourtant recruté des sources actives, des vraies, des bonnes, tout le petit monde de l'espionnage le disait. Achetées ou louées, peu importait. Mais peut-être les avait-il aussi perdues. Ou peut-être, par sécurité, était-il contraint d'en nier l'existence.

« On a cru pouvoir les *attirer* dans notre camp grâce à notre charme. On a cru pouvoir les *appâter* avec nos bonnes bouilles et nos portefeuilles bien garnis. On a poireauté des nuits entières sur des parkings à attendre que des transfuges de haut vol montent sur la banquette arrière et passent un marché avec nous. Personne n'est venu. On a ratissé les ondes pour casser leurs codes. Mais ils n'en avaient pas la queue d'un, de code ! Et pourquoi ? Parce que c'était plus la guerre froide. On se battait contre une nation éclatée appelée Islam, peuplée d'un milliard et demi de personnes et dotée d'une infrastructure passive à l'avenant. On a cru pouvoir employer les mêmes méthodes qu'avant, mais on se fourrait le doigt dans l'œil jusqu'à l'omoplate. »

Sa colère s'apaisa tandis qu'il se permettait une digression.

« Écoutez, je sais de quoi je parle, confia-t-il. Avant de travailler sur la cible arabe, j'ai joué à tous ces petits jeux avec mes homologues soviétiques, j'ai acheté des gens, je les ai revendus, j'ai doublé et redoublé des *Joes* jusqu'à m'embrouiller les neurones. Mais personne ne m'a jamais tranché la tête. Personne n'a fait exploser ma femme et mes enfants quand ils se faisaient bronzer à Bali ou qu'ils prenaient le métro à Madrid ou à Londres pour aller à l'école. Les règles avaient changé, mais nous non, et c'était ça, le problème », conclut-il sèchement.

Puis il se dirigea vers une autre section de la galerie, marquant ainsi un nouveau changement d'humeur.

« Et même *après* le 11 Septembre, notre patrie bien-aimée – pardon, notre *Heimat* – restait *intouchable*, ben tiens ! s'esclaffa-t-il amèrement. Nous autres Allemands, on pouvait toujours se balader où on voulait les mains dans les poches ! Personne ne nous toucherait parce qu'on était merveilleusement allemands et donc intouchables. D'accord, on avait hébergé quelques terroristes islamistes, dont trois étaient allés faire sauter les Tours Jumelles et le Pentagone. Et alors ? C'est ce qu'ils étaient venus faire, ils l'avaient fait, point final. Ils avaient frappé le grand Satan en plein cœur et ils y avaient laissé leur peau. On leur avait servi de *rampe de lancement*, pas de cible, bon sang ! Aucune raison de s'inquiéter. Alors on a allumé des cierges pour ces pauvres Américains, on a *prié* pour ces pauvres Américains, on a fait preuve d'une *belle solidarité* à leur égard. Mais je n'ai pas besoin de vous dire qu'il y avait bon nombre d'enfoirés dans notre beau pays que ça dérangeait pas trop de voir la forteresse Amérique recevoir la monnaie de sa pièce, dont certains occupaient des postes très haut placés à Berlin et les occupent toujours. Et quand la guerre a éclaté en Irak et que nous autres braves Allemands on s'est tenus à l'écart, on était encore *plus* intouchables. Il y a eu Madrid, OK. Et Londres, OK. Mais pas Berlin, ni Munich, ni Hambourg. On était bien trop intouchables pour ça, tu parles ! »

Il choisit un angle de la galerie et leur parla le long de cette diagonale sur un ton de confidence.

« Sauf qu'il y avait deux hic, mes amis. Le premier hic, c'est que l'Allemagne fournissait à l'Amérique des bases militaires cinq étoiles en application de traités remontant à l'époque où ils étaient ici chez eux parce qu'ils nous avaient battus. Vous vous rappelez la belle banderole noire que nos édiles ont accrochée à la porte de Brandebourg ? *Nous pleurons avec vous.* Elle n'est pas arrivée là par erreur. Le second hic, c'était notre soutien indéfectible et inconditionnel à l'État d'Israël sous l'effet de notre sentiment de culpabilité. Nous l'avons soutenu contre les Égyptiens, les Syriens, les Palestiniens. Contre le Hamas et le Hezbollah. Et quand Israël a balancé des bombes à tout-va sur le Liban, nous autres Allemands on a sondé nos consciences tourmentées et on s'est uniquement posé la question de savoir comment nous porter à la défense du vaillant petit Israël. Et on a expédié nos vaillants petits gars en uniforme au Liban avec cette mission précise, ce qui ne nous a pas fait apprécier des Libanais et des autres Arabes. Ils estimaient qu'on avait volé au secours d'un tyran déchaîné qui agissait avec la permission et les encouragements de MM. Bush, Blair et quelques autres courageux chefs d'État de la planète qui, par modestie, préféraient que leur nom ne figure pas au tableau d'honneur.

« Et du coup, paf, on a eu droit à quelques bombes libanaises sur notre réseau ferroviaire allemand qui, si elles avaient éclaté, auraient fait ressembler Londres et Madrid à de simples répétitions générales. Après quoi, même nos politiciens ont reconnu qu'il y avait un prix à payer pour faire un bras d'honneur aux Américains en public et leur lécher les bottes en privé. Les villes allemandes étaient devenues des victimes potentielles. Et elles le sont toujours. »

Il promena son regard dans la salle, examinant les visages un par un. Maximilian avait levé la main, manifestant une objection. Il fut imité par Niki à côté de lui, puis par d'autres, à la grande satisfaction de Bachmann, qui eut un large sourire.

« D'accord, vous fatiguez pas. Vous voulez me dire que ces poseurs de bombes libanais avaient commencé à préparer leur coup *avant* ce nouveau massacre au Liban. C'est bien ça ? »

Les mains s'abaissèrent. C'était bien ça.

« Ce qui les avait foutus en rogne, c'était quelques très mauvaises caricatures danoises du prophète Mahomet reprises dans certains journaux allemands qui se croyaient courageux et libérateurs, c'est ça ? »

C'était ça.

« Alors, est-ce que j'ai tort ? Non, je n'ai *pas* tort ! Ce qui leur a fait péter les plombs, ça n'a aucune importance. Ce qui en a, c'est que la menace qui nous préoccupe ne fait pas la distinction entre faute personnelle et faute collective. L'idée, c'est pas : "Vous, vous êtes bon, et moi je suis bon, mais Erna, elle est pas bonne du tout." L'idée, c'est : "On est tous des vauriens, des apostats, des blasphémateurs, des assassins, des fornicateurs, des impies, alors on peut tous aller se faire foutre !" Pour ces types-là et pour tous les types qui partagent leurs idées et qu'on aimerait bien connaître, c'est le monde occidental contre l'Islam, et pas de demi-mesure. »

Puis il en vint au cœur de son sujet.

« Les sources que nous autres parias nouvellement réunis ici à Hambourg allons rechercher doivent être

81

créées de toutes pièces. Elles-mêmes ne sauront pas qu'elles existent jusqu'à ce qu'on le leur dise. Elles ne viendront pas à nous, c'est nous qui devrons aller les dénicher. Restons à taille humaine. Restons dans les rues. On donne dans la petite échelle, pas dans la grande vision. On n'a pas de cibles prédéfinies contre lesquelles les diriger. On trouve un homme, on exploite son potentiel, on voit ce qu'il a et on le pousse aussi loin que possible. Ou une femme, d'ailleurs. On vise les gens que personne d'autre ne cherche à atteindre. Les quidams des mosquées dans leurs vêtements flottants, qui baragouinent trois mots d'allemand. On fait ami-ami avec eux, et après on fait ami-ami avec leurs amis. On guette le nouvel arrivant discret, le nomade insaisissable en transit qui passe de maison en maison et de mosquée en mosquée.

« On épluche les dossiers en souffrance de Herr Arni Mohr et de ses collègues Protecteurs en face, on réétudie les vieilles affaires qui ont débuté en fanfare et fini en eau de boudin quand le prospect a pris peur ou s'est installé dans une autre ville où les types de l'antenne locale étaient tellement cons qu'ils savaient pas comment le traiter et préféraient s'en laver les mains. On passe outre aux protestations de nos hôtes et on débusque ces anciens prospects. On les sonde une deuxième fois. On force le destin. »

Il termina sur une dernière mise en garde, elle aussi décousue, comme à son habitude.

« Et surtout, n'oubliez pas qu'on fait dans l'illégal. Illégal jusqu'à quel point ? N'étant pas un fin juriste comme tant de nos augustes collègues, honnêtement, j'en sais rien. Mais si j'en crois tout ce qu'on me dit, on ne peut même pas se torcher le cul sans l'accord écrit préalable du Conseil supérieur de la magistrature, du Saint-Siège, du Comité de pilotage à Berlin et de notre bien-aimée police fédérale qui s'y connaît autant en espionnage que moi en broderie, mais qui jouit de tous les pouvoirs dont sont à juste titre privés les services secrets pour éviter qu'on ne vire trop Gestapo. Bon, maintenant passons aux choses sérieuses. J'ai besoin de boire un coup. »

* * *

Dans une petite rue pavée proche du parvis de la gare se trouvait le Hampelmanns, un bar ouvert toute la nuit dont l'enseigne en fer forgé, un danseur coiffé d'un chapeau pointu, se balançait au-dessus du porche mal éclairé. Ce soir-là, comme la plupart des autres soirs apparemment, il accueillait l'homme baptisé le vieux poussah par l'équipe de Günther Bachmann.

Ce monsieur, ils le savaient à présent, portait le nom banal de Müller, mais les autres habitués du Hampelmanns ne le connaissaient que sous son surnom : l'Amiral. Sa carrière de sous-marinier dans la Flotte du Nord de Hitler lui avait valu dix ans de captivité en Union soviétique. Karl, le gamin des rues assagi de Dresde, le surveillait discrètement d'une table voisine après avoir repéré sa trace puis transmis son nom et sa localisation par téléphone. Il n'avait fallu que quelques minutes à Maximilian, le génie bègue de l'informatique, pour sortir de son chapeau date de naissance, notice biographique et casier judiciaire. C'était à présent au tour de Bachmann d'emprunter l'escalier de brique enfumé qui descendait au bar en sous-sol, croisant au passage Karl le gamin des rues, qui sortit dans la nuit. Il était 3 heures du matin.

Bachmann ne vit tout d'abord que les clients assis au plus près du puits de lumière émanant de l'escalier. Il distingua ensuite une bougie électrique sur chaque table, et enfin les visages alentour. Deux types maigres en complet et cravate noirs jouaient aux échecs. Au bar, une femme seule l'invita à lui offrir un verre. Une autre fois, ma chère, répliqua Bachmann. Dans une alcôve, quatre jeunes gens torse nu jouaient au billard sous l'œil éteint de deux filles. Une deuxième alcôve était consacrée à des renards empaillés, des boucliers en argent et des drapeaux miniatures fanés arborant des fusils entrecroisés. Dans une troisième, navires de guerre modèles réduits derrière des vitrines poussiéreuses, nœuds marins, rubans de bérets en lambeaux et photos piquetées de sous-mariniers dans la fleur de l'âge entouraient trois vieillards assis à une table ronde qui aurait pu en accueillir douze. Deux d'entre eux étaient minces et frêles, ce qui aurait dû conférer une certaine autorité au troisième, aussi imposant que les deux autres réunis avec son crâne chauve et luisant, son torse puissant et sa bedaine. Mais il sautait aux yeux que l'Amiral se fichait pas mal de l'autorité. Ses énormes mains immobiles, posées en coupe devant lui sur la table, semblaient incapables de capturer les souvenirs qui le hantaient, et ses petits yeux depuis longtemps enfoncés dans sa tête sans rides semblaient tournés vers l'intérieur.

Après un signe de tête adressé aux trois hommes, Bachmann s'assit sans un mot à côté de l'Amiral et sortit de sa poche revolver un porte-cartes noir affichant sa photo et l'adresse de l'Agence des personnes disparues, organisme semi-public sis à Kiel et sans existence réelle. C'était l'un des jeux de papiers d'identité qu'il aimait avoir sur lui en cas de besoin.

« Nous sommes à la recherche de ce pauvre Russe que vous avez rencontré à la gare l'autre soir, expliqua-t-il. Jeune, très grand, mort de faim. L'air digne. Avec un bonnet de laine. Vous le remettez ? »

L'Amiral sortit suffisamment de sa rêverie pour tourner son énorme tête et dévisager Bachmann sans bouger le reste du corps.

« C'est qui, *nous* ? s'enquit-il finalement après avoir noté la tenue toute simple de Bachmann, veste en cuir, chemise et cravate, ainsi que son air sincèrement préoccupé, presque authentique et toujours efficace.

– Ce jeune homme est mal en point, poursuivit Bachmann. On craint qu'il ne représente un danger pour lui-même ou pour les autres. Le personnel médical de mon agence s'inquiète beaucoup à son sujet. Ils veulent pouvoir le retrouver avant qu'un malheur n'arrive. Il est peut-être jeune, mais il a eu une vie difficile. Comme vous, d'ailleurs…

– Vous êtes qui ? Un maquereau ? » demanda l'Amiral comme s'il ne l'avait pas entendu.

Bachmann secoua la tête.

« Un flic ?

– Si je peux lui mettre la main dessus avant les flics, je lui rendrai un grand service, dit-il sous le regard pénétrant de l'Amiral. Et à vous aussi, par la même occasion. Cent euros cash pour tout ce que vous vous rappelez sur lui. Et on ne reviendra plus vous embêter, je vous le garantis. »

L'Amiral se passa une de ses grosses mains sur la bouche d'un air songeur, se leva de toute sa hauteur et, sans un regard à ses compagnons silencieux, alla s'installer dans l'alcôve voisine inoccupée et presque plongée dans le noir.

* * *

L'Amiral mangeait avec raffinement, utilisant moult serviettes en papier pour préserver la propreté de ses doigts, et ajoutait de généreuses doses de Tabasco qu'il sortait de la poche de sa veste. Bachmann avait commandé une bouteille de vodka, l'Amiral avait aussi réclamé du pain, des cornichons, des saucisses, des harengs salés et une assiette de tilsiter.

« Ils sont venus me trouver, commença-t-il enfin.

– Qui ça ?

– Les gens de la Mission. Ils connaissent tous l'Amiral.

– Où étiez-vous ?

– Dans les locaux de la Mission, voyons.

– Pour dormir ? »

L'Amiral eut un sourire désabusé, comme si le sommeil était l'apanage des autres.

« Je parle russe. Je suis peut-être un rat des docks de Hambourg, mais je parle mieux russe qu'allemand. Comment vous expliquez ça ?

– La Sibérie, avança Bachmann, approuvé en silence par l'énorme tête.

– À la Mission, ils ne parlent pas russe, mais l'Amiral, lui, si, fit-il en se servant une grosse rasade de vodka. Il veut devenir médecin.

– Le jeune homme ?

– Ici, à Hambourg. Il veut sauver l'humanité. De qui ? De l'humanité, tiens. Il est tartare, à ce qu'il m'a dit. *Musulman.* Allah lui a donné l'ordre de venir étudier à Hambourg pour pouvoir sauver l'humanité.

– Une raison en particulier pour qu'Allah l'ait choisi, lui ?

– Pour expier la mort de tous les pauvres diables que son père a massacrés.

– Il a dit qui étaient ces pauvres diables ?

– Mon ami, les Russes tuent sans discrimination. Prêtres, femmes, enfants, tout le monde.

– C'était des musulmans, que son père a tués ?

– Il n'a pas donné de précisions sur les victimes.

– Il a dit quel était le métier de son père ? Ce qui l'a amené à tuer tant de pauvres diables ? »

L'Amiral avala une autre gorgée de vodka. Puis une autre. Puis il remplit son verre.

« Il voulait savoir où se trouvent les bureaux des gros banquiers de Hambourg. »

Pour Bachmann, interrogateur chevronné, aucun renseignement, si impensable fût-il, ne devait paraître surprenant.

« Vous lui avez répondu quoi ?

– J'ai ri. Si, si, je sais le faire. "Et pourquoi t'as besoin d'un banquier ? Tu veux encaisser un chèque ? Je peux peut-être t'aider." »

Bachmann s'amusa de la plaisanterie.

« Comment il a réagi ?

– "Chèque ? C'est quoi, chèque ?" Après, il m'a demandé s'ils vivaient dans leurs bureaux ou s'ils avaient aussi des maisons à eux.

– Et vous avez répondu quoi ?

– "Écoute, je lui ai dit, t'es quelqu'un de bien élevé, et Allah t'a dit de devenir médecin. Alors arrête de poser des questions idiotes sur les banquiers et viens te reposer dans notre foyer à puces. Tu pourras dormir dans un vrai lit et rencontrer d'autres beaux messieurs qui veulent sauver l'humanité."

– Il l'a fait ?

– Il m'a fourré cinquante dollars dans la main. Un cinglé de jeune Tartare affamé qui donne un billet de cinquante tout neuf à un ancien du goulag contre un gobelet de soupe dégueulasse ! »

Après avoir pris l'argent de Bachmann, rempli ses poches de ce qui restait sur la table, y compris la bouteille de vodka, l'Amiral alla rejoindre ses collègues matelots dans le carré voisin.

* * *

Plusieurs jours durant après cette entrevue, Bachmann s'enferma dans un de ses mutismes coutumiers, dont Erna Frey se garda bien de l'extraire. Même l'annonce que les Danois avaient arrêté le chauffeur du camion pour trafic d'êtres humains ne l'interpella pas d'emblée.

« Son chauffeur ? répéta-t-il. Le camionneur qui l'a déposé à la gare de Hambourg ? Ce chauffeur-là ?

– Oui, ce chauffeur-là, confirma Erna Frey. Il y a deux heures. Je vous ai fait suivre l'info, mais vous étiez trop occupé. De Copenhague au Pilotage à Berlin, du Pilotage à nous. C'est plutôt instructif.

– Il est de nationalité danoise ?

– Exact.

– D'origine danoise ?

– Exact.

– Mais de confession musulmane ?

– Pas du tout. Consultez vos mails, de temps en temps ! C'est un luthérien fils de luthérien. Son seul péché est d'avoir un frère dans le grand banditisme, dit-elle, captant enfin son intérêt. Le vilain frère a téléphoné au gentil frère il y a quinze jours pour lui dire qu'un jeune homme riche qui avait perdu son passeport allait arriver à Copenhague à bord d'un cargo en provenance d'Istanbul.

– Riche ? l'interrompit Bachmann. Riche comment ?

– Le tarif serait de cinq mille dollars d'avance pour le faire sortir des docks et cinq mille après son arrivée à bon port à Hambourg.

– Payables par qui ?

– Par le jeune homme.

– Par le jeune homme une fois arrivé à bon port ? De sa propre poche ? Cinq mille dollars ?

– Apparemment, oui. Le gentil frère était fauché, alors il a bêtement accepté. On ne lui a pas fourni le nom du passager et il ne parle pas russe.

– Où est le vilain frère ?

– En prison aussi, bien sûr. Ils sont à l'isolement.

– Et qu'est-ce qu'il raconte ?

– Il est mort de peur. Il préfère encore rester en prison que de mettre une semaine à mourir aux mains de la mafia russe.

– Et le patron de la mafia, c'est un Russe ordinaire ou un Russe musulman ?

– À en croire le vilain frère, son contact à Moscou est un respectable gangster russe pur beurre de haut vol qui fait dans le nec plus ultra du crime organisé. Il n'a pas de temps à perdre avec les musulmans et préférerait les voir tous noyés dans la Volga. Son contrat avec le frère de notre chauffeur était en fait un service rendu à un ami. Qui est, ou qui était, ledit ami, notre escroc danois à la petite semaine ne s'est pas permis de le demander. »

Elle se renfonça dans son siège, paupières baissées, en attendant que Bachmann se mette en branle.

« Qu'en dit le Pilotage ? s'enquit-il.

– Le Pilotage est en plein délire. Le Pilotage fait une fixation sur un imam très mondain qui vit en ce moment à Moscou. Cet imam transfère des fonds à des œuvres de charité islamiques douteuses. Les Russes le savent. Et lui sait qu'ils le savent. Pourquoi le laissent-ils faire ? Cela dépasse l'entendement. Le Pilotage croit dur comme fer que cet imam est le mystérieux ami du patron de la mafia. Et cela en dépit du fait que, pour autant qu'on le sache, il n'a jamais payé de billet de sortie à des vagabonds russo-tchétchènes en cavale qui partent étudier la médecine à Hambourg. Ah, au fait, il lui a donné son manteau.

– Qui donc ?

– Le gentil frère qui a véhiculé notre jeune homme jusqu'à Hambourg l'a pris en pitié et a eu peur qu'il meure de froid dans le Nord glacial. Alors il lui a donné son pardessus pour qu'il ait chaud. Un long manteau noir. Et j'ai un autre scoop pour vous.

– Oui, quoi ?

– Herr Igor, en face, a une source ultrasecrète au sein de la communauté orthodoxe russe à Cologne.

– Et alors ?

– Selon la noble source d'Igor, des nonnes orthodoxes recluses dans une ville proche de Hambourg ont récemment hébergé un jeune musulman russe affamé et un peu dingue.

– Riche ?

– Sa fortune n'a pas été évaluée.

– Mais bien élevé ?

– Très. Igor doit voir sa source ce soir dans le plus grand secret pour négocier le prix de la suite de l'histoire.

– Igor est un enfoiré et ses histoires, c'est de la merde, décréta Bachmann en rassemblant les papiers sur son bureau pour les fourrer dans une vieille sacoche éraflée que personne ne risquait de lui voler.

– Où allez-vous ? demanda Erna Frey.

– En face.

– Pour quoi faire ?

– Pour bien dire à nos chers Protecteurs que cette affaire est à nous. Pour leur dire d'éviter de nous fourrer la police dans les pattes. Pour leur dire que, si par le plus grand des hasards c'est la police qui le trouvait, ils soient gentils de ne pas nous déclencher une petite guerre en envoyant leurs cow-boys mais de se tenir à distance et de nous informer aussitôt. J'ai besoin que ce jeune homme fasse ce qu'il est venu faire et qu'il puisse le faire le plus longtemps possible.

– Vous oubliez vos clés », signala Erna Frey.

4

*Si vous ne prenez pas le S-Bahn, je vous prierais de
ne pas arriver au café en taxi.*

Annabel Richter s'était montrée tout aussi intransi-
geante sur la tenue vestimentaire de Brue. *Pour mon
client, les hommes en costume sont de la police secrète.
Alors, soyez gentil de mettre quelque chose de décon-
tracté.* Ce qu'il avait trouvé de plus approprié était un
pantalon de flanelle grise, la veste sport de chez Randall's of Glasgow qu'il portait à son club de golf, et un
imperméable Aquascutum en cas de nouveau déluge.
Pour preuve de sa bonne volonté, il n'avait pas mis de
cravate.

Une vague obscurité nappait la ville. La récente
averse avait dégagé le ciel nocturne et un vent frisquet
soufflait depuis le lac quand Brue monta dans un taxi et
fournit au chauffeur les directives reçues. Une fois seul
sur un trottoir inconnu dans un quartier pauvre de la
ville, il eut un instant de découragement, mais reprit le
dessus en repérant la plaque de la rue qu'elle lui avait
indiquée. L'étal de fruits de l'épicier halal étincelait de
rouge et de vert. Les lumières crues du kebab voisin
illuminaient toute la rue. À l'intérieur, Annabel Richter
était assise à une table d'angle violine devant une bouteille d'eau plate et un bol contenant les restes de ce

que Brue identifia comme du tapioca façon cantine saupoudré de sucre roux.

À une table voisine, quatre hommes âgés jouaient aux dominos ; à une autre, un jeune couple endimanché flirtait timidement. Son anorak accroché au dossier de sa chaise, Annabel Richter portait un pull informe sur le même chemisier à col montant. Un téléphone portable était posé sur la table, son sac à dos à ses pieds. Quand Brue s'assit en face d'elle, il sentit un effluve tiède émanant de ses cheveux.

« Alors, je réussis l'examen de passage ? lança-t-il.

– Qu'avez-vous trouvé dans vos archives ? demanda-t-elle après un coup d'œil sur la veste sport et le pantalon de flanelle.

– Des éléments préliminaires qui légitiment des recherches approfondies.

– C'est tout ce que vous allez me dire ?

– À ce stade, je le crains, oui.

– Alors laissez-moi vous révéler deux ou trois choses que vous ignorez.

– Je veux bien croire qu'il y en a beaucoup.

– Et d'une, il est musulman. Très pieux. Alors il est pénible pour lui d'avoir affaire à une femme avocat.

– Et c'est encore plus pénible pour vous, j'imagine ?

– Il me demande de porter un foulard, j'en porte un. Il me demande de respecter ses traditions, je les respecte. Il se sert de son nom musulman : Issa. Comme je vous l'ai dit, il parle russe, ou bien turc avec ses hôtes, mais mal.

– Et qui sont ses hôtes, si je puis me permettre ?

– Une veuve turque et son fils. Le mari était un client de Sanctuaire Nord. On lui a presque obtenu la citoyenneté, mais il est mort avant. Maintenant, c'est le fils qui essaie au nom de la famille, ce qui implique de tout recommencer de zéro en traitant séparément chaque membre de la famille, ce qui explique qu'il se soit affolé et qu'il ait fait appel à nous. Ils adorent Issa, mais ils voudraient bien en être débarrassés. Ils ont peur qu'on les expulse pour avoir hébergé un immigré clandestin. Rien ne les fera changer d'avis, et, par les temps qui courent, ils n'ont peut-être pas tort. Et puis, ils ont des billets d'avion pour aller en Turquie assister au mariage de la fille, et ils refusent tout net de laisser Issa seul chez eux. Ils ignorent votre nom. Issa, lui, le connaît, mais il ne l'a pas révélé et il ne le révélera pas. Vous êtes juste un homme susceptible d'aider Issa. Cette description vous convient ?

– J'imagine.

– Sans plus ?

– Elle me convient.

– J'ai aussi dû leur garantir que vous ne communiqueriez pas leur nom aux autorités.

– Bien sûr, pourquoi j'irais faire ça ? »

Ignorant son offre d'assistance, elle enfila son anorak puis jeta son sac à dos sur une épaule. En se dirigeant vers la porte, Brue remarqua un jeune homme gigantesque qui rôdait sur le trottoir. Ils le suivirent à une distance respectueuse et prirent une rue transversale. Plus il s'éloignait, plus il paraissait immense. Devant une pharmacie, il jeta un rapide coup d'œil de chaque côté de la rue aux voitures, aux fenêtres des immeubles et à deux femmes d'âge moyen qui examinaient la vitrine d'un joaillier. La jouxtaient d'un côté une boutique de mariage dans laquelle le couple idéal étreignait un bouquet de fausses fleurs, et de l'autre une porte d'entrée vernie pourvue d'une sonnette éclairée.

Juste avant de traverser la rue, Annabel s'arrêta, fit glisser son sac à dos et en sortit son foulard, qu'elle posa sur sa tête et noua soigneusement sous son menton. À la lumière du réverbère, ses traits semblaient soudain tirés et vieillis.

Le géant ouvrit la porte, les fit entrer rapidement et tendit une énorme main à Brue, qui la serra sans se présenter. Leïla, la femme, était petite, robuste et sur son trente et un, avec un ensemble noir à collerette, un foulard et des talons hauts. Elle dévisagea Brue, puis lui prit gauchement la main sans quitter son fils des yeux. En la suivant dans le séjour, Brue sentit que cette maison suintait la peur.

* * *

Le papier peint était couleur puce, les tissus dorés et les accoudoirs des fauteuils protégés par des carrés de dentelle. Dans le pied en verre d'une lampe de table, des globules de plasma tournoyaient, se divisaient et se coagulaient. Leïla avait réservé à Brue le trône présidentiel. Le siège de mon défunt mari, il n'en a jamais voulu d'autre en trente ans, expliqua-t-elle en tirant sur son foulard d'un geste nerveux. Brue s'extasia dûment devant le fauteuil hideusement orné et délicieusement inconfortable, assez semblable à l'instrument de torture dans son bureau qu'il avait hérité de son grand-père. Il faillit en faire la remarque, mais se ravisa. Je suis juste un homme susceptible d'aider. Sur des plats de porcelaine fine, Leïla avait disposé des triangles de baklava arrosés de sirop et un gâteau au citron coupé en tranches. Brue en accepta une part ainsi qu'un verre de thé à la pomme.

« Délicieux », commenta-t-il après y avoir goûté, mais personne ne sembla l'entendre.

Les deux femmes, l'une superbe, l'autre boulotte, l'une et l'autre graves, avaient pris place sur un sofa en veloutine. Melik s'était adossé à la porte. Issa va descendre dans une minute, dit-il, à l'écoute, les yeux tournés vers le plafond. Issa se prépare. Issa est nerveux. Il est peut-être en train de prier. Il va arriver.

« Ces policiers ont à peine attendu que Frau Richter ait quitté la maison, explosa Leïla, qui devait ronger son frein depuis un moment, à l'attention de Brue. J'ai refermé la porte derrière elle, j'ai emporté les plats dans la cuisine, et cinq minutes plus tard ils sonnaient ici. Ils m'ont montré leur carte, et j'ai noté leur nom, comme faisait mon mari, pas vrai Melik ? Des policiers en civil. »

Elle fourra dans les mains de Brue un calepin sur lequel étaient consignés les noms d'un inspecteur et d'un agent. Ne sachant qu'en faire, il se leva gauchement et le montra à Annabel, qui le rendit à Leïla à ses côtés.

« Ils ont attendu que ma mère soit seule dans la maison, signala Melik depuis la porte. Moi j'avais une épreuve de natation avec l'équipe. Un relais 4 × 200 mètres. »

Brue eut un hochement de tête compatissant. C'était la première fois depuis longtemps qu'il assistait à une réunion sans la diriger.

« Un vieux, un jeune, précisa Leïla en reprenant le fil de sa complainte. Issa était au grenier, Dieu merci ! Quand il a entendu la sonnette, il a remonté l'échelle et fermé la trappe. Il n'en est pas ressorti. Il dit qu'ils reviennent toujours. Ils font semblant de partir, mais ils reviennent et ils vous expulsent.

– Ils ne faisaient que leur travail, intervint Annabel. Ils font le tour de toute la communauté turque. Ils appellent ça une politique de main tendue.

– D'abord ils ont dit que c'était au sujet du club de sport islamique de mon fils, et puis du mariage de ma fille le mois prochain en Turquie, et est-ce qu'on est bien sûrs d'avoir le droit de revenir en Allemagne après. "Bien sûr que oui !" j'ai répondu. "Pas si vous avez obtenu votre permis de séjour pour motif humanitaire", ils ont dit. "Mais ça fait vingt ans de ça !" je leur ai dit.

– Leïla, vous vous inquiétez pour rien, déclara sévèrement Annabel. C'est juste un coup de sonde pour séparer les honnêtes musulmans des rares brebis galeuses. Ça s'arrête là. Calmez-vous. »

La voix d'enfant de chœur n'était-elle pas un brin trop assurée ? soupçonna Brue.

« Vous voulez que je vous dise un truc drôle ? demanda Melik à Brue d'un air tout sauf amusé. Puisque vous allez l'aider, ce serait peut-être bien que vous soyez au courant. Il ne ressemble à aucun musulman que je connaisse. Il en a peut-être la foi, mais il ne pense pas comme un musulman et il ne se comporte pas comme un musulman. »

Sa mère le gourmanda en turc, mais sans effet.

« Quand il était très faible, OK ? Quand il était allongé sur mon lit et qu'il récupérait, je lui ai lu des versets du Coran, dans l'exemplaire de mon père. En turc. Et après il a voulu lire tout seul. En turc. Il a dit qu'il en connaissait assez pour reconnaître les mots sacrés. Alors je suis allé à la table où je le pose, *ouvert*, OK ? J'ai dit *Bismillah*, comme mon père me l'a appris, et j'ai fait comme si j'allais l'embrasser mais sans le faire, mon père m'a aussi appris ça, je l'ai juste effleuré avec mon front, et je le lui ai donné. J'ai dit : "Tiens, Issa. Voici le coran de mon père. Normalement, on ne doit pas le lire au lit, mais tu es malade alors c'est peut-être permis." Et quand je reviens dans la pièce une heure plus tard, il est où, le coran ? *Par terre*. Le coran de mon père qui traîne par terre ! Pour tout bon musulman, et je ne parle même pas de mon père, c'est impensable ! Alors je me suis dit, bon, OK, je ne vais pas me mettre en colère. Il est malade et le livre lui est tombé des mains parce qu'il manquait de force. Je lui pardonne. C'est bien d'avoir grand cœur. Mais quand même, je lui passe un savon, et là il tend le bras et il le ramasse, *d'une seule main*, pas deux, et il me le donne comme si c'était… comme si c'était un vulgaire bouquin dans une librairie ! conclut-il après avoir cherché un instant la juste comparaison. Qui ferait une chose pareille ? *Personne !* Qu'il soit tchétchène, turc, arabe ou que sais-je encore ! Je veux dire, c'est mon frère, OK ? Je l'adore. C'est un vrai héros. Mais quand même, par terre. D'une seule main. Sans la moindre prière. Rien. »

Leïla en avait assez entendu.

« Tu es qui, toi, pour dire du mal de ton frère, Melik ? lança-t-elle sèchement, en allemand par égard pour son auditoire. Toi qui écoutes cet immonde rap allemand toute la nuit dans ta chambre ! Qu'est-ce que tu crois que ton père en penserait, hein ? »

En provenance de l'entrée, Brue entendit un bruit de pas qui descendaient prudemment une échelle branlante.

« Et en plus il a pris la photographie de ma sœur pour la mettre dans sa chambre. Il l'a prise, comme ça. Du temps de papa, je l'aurais tué, au moins. C'est peut-être mon frère, mais il est bizarre. »

La voix d'enfant de chœur d'Annabel Richter prit le contrôle des opérations.

« Vous avez raté votre jour de pâtisserie, Leïla, dit-elle avec un regard appuyé en direction de la cloison en verre dépoli qui séparait le coin cuisine du salon.

– C'est de leur faute !

– Pourquoi n'iriez-vous pas en faire un peu maintenant ? suggéra-t-elle calmement. Comme ça, les voisins sauront que vous n'avez rien à cacher, ajouta-t-elle avant de se tourner vers Melik, qui s'était posté à côté de la fenêtre. C'est une bonne idée, de faire le guet. Continuez, s'il vous plaît. Si on sonne, personne ne doit entrer, personne. Dites que vous êtes en réunion avec vos managers sportifs. D'accord ?

– D'accord.

– Et si c'est encore la police, ils n'ont qu'à revenir une autre fois, ou s'adresser à moi.

– Et ce n'est pas un vrai Tchétchène, non plus. Il dit qu'il l'est, mais c'est faux », lâcha Melik.

* * *

La porte s'ouvrit, et une silhouette aussi grande que Melik mais moitié moins large entra dans la pièce à pas lents. Brue se leva, affichant son sourire de banquier et tendant sa main de banquier. Du coin de l'œil, il remarqua qu'Annabel s'était aussi levée mais sans avancer.

« Issa, voici l'homme que vous avez demandé à rencontrer, annonça Annabel dans son russe classique. Je suis certaine qu'il est bien ce qu'il prétend être. Il est venu ce soir spécialement pour vous voir à votre demande et il ne l'a dit à personne. Il parle russe et il a besoin de vous poser quelques questions importantes. Nous lui sommes tous reconnaissants et je suis sûre que, par égard pour vous-même, pour Leïla et pour Melik, vous allez coopérer de votre mieux avec lui. J'assisterai à la conversation et j'interviendrai pour défendre vos intérêts si je le juge nécessaire. »

Issa se planta au milieu du tapis doré de Leïla, les bras ballants, et attendit les ordres. Aucun ne venant, il redressa la tête, plaça sa main droite sur son cœur et posa sur Brue un regard d'adoration.

« Mes remerciements respectueux, monsieur, murmurat-il entre des lèvres qui semblaient sourire malgré lui. C'est un privilège, monsieur. Vous êtes un homme bien, m'a-t-on assuré. Et ça se voit sur vos traits, et à vos beaux vêtements. Vous avez aussi une belle limousine ?

– Eh bien en fait, une Mercedes. »

Par cérémonie ou par souci de protection, Issa avait revêtu son pardessus noir et passé sa sacoche en peau de chameau sur son épaule. Il s'était rasé. Deux semaines des attentions maternelles de Leïla avaient comblé ses joues hâves, ce qui lui conférait, aux yeux de Brue, une sorte d'irréalité de séraphin. *Et ce joli garçon aurait été torturé ?* L'espace d'un instant, Brue ne crut pas au personnage. Le sourire radieux, le langage emprunté par trop fleuri, la sérénité affichée constituaient autant d'attributs typiques d'un imposteur. Mais quand ils s'assirent face à face à la table de Leïla, Brue remarqua la pellicule de sueur sur le front d'Issa, puis, en baissant le regard, les mains jointes poignet contre poignet sur la table, comme prêtes pour les menottes, le fin bracelet en or d'où pendait le Coran talismanique en guise de protection, et il sut qu'il avait affaire à un enfant détruit.

Mais il ne se laissa pas emporter par ses émotions. Devait-il s'estimer inférieur à quelqu'un simplement parce que celui-ci avait été torturé ? Devait-il suspendre son jugement pour cette même raison ? Il y avait là une question de principe.

« Eh bien voilà, bienvenue parmi nous, commença-t-il d'un ton léger dans un russe soigné et scolaire étrangement comparable à celui d'Issa. J'ai cru comprendre que nous disposions de peu de temps. Alors soyons brefs, mais efficaces. Je peux vous appeler Issa ?

– D'accord, monsieur », répondit Issa, toujours tout sourire.

Il jeta un coup d'œil vers Melik, posté près de sa fenêtre, mais évita Annabel, assise de côté à l'autre bout de la pièce, un dossier chastement posé sur les genoux.

« Et vous, vous ne m'appellerez pas par mon nom, précisa Brue. C'est bien ce qui a été convenu, n'est-ce pas ?

– C'est bien ce qui a été convenu, monsieur, s'empressa de répondre Issa. Tous vos souhaits sont acceptés ! Me permettez-vous de faire une déclaration, je vous prie ?

– Faites donc.

– Ce sera court !

99

– Allez-y.

– Mon seul souhait est de devenir étudiant en médecine. Je veux mener une vie bien ordonnée et aider l'humanité entière pour la gloire d'Allah.

– Eh bien, c'est tout à fait admirable, et nous y viendrons en temps utile, fit Brue, qui, pour indiquer qu'il comptait s'atteler à la tâche, sortit un bloc-notes à couverture en cuir d'une poche intérieure et un stylo à bille en or d'une autre. Mais en attendant, établissons certaines données de base, si vous le voulez bien. À commencer par votre nom complet. »

Ce n'était visiblement pas ce qu'Issa souhaitait entendre.

« Monsieur !

– Oui, Issa ?

– Avez-vous lu l'œuvre du grand penseur français Jean-Paul Sartre, monsieur ?

– Je mentirais si je disais oui.

– Comme Sartre, j'éprouve la nostalgie de l'avenir. Quand j'aurai un avenir, je n'aurai plus de passé. Je n'aurai que Dieu et mon avenir. »

Brue sentit le regard d'Annabel posé sur lui. Quand il ne pouvait le voir, il le sentait toujours. Du moins se le figurait-il.

« Oui, enfin, ce soir, nous devons nous occuper du présent, riposta-t-il finement. Alors, si vous me donniez votre nom complet ? répéta-t-il, le stylo prêt à noter.

– Salim, répondit Issa après un instant d'hésitation.

– Rien d'autre ?

– Mahmoud.

– Donc : Issa Salim Mahmoud.

– Oui, monsieur.

– Et ces noms-là vous ont été donnés ou vous les avez choisis vous-même ?

– Ils ont été choisis par Dieu, monsieur.

– Très bien, dit Brue en se souriant à lui-même, tant pour faire tomber la tension ambiante que pour montrer qu'il maîtrisait la situation. Alors, puis-je vous poser une autre question ? Nous sommes en train de parler russe. Vous êtes russe. Avant que Dieu choisisse votre nom actuel, aviez-vous un prénom russe ? Et un patronyme russe ? Quels noms pourrait-on trouver sur votre acte de naissance, par exemple ? Voilà ce que je me demande. »

Ayant consulté Annabel de ses yeux baissés, Issa plongea une main squelettique sous son pardessus et sa chemise, et en retira une bourse crasseuse en cuir, de laquelle il sortit deux coupures de presse défraîchies qu'il fit glisser sur la table.

« *Karpov*, mâchonna Brue après les avoir lues. Karpov, c'est quoi ? Votre nom de famille ? Pourquoi me donnez-vous ces coupures de journaux ?

– C'est insignifiant, monsieur. S'il vous plaît. Je ne peux pas, marmonna Issa en secouant sa tête en sueur.

– Je suis désolé, mais pour moi c'est signifiant, contra Brue aussi aimablement que possible sans pour autant céder de terrain. C'est même très signifiant. Seriez-vous en train de me dire que le colonel Grigori Borissovitch Karpov est, ou était, un parent à vous ? C'est bien ça ? insista-t-il avant de se tourner vers Annabel, à laquelle dans sa tête il s'adressait depuis le début. Tout cela est bien compliqué, Frau Richter, se plaignit-il en allemand d'un ton sec, avant de se radoucir instinctivement. Si votre client a une requête officielle à faire, il doit dire qui il est et la faire, ou stopper là, enfin ! Il ne peut pas me laisser à moi seul les questions et les réponses. »

Il y eut un instant de confusion. Depuis la cuisine, Leïla lança en turc quelques mots larmoyants à Melik, qui la rassura en retour.

« Issa, intervint Annabel une fois tout le monde calmé. Mon opinion professionnelle est que vous devriez vous efforcer de répondre à la question de monsieur, même si cela vous est pénible.

– Monsieur, Dieu m'est témoin que je veux seulement mener une vie bien ordonnée, répéta Issa d'une voix étranglée.

– Cela n'empêche qu'il me faut une réponse à ma question.

– En théorie, il est vrai que Karpov est mon père, monsieur, avoua finalement Issa avec un sourire sans joie. Il a fait tout le nécessaire pour s'arroger ce titre, c'est certain. Mais je n'ai jamais été son fils. Et je ne suis toujours pas son fils. Si Dieu le veut, je ne serai jamais de ma vie le fils du colonel Grigori Borissovitch Karpov.

– Mais le colonel Karpov est *mort*, semble-t-il, fit remarquer Brue plus sèchement qu'il ne l'aurait voulu en montrant les coupures de presse étalées entre eux sur la table.

– Oui, monsieur, il est mort, et si Dieu le veut il est en enfer et il y restera pour l'éternité.

– Et avant qu'il meure – au moment de votre naissance, devrais-je dire –, quel prénom vous a-t-il donné en plus de votre patronyme, qui doit être *Grigorevitch* ? »

Issa avait baissé la tête et la secouait de gauche à droite.

« Il a choisi le plus pur, répondit-il en la relevant, avec un ricanement entendu adressé à Brue.

– Le plus pur, dans quel sens ?

– De tous les noms russes au monde, le plus russe. J'étais son *Ivan*, monsieur. Son cher petit Ivan, de Tchétchénie. »

N'étant pas du genre à laisser perdurer un mauvais moment, Brue décida de changer de sujet.

* * *

102

« J'ai cru comprendre que vous êtes arrivé ici de *Turquie*. Par des voies détournées, dirons-nous ? » avança Brue sur le ton enjoué qu'il aurait employé lors d'un cocktail.

Contrairement aux instructions d'Annabel, Leïla était revenue du coin cuisine.

« J'étais dans une prison turque, monsieur. »

Issa avait dégrafé son bracelet en or et le tenait dans sa main, qu'il agitait tout en parlant.

« Pendant combien de temps, si je puis me permettre ?

– Cent onze jours et demi exactement, monsieur. Dans une prison turque, tout vous incite à étudier l'arithmétique temporelle, s'écria Issa avec un rire aigre et sardonique. Et avant la Turquie, j'étais en prison en Russie, voyez-vous ! J'ai fait trois prisons, pour une période totale de huit cent quatorze jours et sept heures. Si vous voulez, je peux classer mes prisons par ordre de qualité, s'anima-t-il, haussant le ton avec une emphase lyrique. Je suis un vrai connaisseur, je vous l'assure, monsieur ! Une de ces prisons était si populaire qu'ils ont dû la diviser en trois sections. Eh oui ! Dans l'une on dormait, dans une autre on était torturés, et dans la troisième c'était l'infirmerie pour nous remettre en état. La torture était très efficace, et après avoir été torturé on dort bien, mais hélas l'infirmerie n'était pas au niveau. Ça, c'est un vrai problème dans notre Russie moderne ! Les infirmiers étaient experts en privation de sommeil, mais notoirement incompétents pour tout autre geste médical. Permettez-moi de faire une remarque, monsieur. Pour être un bon tortionnaire, il est indispensable d'avoir de la compassion. Sans empathie avec le sujet, on ne peut pas atteindre aux sommets de cet art. J'en ai seulement connu un ou deux de tout premier ordre. »

Brue attendit un instant au cas où il y aurait une suite, mais Issa, ses yeux sombres dilatés par l'excitation, attendait un commentaire de Brue. Une fois encore, ce fut Leïla qui réussit sans le vouloir à détendre l'atmosphère. Inquiète de l'état d'hyperémotivité d'Issa, quoique incapable d'en comprendre la cause, elle trottina jusqu'à la cuisine, d'où elle rapporta un verre de cordial, qu'elle posa sur la table devant lui tout en fusillant Brue puis Annabel du regard.

« Et peut-on vous demander *pourquoi* vous vous étiez retrouvé en prison, au départ ? reprit Brue.

– Bien sûr, monsieur ! Je vous en prie ! Demandez, demandez ! s'écria Issa avec la hardiesse de l'humaniste s'exprimant du haut de l'échafaud. Être tchétchène est un crime suffisant, monsieur, croyez-moi. Nous les Tchétchènes sommes extrêmement coupables de naissance. Depuis l'époque des tsars, nous avons le nez honteusement écrasé et les cheveux et la peau ignoblement foncés. C'est une injure permanente à l'ordre public, monsieur !

– Mais vous n'avez pas le nez écrasé, si je puis me permettre.

– À mon grand regret, monsieur.

– Bon, vous avez réussi à gagner la Turquie on ne sait comment, et puis vous vous en êtes échappé, et vous avez fait tout le chemin jusqu'à Hambourg, résuma Brue d'un ton apaisant. Et ça, c'est un véritable exploit.

– C'était la volonté d'Allah.

– Mais avec un peu d'aide de votre part, j'imagine.

– Quand un homme a de l'argent, monsieur, comme vous le savez mieux que moi, tout devient possible.

– Ah, mais l'argent de *qui* ? rétorqua Brue, soudain à l'affût maintenant qu'il était question d'argent. Qui a financé toutes ces remarquables évasions ? Voilà la question. »

Issa prit un long moment d'introspection, au terme duquel Brue s'attendait à l'entendre de nouveau répondre : Allah.

« Je dirais qu'il s'appelle très probablement Anatoly, monsieur.

– Anatoly ? répéta Brue après avoir laissé le nom résonner dans sa tête et dans quelque lointain recoin du passé de son défunt père.

– C'est exact, monsieur, Anatoly. Anatoly est l'homme qui paie pour tout. Mais surtout pour les évasions. Vous le connaissez, monsieur ? lança-t-il vivement. C'est un de vos amis ?

– Non, désolé.

– Pour Anatoly, l'argent est le but de toute vie. Et de toute mort, ajouterai-je. »

Brue allait poursuivre quand Melik intervint depuis son poste de guet à la fenêtre.

« Elles sont toujours là, grogna-t-il en allemand, regardant dehors par l'interstice entre le mur et le voilage. Les deux vieilles. Elles ne s'intéressent plus aux bijoux. L'une lit les affichettes à la vitrine de la pharmacie, l'autre parle sur son portable dans l'embrasure d'une porte. Elles sont trop moches pour être des prostituées, même dans ce quartier.

– Ce sont juste deux femmes tout à fait ordinaires, décréta Annabel en allant regarder à la fenêtre, tandis que Leïla fermait les yeux et se cachait le visage de ses mains dans une attitude de supplication. Pas la peine d'en faire tout un plat, Melik. »

Mais cela ne convainquit pas Issa, qui, ayant saisi le sens des paroles de Melik, se tenait déjà debout, sa sacoche serrée contre la poitrine.

« Qu'est-ce que vous voyez, là-bas ? en appela-t-il à Annabel d'une voix perçante en se tournant vers elle d'un air accusateur. C'est encore votre KGB ?

– Ce n'est personne, Issa. S'il y a un problème, on s'occupera de vous. Nous sommes là pour ça. »

Cette fois encore, Brue eut l'impression que la voix d'enfant de chœur forçait son détachement.

« Bon alors, cet Anatoly, reprit résolument Brue quand un semblant de calme fut revenu et que Leïla fut repartie préparer du thé à la pomme, à la demande pressante d'Annabel. Ce doit être un très bon ami à vous, vu ce que vous en dites.

– Monsieur, on peut en effet affirmer que cet Anatoly est l'ami des prisonniers, cela ne fait aucun doute, déclara Issa avec un empressement excessif. Hélas, il se trouve être aussi l'ami de violeurs, d'assassins, de gangsters et d'activistes. Anatoly n'est pas regardant sur ses amis, dirais-je, ajouta-t-il en repoussant la sueur du dos de sa main et en grimaçant un sourire.

– Était-il également l'ami du colonel Karpov ?

– Je dirais qu'Anatoly est le meilleur ami que puisse avoir un assassin et un violeur, monsieur. Pour Karpov, il m'a obtenu des places dans les meilleures écoles de Moscou, même quand j'avais été renvoyé pour raisons de discipline.

– Et c'est Anatoly qui a financé votre évasion de prison ? Je me demande bien pourquoi. Vous devait-il un service ?

– Karpov a payé.

– Excusez-moi, mais vous venez de dire qu'Anatoly a payé.

– Pardonnez-moi, monsieur ! Pardonnez cette erreur technique, je vous en prie ! Vous avez raison de me reprendre. J'espère que cela ne figurera pas dans mon dossier, s'échauffa-t-il, incluant cette fois Annabel dans sa supplique. C'est *Karpov* qui a payé. C'est la vérité indéniable, monsieur. L'argent provenait des précieux colifichets en or pris sur le cou et le poignet des morts tchétchènes, voilà la vérité ! Mais c'est Anatoly qui a soudoyé les directeurs de la prison et les gardiens.

C'est Anatoly qui m'a remis la lettre de recommandation pour votre illustre personne. Anatoly est un conseiller avisé et pragmatique qui sait parfaitement traiter avec des fonctionnaires pénitentiaires corrompus sans offenser leurs exigences de probité.

– Une lettre de recommandation ? répéta Brue. Personne ne m'a montré de lettre », dit-il en se tournant vers Annabel.

Sans résultat. Elle savait garder un visage de marbre aussi bien que lui, sinon mieux.

« C'est une lettre de la mafia, monsieur. Écrite par Anatoly, l'avocat de la mafia, au sujet de la mort de l'assassin et violeur le colonel Grigori Borissovitch Karpov, anciennement de l'Armée rouge.

– Adressée à qui ?

– À moi, monsieur.

– Vous l'avez sur vous ?

– Toujours contre mon cœur. »

Il renfila son bracelet, ressortit la bourse des replis de son pardessus noir et tendit à Brue une lettre toute froissée. Un en-tête indiquait le nom et l'adresse d'un cabinet d'avocats à Moscou en caractères romains et cyrilliques. Le texte était dactylographié en russe et commençait par *Mon cher Issa*. On y déplorait le décès du père d'Issa, terrassé par une attaque au milieu de ses compagnons d'armes bien-aimés. Il avait été enterré avec les honneurs militaires. Aucune mention d'un quelconque Karpov, mais les noms « Tommy Brue » et « Brue Frères » en gras et le mot LIPIZZAN suivi du numéro de compte en bas. Signé *Anatoly*, pas de nom de famille.

« Et ce M. Anatoly, qu'a-t-il dit au juste que ma banque et moi-même pourrions faire pour vous ? »

À travers la cloison en verre dépoli leur parvenait le bruit de soucoupes et de tasses entrechoquées par Leïla.

« Vous me protégerez, monsieur. Vous me prendrez sous votre aile, comme Anatoly. Vous êtes un homme bon et puissant, un oligarque de votre belle ville. Vous me ferez entrer comme étudiant en médecine dans votre université. Grâce à votre célèbre banque, je deviendrai un médecin au service de Dieu et de l'humanité, et je mènerai une vie bien ordonnée selon le serment solennel fait au criminel et meurtrier Karpov par votre vénéré père et transmis à son fils à sa mort. Vous êtes bien le fils de votre père, si je ne m'abuse ?

– Contrairement à vous, oui, je suis bien le fils de mon père, reconnut Brue avec un sourire entendu, ce qui lui valut un autre sourire radieux d'Issa, qui coula un regard égaré vers Annabel, la retenant prisonnière un instant comme sous l'emprise de son charme avant de la libérer.

– Votre père a fait de bien belles promesses à ce colonel Karpov, monsieur ! » lança Issa.

Succombant de nouveau à sa peur et à son agitation, il se leva d'un bond, avala une rapide goulée d'air, fit des grimaces grotesques et adopta la voix rauque et dictatoriale qu'il imaginait au père de Brue.

« "Grigori, mon ami ! Quand votre petit garçon Ivan viendra me voir, dans de très nombreuses années, espérons-le, ma banque le traitera comme un membre de notre famille, cria-t-il, un bras tendu, le bout de ses doigts trouant l'air pour sceller le vœu sacré. Si je ne suis plus de ce monde, alors ce sera mon fils Tommy qui honorera votre Ivan, je vous le jure. Ceci est la promesse solennelle de mon cœur, Grigori mon ami, et c'est aussi la promesse de M. Lipizzan", fit-il avant de reprendre une voix atrocement normale. Telles furent les paroles de votre vénéré père, monsieur. Je les tiens d'Anatoly, l'avocat de la mafia, qui, poussé par son amour pervers pour mon père, a été mon sauveur dans les nombreux revers de fortune que j'ai pu connaître », conclut-il d'une voix fêlée, la respiration sifflante.

Dans le lourd silence qui suivit, ce fut au tour de Melik d'exprimer ses sentiments.

« Méfiez-vous, si vous le poussez trop à bout, il aura une attaque, prévint-il sèchement Brue en allemand avant d'ajouter, au cas où celui-ci n'aurait pas saisi : Allez-y doucement avec lui, OK ? C'est mon frère. »

***

Lorsque Brue reprit enfin la parole, ce fut en allemand, avec des mots délibérément neutres, à l'intention d'Annabel et non d'Issa.

« Avons-nous cette promesse solennelle par écrit quelque part, Frau Richter, ou devons-nous compter sur le seul témoignage par ouï-dire de M. Anatoly, tel que nous l'a rapporté votre client ?

– Tout ce que nous avons par écrit, c'est le nom et le numéro de référence d'un compte à votre banque », répliqua-t-elle d'une voix tendue.

Brue fit mine de ruminer.

« Laissez-moi vous expliquer mon petit problème, Issa, proposa-t-il en russe, sélectionnant parmi les voix qui hurlaient dans sa tête celle d'un homme raisonnable faisant ses comptes. Nous avons un certain Anatoly, dont vous me dites qu'il est ou a été le conseiller juridique de votre père. Nous avons un colonel Karpov, dont vous me dites qu'il est votre père naturel même si, par ailleurs, vous le reniez. Mais nous ne vous avons pas *vous*, n'est-ce pas ? Vous n'avez pas de papiers or, selon vos propres dires, vous avez un gros casier judiciaire qui n'inspire pas vraiment confiance à un banquier, quelle que soit la raison de votre incarcération.

– Je suis un musulman, monsieur ! protesta Issa, élevant le ton sous le coup de l'agitation et sollicitant le soutien d'Annabel par un regard. Je suis un cul-noir tchétchène ! Pourquoi me faudrait-il une raison pour aller en prison ?

– Je dois être *convaincu*, voyez-vous, poursuivit implacablement Brue, ignorant le regard désapprobateur de Melik. Je dois savoir comment vous vous êtes retrouvé en possession d'informations confidentielles concernant un client estimé de ma banque. Je dois, si vous me le permettez, creuser un peu plus dans le passé de votre famille, en remontant à la source de toute chose en ce bas monde, à savoir votre mère. »

Il se montrait cruel, le savait et l'assumait. Melik avait voulu le refréner, mais l'imitation grotesque d'Edward Amadeus par Issa l'avait révulsé.

« Qui est-elle, votre chère maman, ou plutôt qui était-elle ? Avez-vous des frères et des sœurs, vivants ou morts ? »

Tout d'abord, Issa ne pipa mot. Son corps frêle penché en avant, les coudes sur la table, le bracelet à mi-hauteur de son avant-bras malingre, il enfouit son visage entre ses longues mains sous le col remonté de son pardessus noir. Soudain, le visage enfantin émergea et devint celui d'un homme.

« Ma mère est morte, monsieur, morte et bien morte. Elle est morte de nombreuses fois. Elle est morte le jour où les vaillantes troupes de Karpov l'ont arrachée à son village pour l'emmener à la caserne où Karpov l'a violée. Elle avait quinze ans. Elle est morte le jour où les anciens de sa tribu ont décrété qu'elle avait consenti à son propre viol et ont ordonné qu'un de ses frères aille la tuer, selon la tradition de notre peuple. Elle est morte chaque jour de sa grossesse, sachant que dès qu'elle m'aurait mis au monde on l'obligerait à quitter ce monde, et que son bébé serait envoyé dans un orphelinat militaire pour enfants de mères tchétchènes violées. Elle a été clairvoyante concernant sa mort, mais pas concernant les actions de l'homme qui l'avait provoquée. Quand son régiment a été rappelé à Moscou, Karpov a décidé d'emmener le garçon avec lui comme trophée.

– Vous aviez quel âge, à l'époque ?

– Le garçon avait sept ans, monsieur. Assez vieux pour avoir goûté aux forêts, aux collines et aux rivières de Tchétchénie. Assez vieux pour s'y transporter chaque fois que Dieu le lui permettait. Monsieur, je souhaiterais faire une autre déclaration.

– Je vous en prie.

– Vous êtes un homme bienveillant et important, monsieur. Vous êtes un honorable Anglais, pas un Russe barbare. Les Tchétchènes ont jadis rêvé d'avoir une reine anglaise pour les protéger du tyran russe. J'accepterai votre protection, que votre vénéré père a promise à Karpov, et devant Dieu je vous en remercie du fond du cœur. Mais si c'est l'argent de Karpov dont nous parlons, je regrette de devoir refuser. Pas un euro, pas un dollar, pas un rouble, pas une livre anglaise, s'il vous plaît. C'est de l'argent de voleurs, d'infidèles et d'activistes impérialistes. C'est de l'argent qui s'est accru par l'usure, ce qui va à l'encontre de notre loi divine. C'est de l'argent qui était indispensable à mon périlleux voyage jusqu'ici, mais auquel je ne veux plus toucher. Ayez la bonté de m'obtenir un passeport allemand, un permis de séjour et un lieu où je pourrai étudier la médecine et prier en toute humilité. C'est tout ce que je demande, monsieur. Je vous remercie. »

Il s'affala sur la table, enfouit sa tête entre ses bras et éclata en sanglots. Leïla accourut de la cuisine pour le consoler. Melik se planta devant Brue comme pour protéger Issa d'un nouvel assaut. Annabel s'était levée elle aussi mais, par bienséance, ne s'était pas permis d'approcher de son client.

« Et je vous remercie également, Issa, répondit Brue après un long silence général. Frau Richter, pourrions-nous parler en privé, je vous prie ? »

* * *

Ils se tenaient à moins d'un mètre l'un de l'autre dans la chambre de Melik, près d'un punching-ball. Si elle avait mesuré trente centimètres de plus ils auraient été face à face. Son regard aux reflets de miel restait inflexible derrière ses lunettes. Sa respiration était volontairement lente, et Brue remarqua que la sienne aussi. D'une main elle dénoua son foulard, exposant son visage et défiant Brue de porter le premier coup. Mais elle avait l'intrépidité de Georgie, sa propre beauté inexpugnable, et en lui-même Brue se savait déjà perdu.

« Jusqu'à quel point étiez-vous informée de tout cela ? attaqua-t-il d'une voix qu'il reconnaissait à peine.

– Cela concerne mon client, pas vous.

– C'est un requérant, mais en même temps ce n'en est pas un. Qu'est-ce que je suis censé faire, moi ? Il retire sa requête, mais il veut ma protection.

– Exact.

– Je ne fais pas dans la protection. Je suis une banque. Je ne fais pas dans les permis de séjour. Je ne fais pas dans les passeports allemands ni dans les places en école de médecine ! »

Contrairement à son habitude, il ne pouvait s'empêcher de ponctuer ses propos par de grands gestes, martelant sa paume gauche de son poing droit à chaque négation.

« Aux yeux de mon client, vous êtes un officiel de haut rang, répliqua-t-elle. Vous possédez une banque, donc vous possédez la ville. Votre père et le sien étaient des escrocs associés. Ce qui fait de vous des frères de sang. Alors bien sûr que vous allez le protéger.

112

– Mon père n'était *pas* un escroc ! cria-t-il avant de se ressaisir. Bon, d'accord, vous êtes sous le coup de l'émotion. Moi aussi, apparemment. C'est compréhensible. Votre client représente un cas tragique et vous êtes une…

– Une simple femme ?

– Une avocate consciencieuse qui fait tout son possible pour son client.

– C'est aussi le vôtre, monsieur Brue. »

En toute autre circonstance, Brue aurait énergiquement contesté ce point, mais il laissa passer.

« Cet homme a été torturé, et il est possible qu'il en ait gardé des séquelles psychologiques. Hélas, cela ne signifie pas pour autant qu'il dise la vérité. Qui peut affirmer qu'il ne s'est pas approprié les biens personnels et l'identité d'un codétenu pour établir une fausse requête sur son dû ? Quoi, j'ai dit quelque chose de drôle ? lança-t-il en la voyant sourire d'un petit air satisfait.

– Vous venez d'admettre que c'était son dû.

– Absolument pas ! contra Brue, exaspéré. J'ai dit tout le contraire. J'ai dit qu'il se pourrait très bien que ce ne soit *pas* son dû. Et même si ça l'est, vu qu'il ne veut pas faire sa requête, quelle différence ?

– La différence, monsieur Brue, c'est que mon client ne serait pas ici si ce n'était à cause de votre putain de banque. »

Une trêve armée s'ensuivit, le temps que chacun apprécie le surprenant choix de vocabulaire d'Annabel. Brue essayait de faire preuve de pugnacité, alors qu'il ne s'en ressentait pas. Bien au contraire, il avait de plus en plus l'impression de se rallier à son camp à elle.

* * *

« Frau Richter.

– Monsieur Brue.

113

– En l'absence de preuve irréfutable, je me refuse à concéder que ma banque – enfin, mon père – ait fourni aide et assistance à des escrocs russes.

– Alors, qu'êtes-vous prêt à concéder ?

– Avant tout, votre client doit déposer une requête officielle.

– Il n'en fera rien. Il lui reste cinq cents dollars sur ce qu'Anatoly lui a donné, et il ne veut pas y toucher. Il compte les donner à Leïla quand il partira d'ici.

– S'il ne fait pas de requête, je n'ai aucun motif pour agir, et toute la situation devient théorique. Même pas théorique. Nulle et non avenue.

– D'accord, fit-elle après un court instant de réflexion. Admettons qu'il fasse sa requête. Qu'est-ce qui se passe, dans ce cas ? »

Sentant qu'elle cherchait à le prendre à contre-pied, il hésita.

« Eh bien, avant tout, il me faudrait un minimum de justificatifs élémentaires.

– C'est quoi, un minimum ? »

Brue extrapolait. Il se réfugiait derrière les règlements que les lipizzans avaient été créés pour contourner. On est ici et maintenant, pas jadis, se répétait-il. C'est moi, avec mes soixante ans, pas Edward Amadeus dans ses années de gâtisme.

« Une preuve d'identité, bien sûr, à commencer par son acte de naissance.

– Et où peut-on l'obtenir ?

– En supposant qu'il ne soit pas en mesure de le fournir, je demanderais l'aide de l'ambassade de Russie à Berlin.

– Et ensuite ?

– Il me faudrait l'acte de décès de son père, la communication de son testament et une déclaration de son avocat, notariée bien entendu. »

Elle ne dit rien.

« Vous ne croyez tout de même pas que je vais me contenter de quelques coupures de presse défraîchies et d'une lettre équivoque. »

Toujours rien.

« Voilà quelle serait la procédure normale, poursuivit-il vaillamment, bien conscient que la procédure normale ne s'appliquait pas. Une fois réunis les justificatifs requis, je vous conseillerais de faire passer votre client devant un tribunal allemand pour obtenir une homologation ou une ordonnance. Ma banque travaille ici par autorisation spéciale, et une condition de cette autorisation est que je me soumette à la juridiction de l'État de Hambourg et de la République fédérale. »

Une nouvelle pause crispante, tandis qu'elle l'étudiait de son regard implacable.

« Voilà les règles, alors ?

– Certaines des règles, oui.

– Que se passerait-il si vous les contourniez ? Imaginez qu'un businessman russe propre sur lui dans son complet à mille dollars ait pris un vol en première classe depuis Moscou pour venir récupérer sa part. "Salut, monsieur Tommy ! C'est moi, le petit Karpov. Votre père et le mien étaient copains de beuverie. Où est mon argent ?" Vous feriez quoi ?

– Exactement ce que je suis en train de faire », répliqua-t-il fermement, mais sans conviction.

* * *

C'était à présent Annabel Richter qui en sortait vaincue et Tommy Brue vainqueur. La résignation adoucissait les traits de la jeune femme, qui prit une longue inspiration.

« Bon. Aidez-moi. Je suis complètement dépassée. Dites-moi ce que je dois faire.

– Ce que vous faites régulièrement, j'imagine. Remettez-vous-en à la merci des autorités allemandes pour faire régulariser sa situation. Le plus tôt sera le mieux, semble-t-il.

– Régulariser, et comment ? Il est jeune, plus jeune que moi. Supposez qu'ils ne régularisent *pas* sa situation ? On va lui arracher de force encore combien de ses plus belles années ?

– C'est votre monde à vous, ça, non ? Heureusement, ce n'est pas le mien.

– C'est notre monde à tous les deux, rétorqua-t-elle, le feu lui montant aux joues. Seulement vous, vous ne voulez pas y vivre. Vous voulez entendre le plus beau de l'histoire ? Je pense que non, mais je vais vous le raconter quand même. Vous m'avez dit de le présenter devant un tribunal. De requérir une homologation. À l'instant où je fais ça, il est mort. Vous entendez ? *Mort.* Il est venu ici par la Suède. La Suède, puis le Danemark, et enfin Hambourg. Son bateau n'était pas censé faire escale en Suède, mais il l'a fait. Ça peut arriver, avec les bateaux. Les Suédois l'ont arrêté. Il était dans un tel état après la prison et le voyage qu'ils ont cru qu'il ne pouvait plus tenir debout. Or, il a réussi à s'échapper. L'argent a aidé. Il reste délibérément flou à ce sujet. Avant qu'il s'échappe, la police suédoise a pris sa photo et ses empreintes digitales. Vous savez ce que ça signifie ?

– Non, mais vous allez me l'apprendre. »

Elle avait recouvré son sang-froid, non sans mal.

« Ça signifie que ses empreintes digitales et sa photo se trouvent sur les sites web de toutes les polices. Ça signifie que selon le traité de Dublin de 1990, que vous avez sûrement lu de bout en bout, les Allemands n'ont d'autre choix que de le réexpédier vite fait en Suède. Pas de possibilité d'appel, pas de garantie prévue par la loi. C'est un prisonnier évadé et un immigrant clandestin pour la Suède, recherché en Russie et en Turquie, avec des activités notoires de militant musulman. C'est aux Suédois que revient le droit de l'expulser, pas aux Allemands.

– Les Suédois ne sont pas moins humains que d'autres, à ce qu'il paraît.

– Non, surtout en ce qui concerne les immigrants clandestins. Et aux yeux des Suédois, Issa est un immigrant clandestin doublé d'un terroriste en cavale. Point barre. Si les Turcs veulent le récupérer pour qu'il finisse de purger sa peine – prolongée de quelques années pour avoir quitté sa prison grâce à des pots-de-vin –, les Suédois le livreront aux Turcs et s'en laveront les mains. D'accord, il y a une chance sur mille qu'un bon samaritain suédois intercède en sa faveur, mais je n'y crois pas trop, aux bons samaritains. Quand les Turcs se seront bien défoulés sur lui, ils le livreront aux Russes pour continuer le travail. D'un autre côté, les Turcs pourraient estimer qu'ils n'en tireront pas plus et passer leur tour, auquel cas les Suédois le remettront directement aux Russes. Dans tous les cas, ce sera retour à la case prison et torture. Vous l'avez vu. Combien peut-il encore en supporter ? Dites, vous m'écoutez, là ? Je n'arrive pas à en être sûre. Je ne connais pas assez votre visage. »

Lui-même ne le connaissait plus. Il ne savait plus quelle expression lui donner, ni quelle émotion il devait y faire passer.

« Vous parlez comme s'il n'y avait aucune possibilité de recours pour raison humanitaire, tenta-t-il pitoyablement sous le regard fixe d'Annabel.

– L'année dernière, j'ai eu un client qui s'appelait Magomed. Un Tchétchène de vingt-trois ans qui avait été torturé par les Russes. Rien de personnel, rien de très sophistiqué, juste des tabassages à répétition. Mais c'était un gentil gamin, un brin dérangé comme Issa.

Il n'avait pas supporté les tabassages. Peut-être en avait-il subi un de trop. On a demandé l'asile pour lui, en jouant la carte humanitaire. Il aimait aller au zoo. Comme je m'inquiétais beaucoup pour lui, le Sanctuaire a cassé sa tirelire et a engagé un ténor du barreau, qui a décrété que l'argument humanitaire était imparable et qui s'est tourné les pouces. En théorie, l'Allemagne a des lois strictes quant aux endroits vers lesquels elle peut ou ne peut pas expulser les gens. En attendant le verdict, on a projeté une autre journée au zoo. Magomed n'avait pas le casier d'Issa. Ce n'était ni un activiste ni un islamiste présumé, il n'était pas recherché par Interpol. À 5 heures du matin, ils l'ont tiré de son lit au foyer et jeté dans un avion pour Saint-Pétersbourg. Ils ont été obligés de le bâillonner tellement il criait. On n'a plus jamais entendu le son de sa voix, dit-elle, s'empourprant inexplicablement avant de reprendre son souffle. En fac de droit, on discutait beaucoup de la primauté de la loi sur la vie. C'est un principe fondamental qui traverse toute l'histoire de l'Allemagne : la loi n'est pas faite pour protéger la vie, mais pour l'étouffer. Nous l'avons appliqué aux Juifs. Adapté à l'Amérique d'aujourd'hui, ce même principe autorise la torture et l'enlèvement politique. Et c'est contagieux. Votre pays lui-même n'en est pas exempt, le mien non plus, d'ailleurs. Moi, je ne suis pas au service de ce genre de loi. Je suis au service d'Issa Karpov. C'est mon client. Et si ça vous dérange, cela m'est bien égal. »

Cela semblait toutefois la déranger elle, car elle avait à présent le visage cramoisi.

« Que sait votre client de sa situation ? demanda Brue après un long silence.

– Il est de mon devoir de l'informer, alors c'est ce que j'ai fait.

– Comment a-t-il réagi ?

118

– Des nouvelles qui nous paraissent mauvaises ne le sont pas forcément pour lui. Il a montré un certain intérêt, mais il vous fait confiance pour arranger les choses. La maison est sous surveillance, au cas où vous ne l'auriez pas remarqué. Ces policiers du petit coup de sonde, là, qui ont rendu à Leïla une visite de courtoisie – tu m'étonnes, qu'ils envoient des coups de sonde !

– Je croyais que vous les connaissiez.

– Tout le monde les connaît, au Sanctuaire. Ce sont les chiens renifleurs. »

En partie pour fuir son regard, mais aussi pour s'accorder un moment de répit, Brue fit le tour de la pièce.

« J'ai une question pour votre client, dit-il en revenant se planter devant elle. Vous pouvez peut-être y répondre à sa place. Les conditions générales du compte de feu son père putatif mentionnent ce qu'on appelle un *instrument*. S'il produisait un tel *instrument*, sa requête serait recevable.

– C'est une clé ?

– Possible.

– Une petite clé avec des dents sur trois côtés ?

– Très possible.

– Je lui poserai la question. »

Souriait-elle ? Brue eut l'impression qu'ils venaient d'échanger une étincelle de complicité, et pria pour que tel fût bien le cas.

« Mais bon, ça, c'est s'il fait sa requête, bien sûr, ajouta-t-il avec sévérité. Si et seulement si on peut l'en persuader. Sinon, retour à la case départ.

– Y a-t-il beaucoup d'argent en jeu ?

– S'il fait une requête et si elle aboutit, il vous révélera sûrement la somme », répondit-il d'un air pincé.

Tout à coup, soit son bon cœur prit le dessus, soit Brue mit un instant en veilleuse sa froideur de banquier bon teint. Une étrange sensation l'envahit : quelqu'un d'autre – quelqu'un de bien réel, prêt à succomber à son instinct d'humanité au lieu d'y voir une menace à une gestion financière saine – avait pris possession de lui et parlait par sa bouche.

« Mais entre-temps, si je peux faire quelque chose, personnellement, pour aider, je veux dire, vraiment, quoi que ce soit dans les limites du raisonnable, j'en serais très heureux. Ravi, même. Je considérerais cela comme un privilège. »

* * *

Elle l'observait si fixement qu'il se demanda s'il avait vraiment parlé.

« Aider de quelle façon, exactement ? » s'enquit-elle.

Il ne pouvait qu'aller de l'avant, ce qui tombait bien car il y allait déjà.

« De quelque façon que je puisse aider, dans les limites du raisonnable. Je m'en remettrais à vous. Complètement. Je pars du principe que son histoire est vraie. Je n'ai guère le choix, à l'évidence.

– Nous devons tous les deux partir de ce principe, fit-elle, agacée. J'essaie de comprendre de quoi vous parliez quand vous avez dit que vous vouliez vraiment aider. »

Brue n'en avait pas plus idée qu'elle, mais il constatait qu'elle n'avait plus pour lui un regard accusateur. Il avait dû dire quelque chose qui servait les desseins d'Annabel, même si elle n'en prenait conscience que maintenant.

« Je devais penser à de l'*argent*, en réalité, dit-il, un peu honteux.

– Vous pourriez lui prêter de l'argent maintenant, par exemple, à titre d'avance sur ce à quoi il peut prétendre ?

– Via la banque ? s'interposa le banquier en lui. Non. Pas tant que ses attentes restent sans fondement et qu'il refuse de faire sa requête. C'est exclu.

– Alors de quel argent vous parlez ?

– Votre organisation n'a pas de fonds pour des contingences de ce genre ?

– Les fonds dont dispose Sanctuaire Nord à l'heure actuelle suffiraient tout juste à lui payer son ticket jusqu'au centre de rétention le plus proche.

– Et vous n'avez pas de… d'installation où il pourrait être logé à titre temporaire ?

– Sans que la police le retrouve en cinq minutes ? Non.

– Et s'il était vraiment malade ? s'entêta Brue. S'il invoquait des raisons de santé ? Personne n'expulse un homme malade, enfin !

– S'il invoque des raisons de santé, ce que font la moitié d'entre eux, ce que nous avons fait dans le cas de Magomed, et si les docteurs le déclarent en effet intransportable, il sera soigné en hôpital pénitentiaire jusqu'à ce qu'il soit en état d'être expulsé. Alors je vous pose à nouveau la question : vous pensiez à combien d'argent ?

– Eh bien, disons que la somme dépendrait de ses besoins réels, avança Brue, rendossant son rôle de banquier. Si vous pouvez me donner une petite idée de ce que vous comptez faire avec cet argent…

– Je ne peux pas. Secret professionnel.

– Bien sûr, c'est logique, oui, oui… Mais si on parle d'une somme, disons, relativement modeste, juste pour subvenir à ses besoins…

– Elle ne serait pas si modeste que ça.

– Eh bien dans ce cas, vu les circonstances, ce serait de l'argent prêté sur mes fonds propres. À votre client, évidemment. Par votre intermédiaire, mais pour son usage personnel.

– Est-ce qu'il faut que ce prêt soit garanti ?

– Grands dieux non ! s'offusqua-t-il sans savoir pourquoi. Ce serait juste un prêt informel dont on peut espérer qu'il serait remboursé un jour ou l'autre – ou pas, d'ailleurs. En fonction du montant que vous avez en tête, évidemment. Mais enfin, non, pas de garantie requise ni nécessaire. »

Il l'avait dit. Et maintenant qu'il l'avait dit, il savait qu'il y croyait, et il était prêt à le redire, et, si besoin était, à le redire encore.

C'était au tour d'Annabel de se montrer hésitante.

« Cela pourrait représenter… beaucoup d'argent.

– Ah, mais tout dépend de ce que c'est, *beaucoup*, ne put-il s'empêcher de répondre, avec ce sourire du banquier qui vous signifie que ce qui représente beaucoup pour vous n'est peut-être pas beaucoup pour lui.

– S'il s'avère finalement qu'il n'en a pas besoin, je vous le rendrai. Vous devez me croire là-dessus.

– Mais je n'en doute pas. Alors, à quelle somme pensions-nous ? »

Qu'était-elle en train de calculer ? Ce qu'il était capable de lui prêter ou ce dont elle avait besoin pour ses projets ? Et depuis combien de temps avait-elle ces projets en tête ? Depuis l'instant où ils étaient entrés dans cette maison, ou juste depuis qu'il lui avait soufflé cette idée ?

« Pour ce qu'il a besoin de faire, si je peux le persuader de le faire, j'imagine que ce ne sera pas moins de trente mille euros », balbutia-t-elle comme si cela rendrait la somme moins exorbitante.

La tête de Brue lui tournait, mais pas de façon inquiétante. Elle n'a rien d'un entrepreneur douteux. Elle n'a rien d'un client à découvert, d'un mauvais créancier ou d'un loser de génie avec une idée folle. L'idée folle était la mienne, ou plutôt : l'idée était la mienne et elle n'était pas folle.

« Vous le voulez pour quand, cet argent ? demanda-t-il avant de pouvoir se refréner, là encore une question rituelle.

– Très vite. D'ici un ou deux jours maximum. Les choses pourraient bouger très vite pour lui. Si c'est le cas, j'aurai besoin de l'argent rapidement.

– Aujourd'hui, c'est vendredi. Alors pourquoi ne pas régler ça tout de suite, histoire de ne pas rater le coche plus tard ? Et puisque vous comptez me rendre ce que vous n'utiliserez pas, si on en rajoutait un peu au bout, au cas où, d'accord ? » proposa-t-il comme s'ils construi-saient quelque chose ensemble, ce que, dans son état second, il avait l'impression de faire.

À son habitude, il avait un chéquier sous la main, émis par une grande banque de dépôt. Mais où donc avait-il fourré son stylo ? Il palpa ses poches, puis se rappela qu'il l'avait laissé avec son bloc-notes sur la table du salon. Annabel lui prêta le sien, et le regarda libeller un chèque à l'ordre d'Annabel Richter pour un montant de cinquante mille euros, en date d'aujourd'hui vendredi. Sur une des cinq ou six cartes de visite enfouies dans sa veste Randall's, il écrivit son numéro de portable, et dans un second temps (au diable l'avarice !) celui de sa ligne directe à la banque.

« Vous me ferez signe, j'imagine, marmonna-t-il avec une certaine gêne quand il découvrit qu'elle le dévisageait toujours. Je m'appelle Tommy, au fait. »

Dans le salon, Issa avait été convaincu d'appuyer sa tête contre le dossier du sofa tandis que Leïla lui appli-quait une compresse sur le front. Brue récupéra son stylo-bille en or.

« Il vaut mieux que vous ne reveniez pas ici, grommela Melik en l'escortant jusqu'à la porte d'entrée. Il vaut mieux que vous oubliiez le nom de la rue. On vous oublie, et vous nous oubliez. Vendu ?

– Vendu », acquiesça Brue.

« Les von Essen sont des tricheurs », déclara Mitzi, ôtant ses boucles d'oreille en saphir face au miroir de sa coiffeuse tandis que Brue l'observait depuis le lit.

À l'âge de cinquante ans, grâce à un entretien sophistiqué et aux attentions d'un chirurgien à la mode, elle en paraissait encore joliment trente-neuf, enfin presque.

« Les von Essen ne reculent devant rien, poursuivit-elle en examinant d'un œil critique la peau de son cou. Les doigts sur le visage, les doigts sur les cartes, et que je me gratte la tête, et que je bâille, et les miroirs. Et leur petite bonne, une allumeuse qui regarde par-dessus nos épaules en apportant à boire, quand elle n'envoie pas des œillades à Bernhard. »

Il était 2 heures du matin. Ils utilisaient tantôt l'allemand, tantôt l'anglais, tantôt les deux histoire de s'amuser. Ce soir, c'était l'allemand, ou plutôt le doux allemand viennois de Mitzi.

« Bref, vous avez perdu, en conclut Brue.

– Et ça pue, chez les von Essen, ajouta-t-elle sans relever. Vu que la maison est construite au-dessus d'un égout, ce n'est pas étonnant. Bernhard n'aurait jamais dû jouer son roi. Il est trop impulsif. S'il avait gardé la tête froide, on aurait pu remporter le robre. Il serait grand temps qu'il mûrisse un peu. »

Bernhard était son partenaire attitré, et sans doute pas seulement au bridge. Mais bon, qu'y pouvait-on ? La vie était mal faite. Le vieux Westerheim avait vu juste en la qualifiant de meilleure Première Dame de Hambourg.

« Tu as encore travaillé tard, Tommy ? demanda Mitzi depuis la salle de bains.

– Plutôt, oui.

– Mon pauvre chéri ! »

124

Un jour, songea-t-il, tu me demanderas vraiment où j'étais et ce que je faisais. Sauf que non. Tu ne me poseras jamais aucune question que tu ne voudrais pas que je te pose. Petite maligne. Tu es cent fois plus maligne que moi. Si je te laissais carte blanche, tu renflouerais la banque en moins de deux ans.

« Tu as l'air sous pression, se plaignit-elle, émergeant de la salle de bains en chemise de nuit. Pas comme un vendredi soir. Tu es tendu, agité. Tu as pris ton somnifère ?

– Oui, mais ça ne fait pas effet.

– Tu as bu ?

– Un ou deux scotchs.

– Quelque chose te tracasse ?

– Mais non, mais non. Tout va très bien.

– Tant mieux. Quand on aura passé les soixante ans, on sera peut-être bien contents d'arriver à rester éveillés.

– Peut-être, acquiesça-t-il alors qu'elle éteignait la lumière.

– Au fait, Bernhard veut nous emmener en avion dans sa villa de Sylt pour le déjeuner, demain. Il a deux places libres. Tu veux venir ?

– Voilà une perspective réjouissante. »

* * *

Oui, Mitzi, je suis tendu et agité. Non, pas comme un vendredi soir. Je viens de me séparer de cinquante mille euros le cœur léger, et je n'ai toujours pas compris pourquoi. Pour donner plus de temps à Issa ? Mais qu'allez-vous faire de lui ? Lui réserver une suite à l'Atlantic ?

Ce vendredi soir, je suis rentré à la maison à pied tout seul. Pas de taxi, pas de limousine. Délesté de cinquante mille euros, et ravi de l'être. Ai-je été suivi ? Je ne crois pas. Pas jusqu'à ce que je me perde à Eppendorf, en tout cas.

J'ai marché dans des rues plates et droites qui se ressemblaient toutes, et ma tête refusait de me dire où aller. Mais ce n'était pas de la peur. Ce n'était pas que je cherchais à semer mes poursuivants, s'il y en avait. C'était ma boussole interne qui s'affolait.

Ce vendredi soir, je suis retombé trois fois sur le même carrefour, et si je m'y retrouvais encore maintenant, je ne saurais toujours pas quel chemin prendre.

Le bilan de ma vie sans histoire, c'est quoi ? La fuite. Que ce soit des ennuis avec les femmes, des ennuis avec la banque, des ennuis avec Georgie, ce brave vieux Tommy a toujours pris la poudre d'escampette avant même que le pétard ne lui explose à la figure. C'était pas moi, c'était deux autres types, je n'étais même pas là, et de toute façon c'est eux qui m'ont frappé en premier. Voilà, ce brave vieux Tommy, c'était ça.

Alors qu'Annabel (vous permettez que je vous appelle par votre prénom ?), eh bien vous, c'est tout le contraire, pas vrai ? Vous cherchez l'affrontement. Vous foncez – ce qui explique sans doute pourquoi je suis en train de penser *Annabel*, *Annabel*, alors que je devrais penser *Edward Amadeus*, espèce de vieux macchabée fou que j'adore, regarde dans quelle galère tu m'as entraîné !

Mais je ne suis pas dans une galère. Je suis un investisseur comblé. Je n'ai pas un simple intérêt pour cette affaire, maintenant j'y ai un intéressement. Ces cinquante mille euros, c'était mon billet d'entrée. Je suis devenu l'associé dans ce plan que vous avez dans votre manche. Et au fait, je m'appelle Tommy.

* * *

Qui avez-vous auprès de vous, Annabel ? À qui parlez-vous ? Là, maintenant, à cet instant ? À qui vous ouvrez-vous quand vous touchez le fond ?

À un de ces chevelus gauchistes et braillards si chers à Georgie, qui n'ont pas plus de manières qu'ils n'ont cinquante mille euros ?

Ou bien à un homme du monde plus riche et plus âgé, qui peut vous recadrer quand vous vous laissez emporter ?

Les pères, songea-t-il alors que son somnifère commençait à faire effet. Mon père et celui d'Issa. Frères criminels, chevauchant dans le soleil couchant leurs lipizzans noirs de jais qui se refusent à blanchir.

Et votre père à vous, c'est qui dans la vie ? Un père dans mon genre ? Rejeté et honni, à juste titre ? Du genre qu'on aime seulement (si on l'aime) à treize mille kilomètres de distance ? Malgré quoi il fait quand même partie de vous, je le sens. Je le sens à votre aplomb, à votre pointe d'arrogance, alors même que vous vous employez à sauver les damnés de la terre.

Issa, songea-t-il. Son bébé trouvé. Son homme-enfant torturé. Son cul-noir tchétchène qui n'est qu'à moitié tchétchène mais qui se veut tchétchène à cent pour cent, tout en m'assaillant de ses sentences ironiques, comme ces vieux émigrés russes barbus qui traînaient à Montparnasse, tous des génies.

C'est Issa qui devrait aller en promenade à Eppendorf, pas moi.

5

Günther Bachmann fut d'abord irrité, puis inquiet, d'être sommairement convoqué devant l'imposante personne de Herr Arnold Mohr, chef du bureau hambourgeois des Protecteurs, à midi un dimanche, jour où Mohr, chrétien ostensible, aurait dû en toute logique parader en famille dans l'une des églises les plus huppées de la ville. Bachmann avait passé la nuit à éplucher des dossiers de référence sur les moudjahidine tchétchènes compilés par Erna Frey, qui, s'accordant exceptionnellement une liberté, était ensuite partie à Hanovre pour le mariage d'une nièce. Une fois sa lecture terminée, il avait envisagé de prendre l'avion pour Copenhague, histoire de boire une ou deux bières avec les gens de la Sécurité danoise, qu'il aimait bien, et, sous réserve de leur autorisation, d'échanger quelques mots avec le gentil frère camionneur qui avait amené Issa à Hambourg et lui avait fait don de son pardessus. Bachmann avait même téléphoné à son contact sur place. Pas de problème, Günther, on enverra une voiture vous prendre à l'aéroport.

Au lieu de quoi, il se retrouvait à arpenter son bureau dans les écuries avec appréhension tandis qu'Erna Frey, encore en tenue de soirée, sagement assise à sa table, préparait pour Berlin le bilan mensuel des dépenses.

« Keller est arrivé, l'informa-t-elle sans lever la tête.

– Keller, quel Keller ? s'irrita Bachmann. Hans Keller de Moscou ? Paul Keller d'Amman ?

– Herr Doktor Otto Keller, le plus protecteur de tous les Protecteurs. Il est arrivé de Cologne il y a une heure. Regardez par la fenêtre et vous pourrez admirer son hélicoptère qui encombre le parking. »

Bachmann s'exécuta et laissa échapper une exclamation de dégoût.

« Bon Dieu, mais qu'est-ce qu'il nous veut cette fois, Tonton Otto ? On a encore grillé un feu rouge ? On a mis sa mère sur écoute ?

– Rencontre top secret, opérationnelle et hyper-urgente, répondit Erna Frey en poursuivant calmement sa tâche. C'est tout ce que j'ai pu leur soutirer comme information.

– Ça veut dire qu'ils ont trouvé mon gars ? se désespéra Bachmann.

– Si par "votre gars" vous voulez dire Issa Karpov, le bruit court qu'ils brûlent.

– C'est pas possible qu'ils l'aient arrêté ! se lamenta Bachmann en se tapant le front. Arni m'a juré que la police ne le ferait pas sans nous consulter d'abord. *C'est votre affaire, Günther. C'est votre affaire, mon vieux, mais on communique.* C'était ça, le contrat. »

Une autre pensée encore plus horrible lui vint à l'esprit.

« Ne me dites pas que la police l'a arrêté rien que pour montrer à Arni qui est le patron !

– Ma Gorge Profonde, une très mauvaise joueuse de tennis en poste dans le très incompétent service de contre-espionnage d'Arni, m'assure que les Protecteurs brûlent, précisa Erna Frey sans s'émouvoir. Et son message s'arrête là. Elle ne me pardonnera jamais de l'avoir battue en deux sets 6-0, 6-0, alors tout ce qu'elle a la bonté de me fournir, c'est des potins entendus à la cantine. Et puis elle me dit de ne rien vous dire, alors, naturellement, je vous le dis, conclut Erna avant de retourner à ses calculs sous le regard de Bachmann.

– Pourquoi tant d'amertume, ce matin ? demanda-t-il au dos d'Erna. Normalement, c'est moi, le grognon.

– Je déteste les mariages. Je trouve ça contre nature et insultant. Chaque fois que je vais à un mariage, je vois une femme de valeur aller droit dans le mur.

– Et le pauvre bougre de mari, alors ?

– Pour moi, le pauvre bougre de mari c'est le mur, justement. Keller restreint la réunion aux principaux chefs : vous, Mohr et lui.

– Pas de policiers ?

– Il n'y en a pas d'annoncés.

– Alors, on sera à deux contre un, remarqua Bachmann d'un ton plus serein en reprenant son examen de la cour. Deux Protecteurs tout de blanc vêtus contre un mouton noir excommunié.

– Enfin, n'oubliez pas que chacun de vous se bat contre le même ennemi : les deux autres », ironisa Erna Frey.

Son scepticisme le choqua, car il était de la même eau que le sien.

« Et vous, vous m'accompagnez, rétorqua-t-il.

– Ne soyez pas ridicule. Je déteste Keller, Keller me déteste. Je serais un poids. Je commettrais des impairs. »

Mais, sous le regard inflexible de Bachmann, elle était déjà en train d'éteindre son ordinateur.

* * *

Bachmann avait tout lieu de s'inquiéter. Les rumeurs affluaient de Berlin, certaines abracadabrantes, d'autres d'une plausibilité troublante. Seule chose certaine : les vieilles démarcations entre services rivaux étaient bien en train de disparaître et le Comité de pilotage, loin d'être le conseil consultatif des sages annoncé, était devenu une maison rongée par les divisions et les rancœurs. L'éternelle querelle entre les tenants d'une défense acharnée des droits des citoyens et les tenants de leur violation au nom de la primauté de la sécurité nationale approchait du seuil critique.

À ma gauche (pour autant que des distinctions aussi désuètes s'appliquent encore) l'élégant Michael Axelrod du Renseignement extérieur, européaniste convaincu, pro-arabe et mentor circonspect de Bachmann. À ma droite, l'ultraconservateur Dieter Burgdorf du ministère de l'Intérieur, rival d'Axelrod pour le poste de tsar du renseignement une fois que les fondations de la nouvelle structure auraient été posées. Burgdorf, qui affichait sans vergogne sa sympathie pour les néoconservateurs de Washington. Burgdorf, le plus fervent défenseur dans toute l'espiocratie allemande d'une collaboration accrue avec les services américains.

Malgré quoi, pour les trois mois à venir, ces deux hommes que tout opposait ou presque s'étaient engagés à partager le pouvoir et à collaborer en bonne entente. Or à mesure que les deux généraux se distanciaient l'un de l'autre, leurs troupes en faisaient autant, chacune manœuvrant pour bien se placer et prendre un avantage réel ou supposé. En toute logique, puisque Burgdorf appartenait au ministère de l'Intérieur et Mohr et Keller au Renseignement intérieur, ces derniers, quand ils avaient besoin de faveurs, se tournaient vers l'onctueux et éhontément ambitieux Burgdorf ; et en toute logique, puisque le cordial Axelrod appartenait au Renseignement extérieur et que Bachmann était son protégé, son collègue et son cadet, ce dernier lui vouait une fidélité de vassal. Toutefois, dans ce contexte où les frontières entre les deux services étaient fluctuantes, où l'étendue des pouvoirs de la police fédérale ajoutait à la confusion et où les lignes de force à Berlin n'étaient toujours pas définies, qui pouvait encore dire ce qui était logique, ce qui était certain ?

C'est tout cela que fustigeait Bachmann, quoique dans une langue moins châtiée, en traversant la cour avec Erna Frey à la rencontre d'Arni Mohr, dont la mèche d'écolier tressautait alors qu'il se dandinait vers eux, ses mains potelées tendues devant lui et ses yeux de fouine cherchant derrière eux un éventuel visiteur plus important qui les suivrait.

« Günther, mon cher ami ! Que c'est aimable à vous de sacrifier votre précieux dimanche ! Frau Frey, quelle agréable surprise ! Et vous êtes d'une élégance ! On va faire tirer un autre jeu de documents pour vous tout de suite ! Vous nous le rendrez après notre petite réunion, s'il vous plaît, précisa-t-il en baissant la voix pour raison de sécurité. Chaque exemplaire est numéroté. Rien ne sort d'ici. Non, non, après vous, Günther, je vous en prie ! Je suis chez moi, ici ! »

* * *

Le Dr Otto Keller était assis seul à la longue table en acajou de la salle de réunion, penché sur une boîte de classement dont il compulsait minutieusement le contenu du bout de ses longs doigts blancs. À leur entrée il leva la tête, remarqua la présence d'Erna Frey en tenue de soirée et reprit sa lecture. Une seconde boîte de classement attendait devant la chaise destinée à Bachmann, qui, à la vue du nom de code FELIX frappé en noir sur la tranche, comprit qu'Issa Karpov, au mépris des accords antérieurs, était devenu le bébé de Mohr et en avait reçu ce nom de baptême, plus, au passage, une classification au-delà du top secret. Une femme en jupe noire entra par une autre porte avec un troisième dossier pour Erna Frey, puis disparut. Assis côte à côte, Bachmann et Erna Frey s'attelèrent dûment à leurs devoirs tandis que Mohr et Keller surveillaient l'examen.

RECOMMANDATION URGENTE :
Que le fugitif islamiste FELIX recherché par toutes les polices du monde et ceux qui ont des liens avec lui fassent immédiatement l'objet d'une enquête exhaustive de la part des polices locale et fédérale ainsi que des agences de protection afin que des poursuites puissent être engagées. Mohr.

RAPPORT NUMÉRO UN
<u>Respectueusement soumis par l'agent de terrain [nom effacé] de l'Office de protection à Hambourg :</u>
La source est un médecin turc récemment arrivé à Hambourg et rattaché à un cabinet médical soignant des patients musulmans. À son entrée en Allemagne, la source a accepté de collaborer avec le présent agent en exerçant sa vigilance au profit de l'Office. Motivation : obtenir l'opinion favorable des autorités de l'État. Rémunération : uniquement aux résultats.

<u>Déclaration de la source :</u>

Vendredi dernier, je me suis rendu à la prière de midi à la mosquée Othman, dont vous connaissez bien les positions modérées. Au moment où je m'apprêtais à partir, j'ai été approché par une Turque que je ne connaissais pas. Elle désirait s'entretenir confidentiellement avec moi d'une question urgente, mais pas à mon cabinet ni dans la rue. Elle avait dans les cinquante-cinq ans, elle était forte, sans doute blonde mais elle portait un voile gris qui lui couvrait entièrement les cheveux, et très agitée.
Au milieu de l'escalier qui monte à la mosquée se trouve un bureau mis à la disposition des imams et des dignitaires en visite. Il était libre. Une fois à l'intérieur, elle s'est mise à parler avec volubilité. Elle avait un accent paysan du nord-est de la Turquie.

J'estime qu'elle n'était pas totalement honnête, parce qu'il y avait des incohérences dans ce qu'elle racontait. Et puis elle pleurait beaucoup, sans doute pour susciter ma compassion. Elle m'a fait l'impression d'une femme retorse avec une idée derrière la tête.

Son histoire, à laquelle je ne crois pas, était la suivante : elle réside légalement à Hambourg, mais n'a pas la citoyenneté. Un neveu habite avec elle, bon musulman comme elle. C'est un jeune homme nerveux, qui vient d'avoir vingt et un ans, qui souffre de crises d'hystérie, d'une forte fièvre et de vomissements, et aussi de stress. Beaucoup de ses problèmes sont liés à son enfance, durant laquelle il a souvent été battu par la police parce qu'il était considéré comme un élément perturbateur ; il a aussi été interné dans un hôpital pour délinquants où il a subi des maltraitances. Bien qu'il consomme de grosses quantités de nourriture à toute heure du jour ou de la nuit, il reste émacié, très tendu, et, la nuit, il arpente sa chambre en parlant tout seul. Pendant ses crises, il se montre très coléreux et fait des gestes menaçants, mais elle n'a pas peur de lui parce qu'elle a un fils qui est champion de boxe poids lourd et que personne ne l'a jamais vaincu en combat singulier. Elle me serait néanmoins reconnaissante de lui prescrire un sédatif qui permettrait à son neveu de dormir et de retrouver sa stabilité mentale. C'est un brave garçon, qui se destine à devenir médecin comme moi.

Je lui ai suggéré de l'amener à mon cabinet, mais elle m'a dit qu'il ne viendrait jamais, d'abord parce qu'il était trop mal, ensuite parce qu'elle n'arriverait pas à le persuader, et puis aussi parce que ce serait trop dangereux pour eux tous et que cela, elle ne le permettrait pas. Ces trois excuses distinctes ne m'ont pas semblé compatibles et ont renforcé ma conviction qu'elle mentait.

Quand je lui ai demandé pourquoi ce serait dangereux, elle est devenue encore plus nerveuse. Son neveu, m'a-t-elle dit, était en situation irrégulière (sauf que, à ce moment-là, elle ne l'appelait plus son « neveu » mais son « invité »). Il ne pouvait pas sortir dans la rue sans s'exposer à une arrestation et leur faire courir, à son fils et à elle-même, le risque d'être expulsés, maintenant que feu son mari n'était plus là pour donner des pots-de-vin à la police.

Quand je lui ai proposé d'aller chez elle examiner le jeune homme, elle a refusé en arguant que ce serait trop dangereux pour ma carrière et qu'elle ne souhaitait pas se mettre elle-même en danger en me révélant son adresse.

Quand je lui ai demandé où se trouvaient les parents du jeune homme, elle m'a répondu que, d'après ce qu'elle avait pu comprendre, ils étaient morts tous les deux. Son père avait d'abord tué sa mère, puis il avait été inhumé dans son uniforme militaire. C'est ce qui expliquait les troubles du jeune homme. Quand je lui ai demandé pourquoi elle avait du mal à comprendre son neveu, elle m'a répondu que, dans ses crises de démence, il ne parlait que russe. Elle m'a ensuite offert deux cents euros qu'elle a sortis de son sac à main pour que je lui fasse une ordonnance. Quand j'ai refusé de prendre son argent ou de rédiger l'ordonnance, elle a poussé un cri exaspéré et a descendu l'escalier en trombe.

Je me suis renseigné à la mosquée. Personne ne semble connaître cette étrange femme. Je crois à l'intégration, je suis opposé à tout acte de terrorisme, et je considère donc comme mon devoir de porter ces faits à la connaissance des autorités car je la soupçonne d'héberger sciemment un individu indésirable et peut-être extrémiste.

« Jusque-là, vous êtes satisfait, Günther ? s'enquit Mohr en le dévorant de ses yeux trop petits. Vous voyez le tableau ?

– C'est l'intégralité de la déposition ?

– Non, un résumé. La déposition complète est plus longue.

– Je peux la voir ?

– Protection de la source, Günther, protection de la source. »

Le Dr Otto Keller donnait l'impression de ne pas écouter, peut-être volontairement. Comme tant de ses pairs, c'était un homme de loi, par conviction et de formation. Sa priorité dans la vie n'était pas d'encourager ses subordonnés mais de leur envoyer la loi à la figure, l'unique arme qu'il savait utiliser.

RAPPORT NUMÉRO DEUX
Extrait du rapport compilé par l'agent de terrain [nom effacé] du Bureau criminel fédéral à la demande de l'Office de protection :
Les ordres étaient d'identifier un champion de boxe turc catégorie poids lourd résidant légalement dans le pays sans avoir la citoyenneté, dont le père est mort et dont la mère répond à la description donnée par la source. Les recherches ont révélé qu'il pourrait s'agir de Melik Oktay, vingt ans, connu sous le surnom de Big Melik. Melik Oktay est le champion poids lourd en titre et, depuis cette année, le capitaine de l'Association sportive des Tigres turcs. Des photographies exposées dans le gymnase du Centre sportif musulman d'Altona montrent Big Melik avec un crêpe cousu sur son short. Melik Oktay est le fils des résidents turcs en situation régulière Gül et Leïla. Gül Oktay est décédé en 2007 et a été inhumé selon la coutume dans le cimetière musulman de Hambourg-Bergedorf. Melik et sa mère Leïla continuent d'occuper la résidence familiale en propriété libre au 26, Heidering à Hambourg.

ANNEXE
Résumé de la fiche personnelle de OKTAY MELIK, né à Hambourg en 1987 :
À l'âge de treize ans, le sujet est signalé comme

136

meneur d'une bande d'adolescents étrangers se faisant appeler les Gengis Kids. Impliqué dans de violents combats de rue contre des éléments xénophobes du même âge. Arrêté deux fois. Visé par une procédure d'expulsion. Le père offre une caution en gage du comportement futur de son fils. L'offre est déclinée. À l'âge de quatorze ans, lors d'un débat à l'école, le sujet prône l'éviction des troupes américaines de tous les pays musulmans, y compris la Turquie et l'Arabie saoudite.

À l'âge de quinze ans, le sujet se laisse pousser la barbe et adopte des vêtements islamiques.

À l'âge de seize ans, le sujet remporte les championnats de boxe et de natation islamiques des moins de dix-huit ans. Élu capitaine de son club de sport musulman. Le sujet se rase, se remet à porter des vêtements occidentaux. Devient batteur d'un groupe de rock musulman.

Pratique religieuse : Le sujet serait tombé sous l'influence de l'imam sunnite de la mosquée Abou-Bakr, dans la Viereckstrasse. Après l'expulsion de l'imam vers la Syrie et la fermeture de la mosquée en décembre 2006, pas d'autre implication connue dans des pratiques islamiques fondamentalistes.

« En veilleuse, expliqua Mohr lorsque Bachmann mit de côté le rapport et se prépara à attaquer le suivant.

– Pardon ? répliqua Bachmann, sincèrement mystifié.

– Comme les communistes, dans le temps. Ils se font endoctriner dans une réunion de cadres, ils se fanatisent, et puis ils la mettent en veilleuse et font semblant de ne plus être fanatiques. Ce sont des *agents dormants*, articula-t-il comme s'il venait d'inventer l'expression. Ce club de sport (on tient ça d'un informateur très fiable qui s'est infiltré comme membre et nous fournit des renseignements de première classe, sans jamais broder), ce club de sport où Oktay a tant d'admirateurs, c'est une *couverture*, selon mon informateur. Ils s'entraînent, ils font de la boxe, du catch, de la musculation, ils parlent de filles. Et s'ils ne se compromettent pas en tenant des propos fondamentalistes en public, c'est peut-être bien qu'ils savent qu'on est toujours à l'écoute. Mais dans l'intimité, quand ils sont en groupe de deux ou trois, qu'ils discutent en prenant un café ou bien chez les Oktay, ce sont des islamistes. Des activistes. Et de temps en temps (on tient ça du même excellent informateur), tel ou tel membre du groupe, un membre qui a été *choisi*, disparaît. Où va-t-il ? En Afghanistan ! Au Pakistan ! Dans les madrassas. Dans les camps d'entraînement ! Et quand il revient, il est entraîné. Entraîné, mais *dormant*. Lisez la suite, Frau Frey. Ne portez pas de jugement hâtif sans avoir lu la suite, je vous prie. Nous devons rester objectifs. Nous ne devons pas avoir de préjugés.

– Je croyais qu'on s'était mis d'accord sur le fait que c'était mon affaire, Arni, fit remarquer Bachmann.

– Mais ça l'est, Günther ! On est bien d'accord ! C'est votre affaire ! C'est pour ça que vous êtes là, mon ami ! Mais bon, *votre affaire*, ça ne veut pas dire qu'on doit se mettre des œillères et se boucher les oreilles. On ne se mêle pas de votre affaire, mais on observe et on écoute, d'accord ? On avance en parallèle. On n'empiète pas sur votre territoire ni vous sur le nôtre, et on met en commun ce qu'on trouve. Ce Melik Oktay va bientôt partir en Turquie pour un *mariage*... en théorie. Avec sa mère, bien sûr. Et, naturellement, on a vérifié. Il y a bien un mariage, celui de sa sœur. Aucun doute. Mais *après* le mariage, ou *avant*, où va-t-il disparaître ? Il ne va peut-être s'absenter que pour quelques jours, mais il va s'absenter. Et la mère, qu'est-ce qu'elle fait pendant ce temps-là ? Elle déniche d'autres jeunes qu'elle peut mettre en contact, par exemple. Bon, d'accord, tout ça c'est des conjectures.

Des hypothèses. Mais on est payés pour émettre des hypothèses, alors ç'est ce qu'on fait. Des hypothèses objectives. Sans préjugés. »

RAPPORT NUMÉRO TROIS

Opération FELIX. Rapport de l'équipe de l'Office de protection de la constitution chargée de la surveillance des rues de Hambourg

Bachmann avait dépassé sa colère pour atteindre un état de calme opérationnel. Que cela lui plaise ou non, il y avait là des informations. Obtenues au mépris de leur accord et révélées trop tard pour qu'il puisse y faire quoi que ce soit, certes, mais en son temps lui aussi avait joué ce tour à d'autres. Il y avait du solide dans ces rapports, et il le voulait.

Calcul rétrospectif de la date possible du premier repérage : il y a dix-sept jours. Un homme répondant au signalement de FELIX a été vu rôdant aux alentours de la plus grande mosquée de Hambourg. Les images de la surveillance vidéo ne sont pas claires. Le sujet observe les fidèles qui entrent et sortent de la mosquée. Le sujet choisit un couple d'âge mûr qui se dirige vers sa voiture et les suit à une distance de dix mètres. Quand ils lui demandent en farsi ce qu'il désire, le sujet se retourne et prend la fuite. Depuis, le couple a identifié FELIX sur la photo de son avis de recherche.

Note de l'agent : Pas la bonne mosquée ? Celle-ci est chiite. FELIX est-il sunnite ?

Note de l'officier supérieur : Selon certaines sources, un individu ressemblant à celui-ci a été vu plus tard dans la journée traînant devant deux autres mosquées, toutes les deux sunnites. Ces sources n'ont pas formellement identifié FELIX.

« Mais qu'est-ce qu'il peut bien chercher, à la fin ? »
marmonna Bachmann à l'attention d'Erna Frey, qui
avait deux bonnes pages d'avance sur lui et ne lui
répondit pas.

RAPPORT NUMÉRO TROIS (SUITE) :

Melik Oktay est intérimaire dans le commerce de
légumes en gros de son cousin. Il travaille aussi à
temps partiel dans la fabrique de bougies de son
oncle. Des enquêtes discrètes menées sous couverture révèlent qu'il a souvent été absent ces deux dernières semaines, pour les raisons suivantes :
Il est malade, il a un rhume.
Il doit s'entraîner pour son prochain match de boxe.
Il a un invité inattendu auquel il doit faire les honneurs de sa maison.
Sa mère est en dépression.
Leïla Oktay aurait fait preuve de nervosité au cours
de la même période, selon ses voisins, et leur aurait
dit qu'Allah lui avait fait un cadeau précieux sans
vouloir leur révéler quoi. Elle dépense beaucoup
d'argent en courses, mais ne laisse personne entrer
chez elle sous prétexte qu'elle soigne un parent
malade. Quoique politiquement non engagée, elle
est dite « mystérieuse », « secrète », et, selon un voisin, « radicale, manipulatrice et pleine de ressenti-
ments secrets contre le monde occidental ».

« Et maintenant regardez donc ce qui s'est passé vendredi », enjoignit Mohr.

Bachmann n'arrivait toujours pas à s'en remettre.
Sans même lui demander la permission, Mohr avait
mis la maison des Oktay sous surveillance totale. Mohr
avait prié le service des relations publiques de la police
de Hambourg de leur rendre une « visite de courtoisie » dans l'espoir aléatoire d'apercevoir le mystérieux
invité. Mohr faisait outrage à toutes les procédures éta-

blies du renseignement, mais Mohr avait aussi récolté un joli butin grâce à ses déprédations.

OPÉRATION FELIX
RAPPORT NUMÉRO QUATRE concernant la soirée du vendredi 18 avril :
À environ 20 h 40, Melik Oktay quitte son domicile du 26, Heidering. À 21 h 10, le sujet revient, suivi à une distance de quinze mètres par une femme blonde, petite, âgée d'environ vingt-cinq ans, qui porte un gros sac à dos dont le contenu nous est inconnu *(Ben évidemment qu'il vous est inconnu, pensa Bachmann)*. Elle est accompagnée d'un homme brun, robuste, d'environ cinquante-cinq à soixante-cinq ans, qui pourrait être un Allemand de souche, ou bien un Turc ou un Arabe à la peau claire. Pendant que Melik ouvre la porte de sa maison, la blonde se met un foulard à la façon musulmane. Elle traverse la rue avec l'homme plus âgé, puis Leïla, la mère de Melik, élégamment vêtue, les fait entrer tous les deux.

« Vous avez des photos ? lança Bachmann.

– L'équipe ne s'y attendait *pas*, Günther ! C'était imprévisible ! Le coup de pot *total* ! Les deux femmes en étaient à leur deuxième tour de garde, fatiguées, à pied, 21 heures, il faisait noir. Personne ne leur avait dit que ce serait le grand soir pour elles.

– Bref, pas de photos. »

Bachmann poursuivit sa lecture :

À 00 h 05, l'homme robuste sort seul du 26, descend la rue, et disparaît.

« Quelqu'un l'a logé ? s'informa Bachmann en jetant un coup d'œil sur la page suivante.

– Ce type était un agent entraîné, Günther, un vrai pro ! expliqua Mohr avec animation. Il a pris les petites rues, il est revenu sur ses pas… Comment suit-on un homme comme ça dans des rues désertes, à 1 heure du matin ? On avait six voitures en maraude, mais on aurait aussi bien pu en avoir vingt. Il nous a tous semés ! s'exalta Mohr. Et puis on ne voulait pas l'alerter, vous comprenez. Quand un homme est entraîné et attentif à une éventuelle filature, il faut agir avec circonspection. Avec doigté. »

RAPPORT NUMÉRO QUATRE (SUITE)
02 h 30. Éclats de voix à l'intérieur du 26. Celle de Leïla Oktay domine. Nos agents n'ont pas pu distinguer de mots précis. Les langues utilisées étaient le turc, l'allemand et une autre langue, sans doute slave. Une voix de femme inconnue intervient de façon récurrente, peut-être pour traduire.

« Ils ont vraiment *entendu* ça ? s'étonna Bachmann sans interrompre sa lecture.
– Une nouvelle équipe en camionnette, c'est moi qui les ai fait intervenir, se rengorgea Mohr. On n'a pas eu le temps de mettre des micros directionnels, mais ils ont tout entendu. »

À 4 heures du matin, la jeune inconnue décrite ci-dessus sort de la maison, toujours avec foulard et sac à dos. Elle est accompagnée d'un homme inconnu de nos agents. Description : près de deux mètres, bonnet, long pardessus sombre, environ vingt ans, longue foulée, comportement agité, sac de couleur claire en bandoulière. Melik Oktay referme la porte d'entrée derrière eux. Le couple marche très vite et disparaît dans les petites rues.

« Donc vous les avez perdus, commenta Bachmann.

– Provisoirement, Günther ! Une heure peut-être. Mais on n'a pas été longs à reconstituer les faits. Ils ont marché vite pendant quelque temps, ils ont pris un peu le métro, puis un taxi, puis re-marche à pied. Méthodes classiques de contre-surveillance. Comme le grand type avant eux.

– Et les téléphones, ça donne quoi ?

– Page suivante, Günther. Tout est consigné. Les portables à gauche, les fixes à droite. Melik Oktay à Annabel Richter. Annabel Richter à Melik Oktay. Neuf appels en tout. Annabel Richter à Thomas Brue. Thomas Brue à Annabel Richter. Trois appels en une journée. Le vendredi. À ce stade, on n'a que le relevé des appels, pas la transcription des conversations. On va peut-être pouvoir récupérer certains enregistrements. Demain, si le Dr Keller le permet, on sollicitera les services de surveillance des communications. Tout doit avancer dans la légalité, cela va sans dire. Mais qu'y avait-il dans ces sacs, dites-moi ? Qu'y avait-il dans ces sacs, Frau Frey ? Qu'est-ce que ces deux individus suspects ont récupéré dans la planque des Oktay, où l'emportaient-ils en pleine nuit, et dans quel but ?

– Qui est cette Richter ? demanda Bachmann en levant les yeux de ses papiers.

– Une avocate qui parle russe, Günther. Excellente famille. Elle travaille pour Sanctuaire Nord, une fondation hambourgeoise. Certains membres sont un peu gauchisants, mais bon. Ce sont des bénévoles. Ils aident les demandeurs d'asile et les immigrants clandestins, ils leur obtiennent un permis de séjour, ils les assistent pour les formalités. *Et cetera.* »

C'est le « *et cetera* » qui exprimait tout son dédain.

« Et Brue ?

– Un banquier anglais en activité à Hambourg.

– Quel genre de banque ?

– Privée. Pour le gratin. Des armateurs. Gros tonnage.

– Quelqu'un a une idée de ce qu'il faisait là ?

– Mystère complet, Günther. Peut-être qu'on va bientôt l'interroger à ce sujet. Avec l'approbation du Dr Keller, bien entendu. Cette banque a eu quelques problèmes à Vienne. C'est un type pas très clair, apparemment. Vous êtes prêt ?

– Prêt pour quoi ? »

Levant un index impérieux pour obtenir le silence, Mohr plongea la main dans une serviette dont il extirpa une enveloppe kraft. De l'enveloppe, il sortit deux pages dactylographiées. Bachmann coula un regard vers Keller, qui ne cilla pas. Ayant refermé son dossier, Erna Frey s'était enfoncée dans son siège, tendue, furieuse, regardant le sol d'un œil noir.

« *Bons Baisers de Russie*, annonça Mohr dans son anglais rouillé en disposant les pages devant lui. C'est arrivé tout droit de notre service de traduction ce matin. Vous me permettez, Frau Frey ?

– Je vous permets, Herr Mohr. »

Il commença à lire.

« "En 2003, des organes de la Sécurité d'État russe ont diligenté une enquête sur des attaques armées non provoquées menées par des bandits activistes contre des officiers de police de la région de Naltchik, capitale de la république russe de Kabardino-Balkarie, entonna Mohr d'une voix lourde de sous-entendus, levant les yeux pour s'assurer qu'il avait toute leur attention. Le meneur de ce groupe criminel, entièrement constitué de moudjahidine venus de la Tchétchénie voisine, fut identifié : il s'agissait d'un certain Dombitov, recteur d'une mosquée locale connue pour propager *des opinions radicales extrémistes*. Dans le répertoire du portable de ce Dombitov se trouvaient le nom et le numéro de téléphone des membres criminels de cette bande, mais aussi… ceux du sujet FELIX, révéla-t-il avec une emphase appuyée. Pendant son interrogatoire, Dombitov a avoué que tous les noms dans son portable étaient ceux de militants salafistes engagés dans des actions violentes perpétrées à l'aide… d'engins explosifs de fabrication artisanale, de mauvaise qualité mais très efficaces" », conclut-il après une nouvelle pause.

– Ils ont été torturés, intervint Erna Frey d'un ton délibérément détaché en levant à peine la tête. Nous avons parlé à Amnesty. Nous ne dédaignons pas les sources en libre accès, Herr Mohr. Selon les témoins oculaires d'Amnesty, ils ont été battus et torturés aux électrodes. D'abord Dombitov, puis tous ceux qu'il avait donnés, c'est-à-dire tous ceux qui avaient fréquenté sa mosquée. Il n'y avait pas la moindre preuve contre eux.

– Vous avez déjà lu ça, Frau Frey ? s'étonna Mohr, de toute évidence contrarié.

– Oui, Herr Mohr.

– Vous m'avez court-circuité pour aller voir directement mes traducteurs, Frau Frey ?

– Notre analyste a téléchargé le rapport de la police russe hier soir, Herr Mohr.

– Vous parlez russe ?

– Oui. Herr Bachmann aussi.

– Alors vous connaissez le casier de ce FELIX, lança Mohr, qui s'était ressaisi.

– Lisez-le, je vous prie, s'interposa la voix irritable du Dr Keller. Lisez-le, maintenant que vous avez commencé. »

Quand Mohr reprit sa lecture, Bachmann tendit le pied pour le poser doucement sur celui d'Erna Frey. Mais elle se déroba et il sut qu'il était vain de vouloir la refréner.

« "Les opinions incendiaires et les activités terroristes de FELIX ont été confirmées par ses complices, qui l'ont qualifié de *mauvais berger*, lut Mohr avec opiniâtreté. En conséquence, le criminel FELIX a été placé en détention préventive pendant quatorze mois en attendant de répondre de deux chefs d'accusation pour avoir attaqué le commissariat local et d'un autre pour avoir incité ses coreligionnaires à commettre des actes de terrorisme. Il a passé des aveux complets."

– Sous la contrainte, dit Erna Frey en haussant le ton.

– Vous suggérez que tout ceci a été monté de *toutes pièces*, Frau Frey ? demanda Mohr. Vous ne savez donc pas que nous avons d'excellentes relations de travail avec la Russie dans les domaines de la criminalité et du terrorisme ? »

Comme il ne recevait aucune réponse, il poursuivit.

« "En 2005, muni de faux papiers au nom de Noguerov, le criminel FELIX a été arrêté par des agents de la Sécurité d'État pour le sabotage d'un gazoduc près de Bougoulma, dans la république russe du Tatarstan. Une action rapide des organes locaux a permis de repérer la présence d'un groupe de dissidents asociaux vivant dans des conditions sordides dans une grange isolée près du lieu de l'attentat."

– Le gazoduc était vieux et rouillé, comme un pipeline sur deux en Russie, expliqua Erna Frey avec une retenue surhumaine. Le directeur de la centrale locale, un bel ivrogne, a acheté la police pour qu'elle parle de sabotage. La police a réalisé un coup de filet dans le premier groupe venu de marginaux musulmans et les a forcés à dénoncer FELIX comme étant leur meneur. Selon Human Rights Watch, la police a caché une réserve d'explosifs sous le plancher de la grange, l'a découverte, puis a raflé le groupe et les a torturés l'un après l'autre en forçant les autres à regarder. Aucun n'a tenu plus de deux jours. Ils ont demandé à FELIX s'il pensait pouvoir battre ce record. Il a essayé, mais en vain. »

Bachmann priait pour qu'elle s'arrête là, mais sa colère indignée la poussa à continuer.

« La grange se trouvait plutôt loin du lieu de l'explosion, Herr Mohr, dans un champ à quarante kilomètres de là, et ces gosses n'avaient pas de bicyclette ni de quoi se payer le bus, encore moins une voiture. C'était le mois du ramadan. Quand la police est arrivée, ils se détendaient en jouant au hockey avec des crosses improvisées, Herr Mohr. »

* * *

Soudain, le Dr Otto Keller de Cologne prit la réunion en main.

« Donc, vous contestez ce rapport, Bachmann ?

– Oui et non.

– Pourquoi oui ?

– D'autres ne le contesteront pas de la même façon, s'ils le contestent.

– Quels autres ?

– Ceux qui sont prédisposés à y croire.

– Alors pour vous il n'y a pas de demi-mesure ? Vous refusez d'admettre que les accusations contre FELIX puissent être *en partie* fondées ? Par exemple, que c'est bien un moudjahid, comme ils le suggèrent ?

– Si on doit l'utiliser, tant mieux si c'est le cas.

– Parce qu'un moudjahid bon teint sera tout heureux de collaborer avec vous ? C'est ça que vous êtes en train de nous dire, Bachmann ? On n'a pas eu beaucoup de succès jusqu'à présent dans ce domaine.

– Ce que je veux dire, c'est qu'il ne sera peut-être pas nécessaire qu'il collabore avec nous, répliqua Bachmann, qui sentit sa gorge se serrer. Ce serait même une meilleure solution. On le laisse suivre son petit bonhomme de chemin, et on l'aide.

– Vous tirez des plans sur la comète, là.

– En l'état actuel de notre enquête, FELIX reste une énigme. Vous avez notre rapport sur l'Amiral, qui a été appelé pour l'aider à la gare. Vous avez le rapport sur le chauffeur de camion. L'évasion de FELIX a dû coûter une fortune, mais il dort à la belle étoile. C'est un Tchétchène, mais pas un vrai Tchétchène, sinon il rechercherait d'autres Tchétchènes. Il est musulman, mais incapable de faire la différence entre une mosquée sunnite et une mosquée chiite. En une seule soirée, il reçoit la visite d'un banquier anglais et d'une avocate spécialiste des droits de l'homme. Hambourg était son unique point de chute. Pourquoi ? Il a une mission ici. Laquelle ?

– Une mission, exactement ! intervint Mohr. La mission de prendre contact avec une terroriste et son fils pour créer à Hambourg une cellule dormante de moudjahidine au-dessus de tout soupçon ! C'est un terroriste en fuite ; il se cache chez un voyou turc qui est tombé sous l'influence d'un agitateur islamiste, qui s'est laissé pousser la barbe, puis qui l'a rasée et qui a fait semblant de se rallier à l'Occident ; après il file à l'anglaise en pleine nuit avec une avocate allemande en emportant Dieu sait quoi dans son sac, et vous voulez *l'utiliser à son insu* ? »

Son jugement du trône, Keller le prononça de la voix sèche et austère qui convenait à une peine capitale.

« Aucun officier de la sécurité un tant soit peu responsable ne peut ignorer une menace claire et pressante pour servir de vagues ambitions opérationnelles. Je suis d'avis qu'une opération de recherche qui se terminerait par des arrestations médiatisées servirait à décourager des sympathisants islamistes et à redonner confiance à ceux qui sont chargés de les traquer. Il y a des affaires qui exigent une conclusion concrète. Celle-ci en est une. Je vous suggère donc de mettre de côté tous les intérêts que vous vous imaginez avoir investis dans cette affaire, et de la confier à la police fédérale pour qu'elle applique la procédure dans le strict respect de la constitution.

– Vous envisagez une *arrestation* ?

– J'envisage tout ce que prévoit la loi pour de telles affaires. »

Tout ce qui vous mettra dans les petits papiers de votre ami d'extrême droite Burgdorf au Comité de pilotage, pensa Bachmann amèrement. Tout ce qui vous désignera comme le génie des services secrets qui se cache derrière une police fédérale laborieuse. Tout ce qui me laissera le bec dans l'eau, à votre grande satisfaction.

Une fois n'étant pas coutume, il réussit à garder ses réflexions pour lui.

* * *

Erna Frey et Bachmann traversèrent la cour côte à côte pour regagner leurs humbles écuries. En arrivant dans son bureau, Bachmann jeta sa veste sur l'accoudoir du canapé et téléphona à Michael Axelrod au Pilotage sur la ligne sécurisée.

« Dites-lui que tout est de ma faute », lâcha Erna Frey, la tête entre les mains.

Mais, à leur surprise commune, Axelrod eut l'air beaucoup moins contrarié qu'il n'aurait dû l'être.

« Vous avez déjeuné, tous les deux ? demanda-t-il avec sa nonchalance habituelle quand il eut écouté Bachmann jusqu'au bout. Non ? Alors attrapez-vous un sandwich et ne bougez pas. »

Ils attendirent que l'hélicoptère de Keller décolle, mais en vain, ce qui ne fit que les déprimer davantage. Ils n'avaient pas envie de sandwichs. Il était 16 heures quand le téléphone crypté sonna.

« Vous avez dix jours, leur annonça Axelrod. Si vous n'avez rien de solide d'ici dix jours, ils ont droit à leur arrestation. C'est comme ça que ça marche, ici. Dix jours, pas onze. Je vous souhaite bien de la chance. »

6

Je fais ça pour mon client Magomed, se dit-elle en s'efforçant de mettre de l'ordre dans ses pensées chaotiques.

Je le fais pour mon client Issa.

Je le fais pour que la vie soit plus forte que la loi.

Je le fais pour moi.

Je le fais parce que Brue le banquier m'a donné l'argent et que l'argent m'a donné l'idée. Sauf que c'est complètement faux ! L'idée germait en moi bien avant l'argent de Brue, qui a juste fait pencher la balance. À l'instant où j'ai rencontré Issa, où il m'a raconté son histoire, j'ai su qu'on atteignait les limites du système, que c'était là la vie impossible à sauver que je me devais de sauver, qu'il me fallait me comporter non en avocate mais en médecin, comme mon frère Hugo, et me demander quel était mon devoir envers cet homme blessé, quel genre d'avocate je serais si je l'abandonnais dans le caniveau juridique pour qu'il s'y vide de tout son sang comme Magomed ?

Tant que je raisonnerai ainsi, j'aurai du courage.

* * *

C'était le petit jour. De mornes traînées de nuages d'un noir bleuté salissaient le ciel rose au-dessus de la ville. Annabel précédait Issa d'un mètre pour lui montrer le chemin et Issa, vêtu de son long pardessus noir, la suivait de près, contrairement à la coutume musulmane. Dans l'imagination d'Annabel, ils étaient tous deux d'éternels réfugiés, lui avec sa sacoche, elle avec son sac à dos. Les jérémiades de leur scène finale chez Leïla lui résonnaient encore dans la tête.

Tandis qu'à côté d'elle Melik reste muet, Leïla n'arrive pas à comprendre *pourquoi* Issa part ! Ses cris en appellent au Ciel. Elle ne savait même pas qu'il *partait* ! Pourquoi personne ne l'a *prévenue* ? Et où diable Annabel l'emmène-t-elle à cette heure de la nuit ? Chez des amis ? *Quels* amis ? Si elle avait su, elle lui aurait préparé quelque chose à manger pour le voyage ! Issa est son fils, un don d'Allah, sa maison est la maison d'Issa, il peut y rester pour toujours !

Cinq cents dollars ? Leïla n'en prendra pas un centime ! Elle n'a pas agi pour l'argent, mais pour Allah et pour l'amour d'Issa. Et, au nom d'Allah, d'où lui vient cet argent, déjà ? De ce Russe fortuné qui est venu puis reparti ? De toute façon, personne n'accepte les billets de cinquante dollars maintenant ! C'est toujours des faux. Et si Issa voulait lui donner de l'argent, pourquoi l'a-t-il gardé pour lui pendant deux semaines au lieu de le sortir tout de suite, comme un homme ?

Après quoi Melik, lui aussi en larmes maintenant, doit demander pardon à Issa, lui promettre son amitié éternelle et, en témoignage de celle-ci, lui donner son précieux bipeur Azan, le dernier gadget musulman que lui a offert un oncle bien-aimé et dont la sonnerie électronique signale les heures de prière.

« Prends-le, mon cher frère. Il est à toi, garde-le toujours sur toi. Il ne peut pas se dérégler. Tu ne manqueras pas une prière. »

Et tandis qu'il en fait la démonstration, Issa n'étant pas versé dans les technologies modernes, Annabel relève Melik à la fenêtre pour surveiller la camionnette frigo-rifique garée à cinquante mètres et dont personne n'est encore sorti. Raison pour laquelle, dès qu'ils sont dehors, elle ne tourne ni à gauche ni à droite mais, en plein champ de vision de la camionnette, le fait traverser au petit bonheur, l'entraîne dans une ruelle et, comme par hasard, lui fait passer un étroit portail qui les mène vers une rue parallèle plus large, où il y a de la circula-tion et un arrêt d'autobus. Au début, Issa est paralysé par la peur et Annabel doit le tirer par la manche de son pardessus – attention, juste la manche, pas le bras, pas même à travers le tissu – pour le faire avancer.

« Vous savez où nous allons, Annabel ?

– Bien sûr. »

Mais nous y allons en prenant des précautions. Nous n'empruntons pas le chemin qui s'impose. La station de métro la plus proche se trouve à dix minutes de marche.

« Une fois dans le métro, on ne se parlera pas, Issa. Si quelqu'un vous adresse la parole, montrez votre bouche du doigt et secouez la tête. »

À le voir acquiescer, elle se dit : je ne vaux pas mieux qu'un des mafiosi d'Anatoly en train d'organi-ser sa fuite.

Le métro est bondé d'immigrés employés à faire le ménage dans les bureaux. Conduit par Annabel, Issa prend place parmi eux, le front courbé comme les autres, tandis qu'elle fixe le reflet de son protégé dans la vitre noire. Nous ne sommes pas un couple, juste deux célibataires qui se trouvent voyager dans le même wagon, et c'est ce que nous sommes aussi dans la vie, et on ferait bien de s'y tenir. À chaque arrêt il lève les yeux vers elle, mais elle l'ignore jusqu'au quatrième. Une file de taxis beiges attend sur le parvis de la station de métro. Annabel ouvre la portière arrière du premier, monte à bord et la laisse ouverte à l'attention d'Issa. Mais, horreur, il a disparu, croit-elle un instant jusqu'à ce qu'il réapparaisse sur le siège avant, à côté du chauffeur, sans doute pour éviter tout contact physique avec elle. Son bonnet est rabattu si bas sur le front qu'il occulte toute sa tête et les pensées mystérieuses qui l'habitent. À un carrefour situé à cinq cents mètres de sa rue, elle paie le chauffeur et ils terminent à pied. Il est encore temps, pense-t-elle à l'approche du pont, sentant de nouveau le courage lui manquer. Je n'ai qu'à lui faire traverser le pont et l'amener au commissariat, et j'aurai droit à la gratitude de la municipalité, assortie d'une vie rongée par la honte.

* * *

La mère d'Annabel était juge d'instance ; son père, aujourd'hui à la retraite, avait travaillé comme juriste et diplomate aux Affaires étrangères ; sa sœur Heidi avait épousé un procureur. Seul son frère aîné Hugo, qu'elle adorait, avait réussi à échapper au monde juridique pour devenir médecin généraliste, puis un psychiatre brillant quoique excentrique qui se proclamait le dernier vrai freudien sur terre.

Qu'Annabel, la rebelle de la famille, ait fini par succomber aux sirènes du droit restait pour elle-même un mystère. Était-ce pour faire plaisir à ses parents ? Certainement pas. Peut-être s'était-elle imaginé qu'en embrassant leur profession elle pourrait revendiquer sa différence dans une langue qu'ils comprendraient ; qu'elle arracherait la loi des mains des riches et puissants pour la remettre à ceux qui en avaient le plus besoin. Si tel était le cas, dix-neuf mois passés au Sanctuaire lui avaient appris à quel point elle se fourvoyait.

À force d'endurer de pitoyables parodies de procès, de se mordre les lèvres quand les histoires atroces de ses clients se faisaient passer au crible par de petits bureaucrates dont l'expérience du monde extérieur se limitait à deux semaines de vacances à Ibiza, elle avait bien dû sentir qu'un jour viendrait, qu'un client viendrait qui la ferait renoncer à tous les principes juridiques et professionnels qu'elle n'avait à l'origine adoptés qu'avec réticence.

Et elle avait raison. Le jour était venu, le client était venu : Issa.

Sauf qu'avant Issa, c'est Magomed qui était venu, et c'est Magomed, cet imbécile confiant, dupé, mais pas totalement honnête, qui lui avait appris : plus jamais ça.

Plus jamais la ruée vers l'aéroport, à l'aube mais déjà trop tard, où l'avion pour Saint-Pétersbourg attend sur la piste, la porte passager ouverte ; plus jamais la vision de son client ligoté qu'on escorte sans ménagement sur la passerelle ; plus jamais les mains – réelles ou imaginaires ? – les mains menottées lui adressant un au revoir impuissant derrière le hublot.

Alors qu'on ne vienne pas lui dire qu'elle avait pris sa décision sur un coup de tête dans le cas d'Issa. Elle avait pris sa décision ce jour-là, à l'aéroport de Hambourg, en regardant disparaître dans les nuages bas le tombereau de Magomed. Dès qu'elle avait posé son regard sur Issa, une semaine plus tôt chez Leïla, et qu'elle lui avait soutiré son histoire, elle avait su : c'est lui que j'attends depuis Magomed.

* * *

Pour commencer, se forçant à respecter les règles d'engagement du forum familial, elle avait calmement récapitulé pour elle-même les *données* de l'affaire :

À la minute où Issa a atterri en Suède, il est devenu impossible à sauver.

Il ne dispose d'aucune procédure légale qui lui offre autre chose qu'un espoir de salut très incertain.

Les braves gens démunis qui l'hébergent chez eux se mettent en danger. Il ne peut pas y rester beaucoup plus longtemps.

À partir de là, elle était allée droit aux détails pratiques : comment *dans l'absolu* et comment *concrètement*, la situation étant ce qu'elle était, Annabel Richter, diplômée en droit des universités de Tübingen et de Berlin, remplit-elle son devoir solennel envers son client ?

Quel est le meilleur moyen de cacher, loger et nourrir ledit client, considérant le précepte du forum familial selon lequel pouvoir peu n'est pas une excuse pour ne rien faire ?

Nous autres, gens de loi, ne sommes pas par essence des icebergs, Annabel, aimait à prêcher son père (un comble, venant de lui !). *Notre tâche consiste à reconnaître nos sentiments et à les contrôler.*

Oui, cher père. Mais t'est-il jamais venu à l'esprit qu'en les *contrôlant*, on les détruit ? Combien de fois peut-on dire « désolé » avant de ne plus se sentir désolé ?

Et pardonne-moi, mais qu'entends-tu au juste par *contrôler* ? Veux-tu dire trouver les bonnes raisons *légales* de mal agir ? Et si oui, n'est-ce pas là ce qu'ont fait nos brillants hommes de loi allemands pendant les douze années du Grand Vide Historique (également connu sous le nom d'ère nazie), dont on parle étonnamment peu dans les débats de notre forum familial ? Eh bien, à partir de maintenant, c'est moi qui contrôle mes sentiments.

Dans la vie (aimais-tu m'avertir quand je commettais une faute grave à ton endroit), on peut faire tout ce qu'on veut à condition d'être prêt à en payer le prix. Eh bien, mon cher père, j'y suis prête. J'en paierai le prix.

Et si cela implique de dire adieu à ma brillante mais brève carrière, je paierai ce prix-là aussi.

Et il se trouve que, avec l'aide de la bienveillante Providence (si on y croit), je me trouve temporairement en possession de deux appartements, l'un dont j'ai hâte de me débarrasser et l'autre, un vrai joyau donnant sur le port, que j'ai acheté il y a tout juste six semaines avec le reste du legs de ma chère grand-mère et qui est en pleins travaux de rénovation. Et, comme si cela ne suffisait pas, la Providence, ou la culpabilité, ou une poussée de compassion aussi soudaine qu'inattendue (Annabel n'avait pas le temps de se poser la question), lui faisait disposer d'argent. L'argent de Brue. En conséquence, il n'y avait pas simplement un plan à court terme, plan d'urgence d'une durée et d'une praticité strictement limitées, mais aussi, grâce à la largesse de Brue, un plan à plus long terme, qui lui donnerait le temps de chercher d'autres solutions et qui, prudemment mis en œuvre avec l'aide de son cher frère Hugo, permettrait à Issa de rester bien à l'abri de ses poursuivants mais aussi d'entamer sa convalescence.

« Vous me ferez signe, j'imagine », lui avait dit Brue, comme s'il avait besoin, de même qu'Issa, d'être sauvé par elle.

Sauvé de quoi ? Du néant affectif ? Brue était-il en train de se noyer lui aussi ? Est-ce qu'il suffisait qu'elle lui tende la main, à lui aussi ?

* * *

Ils étaient arrivés chez elle. En se retournant, elle vit Issa tapi dans l'ombre projetée par les branches d'un tilleul, cramponné à sa sacoche, qu'il cachait sous les replis de son manteau noir.

« Qu'y a-t-il ?

– Votre KGB, marmonna-t-il.

– Où ça ?

– Ils nous suivent depuis le taxi. D'abord dans une grosse voiture, après dans une petite voiture. Un homme, une femme.

– Ce sont juste deux voitures qui passaient là par hasard.

– Elles avaient la radio.

– En Allemagne, toutes les voitures ont la radio. Il y en a qui ont aussi le téléphone. Je vous en prie, Issa. Et ne parlez pas trop fort. Évitons de réveiller tout le quartier. »

Elle jeta un coup d'œil à droite puis à gauche et, ne voyant rien qui sorte de l'ordinaire, descendit les marches menant à la porte d'entrée, l'ouvrit et fit signe à Issa d'avancer, mais il fit un pas effarouché de côté et insista pour entrer après elle, loin derrière.

Elle avait quitté l'appartement à la hâte. Son grand lit n'était pas fait, l'oreiller portait encore l'empreinte de sa tête et son pyjama était jeté en travers. Le côté gauche de l'armoire était réservé à ses vêtements, le côté droit à ceux de Karsten. Elle l'avait mis à la porte trois mois auparavant, mais il n'avait jamais eu le cran de venir les chercher. Ou peut-être pensait-il qu'en les laissant là, il s'arrogeait un droit de retour. Eh bien, qu'il aille se faire foutre ! Une veste en daim de grande marque, un jean griffé, trois chemises, une paire de mocassins en cuir souple. Elle les jeta sur le lit.

« C'est à votre mari, Annabel ? demanda Issa depuis le seuil de la porte.

– Non.

– À qui, s'il vous plaît ?

– À un homme avec qui j'ai eu une liaison.

– Il est mort, Annabel ?

– Nous avons rompu. »

Elle regrettait maintenant d'avoir dit à Issa de l'appeler par son prénom, mais c'est ce qu'elle disait toujours à ses clients, gardant son nom de famille pour elle.

« Pourquoi avez-vous rompu, Annabel ?

– Parce qu'on n'était pas faits l'un pour l'autre.

– Pourquoi n'étiez-vous pas faits l'un pour l'autre ? Vous ne vous aimiez pas ? Peut-être que vous avez été trop sévère avec lui, Annabel. C'est possible. Vous êtes capable de beaucoup de sévérité. Je l'ai remarqué. »

Dans un premier temps, elle ne sut pas si elle devait éclater de rire ou le rembarrer. Mais quand elle le regarda pour se faire une opinion et ne vit dans ses yeux que perplexité et peur, elle se rappela que, dans le monde dont il s'était échappé, l'intimité n'existait pas. Au même instant, une autre pensée l'envahit, à la fois honteuse et dérangeante : elle était la première femme avec qui il se trouvait seul après des années d'emprisonnement, et ils étaient dans sa chambre à coucher aux petites heures du matin.

« Vous voulez bien attraper ce sac là-haut pour moi, s'il vous plaît, Issa ? »

Elle fit un grand pas en arrière pour le laisser passer, tout en se demandant si elle n'aurait pas dû mettre son portable dans la poche de sa veste, encore que Dieu seul savait qui elle appellerait si les choses viraient mal. Le fourre-tout de Karsten prenait la poussière sur le dessus de l'armoire. Issa l'attrapa et le posa sur le lit à côté des vêtements. Annabel le remplit, puis alla chercher son sac de couchage qui était roulé au fond du placard séchoir.

« C'était un avocat comme vous, Annabel ? Cet homme avec qui vous avez eu une liaison ?

– Peu importe ce qu'il était. Ça ne vous regarde pas, et c'est terminé. »

Maintenant, c'était elle qui aurait bien voulu mettre plus de distance entre eux. Dans la cuisine, il lui parut trop grand, trop présent, même s'il essayait de se faire tout petit. Elle posa un sac-poubelle sur la table et, d'un geste brusque, mit quelques denrées sous le nez d'Issa pour qu'il donne son assentiment. Pain complet, Issa ? Oui, Annabel. Thé vert ? Fromage ? Yaourts non pasteurisés achetés à la boutique bio branchée qui se trouvait à dix minutes de vélo mais dont elle était résolument cliente alors qu'elle boycottait le supermarché du coin ? Oui, Annabel, oui à tout.

« Je n'ai pas de viande à vous donner, d'accord ? Je suis végétarienne. »

Ce qu'elle voulait dire, en fait, c'était : il n'y a pas anguille sous roche. Il ne se passe rien, sinon que je prends des risques pour vous. Je suis votre avocate et c'est tout, et je fais ça pour le principe, pas pour l'homme.

Ils traînèrent leurs bagages jusqu'au carrefour. Un taxi apparut, auquel elle indiqua une destination sur les hauteurs du port. Puis, pour la seconde fois, elle lui fit terminer le trajet à pied.

* * *

Son nouvel appartement se trouvait au huitième étage d'un escalier en bois délabré, sous les combles d'un ancien entrepôt des docks qui, selon son propriétaire, était le seul bâtiment que les bombes anglaises aient eu l'élégance de laisser à la postérité quand elles avaient rayé de la carte ce qui restait encore de Hambourg. C'était une mansarde proportionnée comme un bateau, de quatorze mètres par six, avec des poutrelles métalliques, une grande fenêtre cintrée donnant sur le port, une salle de bains coincée dans une soupente et une cuisine dans l'autre. Elle l'avait découverte le jour de la visite libre avec la moitié de la jeunesse dorée de Hambourg qui se bousculait pour l'acheter, et le propriétaire s'était entiché d'elle (sauf que, contrairement à son précédent propriétaire, lui était homosexuel et ne cherchait pas à la mettre dans son lit).

Le soir même, miracle, l'appartement était à elle et une vie sans Karsten s'annonçait. Depuis six semaines, elle dorlotait son nouveau chez-elle, fignolait l'installation électrique, la maçonnerie et la peinture, remplaçait des planches pourries et, le soir, après une audience affligeante ou une énième bataille perdue contre les autorités, roulait à toute vitesse sur son vélo rien que pour aller s'installer devant la fenêtre cintrée, les coudes sur le rebord, et regarder le coucher de soleil, les grues, cargos et ferries qui se croisaient et se côtoyaient comme devraient le faire les humains, respectueusement et sans heurts, les mouettes qui tourbillonnaient et se chamaillaient, et les gamins qui s'en donnaient à cœur joie sur le terrain de jeux.

Alors, dans ce qu'elle savait être une poussée d'optimisme béat, elle se félicitait d'être la femme qu'elle était en train de devenir, mariée à son travail et à sa famille du Sanctuaire : Lisa, Maria, André, Max, Horst et leur patronne, la vaillante Ursula, des hommes et femmes qui, comme elle, se consacraient à un noble combat pour ceux que les accidents de la vie destinaient au rebut.

Autrement dit : une femme qui rentrait chez elle aussi vide et ravagée que l'appartement qui l'attendait, sachant que, après son dur labeur de la journée, elle n'aurait d'autre compagnie que la sienne pour la soirée. Mais rien, c'était mieux que Karsten.

* * *

Annabel en tête, ils gravirent lentement l'escalier. À chaque palier, elle posait son sac-poubelle rempli de provisions et s'assurait qu'Issa la suivait, encombré du fourre-tout et du sac de couchage. Elle l'aurait volontiers délesté un peu, mais, chaque fois qu'elle essayait, il l'en dissuadait d'un geste coléreux. Au bout de deux étages, il avait l'air d'un vieil enfant tout maigre, et, au bout de trois, ses ahanements résonnaient dans toute la cage d'escalier.

Ils faisaient un tel vacarme qu'elle s'en inquiéta, avant de se rappeler que le samedi l'immeuble était vide. Tous les autres étages avaient été affectés aux bureaux luxueux de grands couturiers, de designers de mobilier et de traiteurs haut de gamme – des mondes qu'elle avait résolument quittés, songea-t-elle.

Issa s'était immobilisé à mi-course de la dernière volée, le regard braqué derrière elle, le visage pétrifié par la peur et l'incompréhension. La porte du loft, en fer ancien martelé, s'ornait de gros boulons et d'un cadenas géant qui aurait rendu la Bastille imprenable. Annabel se hâta vers lui et cette fois, sans le faire exprès, lui saisit le bras, ce qui provoqua chez lui un mouvement de recul.

« Ce n'est pas pour vous enfermer, Issa. C'est pour vous permettre de rester libre.

– Pour échapper à votre KGB ?

– Pour échapper à tout le monde. Faites simplement ce que je vous dis de faire. »

Il secoua lentement la tête, puis la baissa dans un geste de soumission insoutenable et, marche après marche, si laborieusement qu'on eût dit ses deux pieds entravés, monta derrière Annabel jusqu'au palier. Puis il s'arrêta de nouveau, la tête toujours baissée et les pieds joints, en attendant qu'elle ouvre la porte. Mais l'instinct d'Annabel lui souffla de ne rien en faire.

« Issa ? »

Pas de réponse. Amenant sa main droite dans le champ de vision d'Issa, elle posa la clé sur sa paume ouverte et la lui tendit, du même geste que pour offrir des carottes à son cheval quand elle était petite.

« Tenez. C'est vous qui allez ouvrir. Je ne suis pas votre geôlière. Prenez la clé, et ouvrez la porte pour nous. S'il vous plaît. »

Pendant ce qui sembla une éternité à Annabel, il resta les yeux baissés à regarder la clé rouillée posée sur sa main ouverte. Soudain, que l'idée de prendre cette clé lui soit insupportable ou qu'il redoute le contact avec sa chair nue, il détourna la tête, puis tout le haut de son corps, en signe de rejet. Or Annabel n'allait pas se laisser rejeter ainsi.

« Vous voulez que ce soit *moi* qui ouvre ? demanda-t-elle. J'ai besoin de savoir, Issa, s'il vous plaît. Vous êtes en train de me dire que je peux ouvrir cette porte ? Vous m'en donnez la permission ? Répondez-moi, Issa, je vous en prie. Vous êtes mon client. J'ai besoin de vos instructions. Issa, on va rester là à se geler et à s'épuiser jusqu'à ce que vous m'instruisiez d'ouvrir cette porte. Vous m'entendez, Issa ? Où est votre bracelet ? »

Il était dans sa main.

« Remettez-le à votre poignet. Vous n'êtes pas en danger, ici. »

Il s'exécuta.

« Maintenant, dites-moi d'ouvrir la porte.

– Ouvrez.

– Plus fort. Ouvrez la porte, s'il vous plaît, Annabel.

– Ouvrez la porte, s'il vous plaît.

– Annabel.

– Annabel.

– Maintenant, vous allez me regarder ouvrir la porte à votre demande, je vous prie. Voilà. C'est fait. J'entre en premier et vous me suivez. Ça n'a rien à voir avec la prison. Non, laissez la porte ouverte derrière vous, s'il vous plaît. On la refermera seulement quand on en éprouvera le besoin. »

***

Cela faisait trois jours qu'elle n'était pas venue. Un coup d'œil rapide lui permit de constater que les ouvriers avaient mieux avancé qu'elle ne le craignait. Les plâtres étaient presque finis, le carrelage qu'elle avait commandé reposait par terre en piles, la vieille baignoire que sa mère avait trouvée à Stuttgart était installée, ainsi que la robinetterie en cuivre qu'Annabel avait chinée aux puces. L'eau avait dû être rétablie, sinon les ouvriers n'auraient pas laissé leurs tasses à café dans l'évier. Au milieu de la pièce, le téléphone qu'elle avait commandé, encore sous blister, attendait d'être branché.

Issa avait découvert la fenêtre cintrée. Immobile, tournant le dos à Annabel, il contemplait le ciel qui s'éclairait et il paraissait de nouveau grand.

« Ce n'est que pour un jour ou deux, le temps que j'organise autre chose, lui annonça-t-elle d'un ton léger depuis l'autre bout de la pièce. C'est ici qu'on va vous garder à l'abri pour votre propre sécurité. Je vous apporterai des livres et de la nourriture et je viendrai vous voir tous les jours.

– Je ne peux pas voler ? demanda-t-il, le regard toujours fixé sur le ciel.

– Hélas, non. Vous ne pouvez pas sortir non plus. Pas tant qu'on ne sera pas prêts à vous emmener ailleurs.

– Vous et M. Tommy ?

– Oui. Moi et M. Tommy.

– Il viendra me voir, lui aussi ?

– Il consulte ses dossiers. C'est son rôle. Moi, je ne suis pas banquier, et vous non plus. Tout ne peut pas se résoudre d'un coup. Chaque chose en son temps.

– M. Tommy est quelqu'un d'important. Quand je serai fait médecin, je l'inviterai à la cérémonie. Il a bon

164

cœur et il parle russe comme un Romanov. Où a-t-il appris ?

– À Paris, je crois.

– C'est là que vous avez appris le russe vous aussi, Annabel ? »

Au moins, cette fois, sa question ne portait pas sur Karsten. Issa ne transpirait plus. Sa voix était de nouveau posée.

« J'ai appris le russe à Moscou, dit-elle.

– Vous avez été à l'école à Moscou, Annabel ? C'est extrêmement intéressant, ça ! Moi aussi, j'ai été à l'école à Moscou. Pas longtemps, il est vrai. À quelle école, s'il vous plaît ? Quel numéro ? Peut-être que je la connais, cette école. Est-ce qu'ils acceptaient les élèves tchétchènes ? demanda-t-il, visiblement exalté à l'idée de faire un lien entre leurs mondes respectifs et s'imaginant peut-être qu'ils avaient été camarades de classe.

– Elle ne portait pas de numéro.

– Comment ça se fait, Annabel ?

– Ce n'était pas ce genre d'école.

– C'est quel genre d'école, une école qui ne porte pas de numéro ? Une école du KGB ?

– Non, absolument pas ! C'était une école privée. »

Prise d'une subite lassitude, elle s'entendit lui en raconter davantage.

« C'était une école privée réservée aux enfants de dignitaires étrangers vivant à Moscou. Alors j'y suis allée.

– Votre père était un dignitaire étranger vivant à Moscou ? Quel genre de dignitaire, Annabel ? »

Elle fit machine arrière.

« Comme je logeais avec la famille d'un dignitaire étranger, j'avais le droit d'aller à cette école privée et c'est là que j'ai appris le russe. »

Et là, j'en ai dit plus que je ne voulais parce que personne, pas même vous, ne me fera dire ce que personne ne sait, y compris au Sanctuaire, à savoir que mon père était attaché juridique de l'ambassade d'Allemagne à Moscou.

On entendit la sonnerie d'un bipeur qui n'était pas le sien. Craignant qu'ils n'aient déclenché une alarme ingénieuse branchée par les ouvriers, elle scruta la pièce, mais en fait c'était celui d'Issa, le cadeau de Melik, qui l'appelait à la première prière de la journée.

Il resta pourtant près de la fenêtre. Pourquoi ? Cherchait-il à repérer les agents du KGB qui le suivaient ? Non. Il cherchait à repérer la direction de La Mecque en se guidant sur la lumière de l'aube avant de pouvoir aplatir son corps décharné à même le plancher nu.

« Veuillez quitter la pièce, Annabel. »

* * *

Elle se réfugia dans la cuisine, où elle fit de la place pour vider son sac-poubelle. S'asseyant sur un tabouret, un coude posé sur l'établi des ouvriers et la joue appuyée sur son poing fermé, elle sombra dans une torpeur qui la transporta, comme souvent quand elle était fatiguée, devant la collection de petits tableaux de maîtres flamands accrochés par son père dans le salon de la maison familiale près de Fribourg.

« Ton grand-père les a achetés dans une vente aux enchères à Munich, ma chérie, lui avait répondu sa mère lorsque Annabel, adolescente rebelle de quatorze ans, s'était mis en tête de découvrir la provenance des tableaux. Tout comme ton père aime collectionner ses icônes.

– Pour quelle somme ?

– En argent d'aujourd'hui, ils valent certainement très cher, mais, à l'époque, pour une bouchée de pain.

– Il les a achetés aux enchères *quand* ? avait-elle insisté. Il les a achetés *à qui* ? À qui appartenaient ces

166

tableaux avant que grand-père les achète pour une bou-chée de pain dans une vente aux enchères à Munich ?

– Pourquoi tu ne demandes pas à ton père, ma ché-rie ? avait suggéré sa mère, d'un ton bien trop mielleux pour l'oreille soupçonneuse d'Annabel. C'était son père à lui, pas le mien. »

Mais quand Annabel avait posé la question à son père, il s'était métamorphosé en un inconnu.

« Cette époque est révolue, avait-il rétorqué d'un ton officiel qu'il n'avait jamais auparavant utilisé avec elle. Ton grand-père avait du nez pour l'art, il payait le prix du marché. Si ça se trouve, ce sont des faux. En tout cas, ne t'avise plus jamais de poser cette question. »

Et c'est ce que j'ai fait, se rappela-t-elle. Plus jamais elle ne s'était avisée de poser cette question dans aucun de leurs forums familiaux, que ce soit par amour, par peur, ou, pire que tout, par soumission à cette disci-pline familiale contre laquelle elle s'insurgeait. Et ses parents qui se considéraient comme des gauchistes ! C'étaient des rebelles, du moins dans leur jeunesse : des soixante-huitards qui avaient fait les barricades pendant des manifestations étudiantes et brandi des calicots réclamant le départ d'Europe des Américains ! Vous, les jeunes d'aujourd'hui, vous ne savez pas ce qu'est un vrai mouvement de protestation ! aimaient-ils à lui dire en riant quand elle dépassait les bornes.

À la lumière de la lucarne, elle prit un carnet dans son sac à dos et commença une liste de choses à faire. Ses listes, tout autant que son intransigeance, étaient sources de plaisanteries dans la famille. Un instant, elle était cet escargot bordélique qui portait toute sa vie chaotique dans son sac à dos, pour devenir l'instant d'après cette maniaque de l'organisation typiquement allemande qui se faisait des listes pour ne pas oublier les listes qu'elle allait faire.

Savon
Serviettes de toilette
Provisions
Sucré et salé
Lait frais
PQ
Trouver journaux médicaux russes. Où ?
Lecteur de cassettes. Que du classique, pas de daube.

Et non, je n'achèterai pas une de ces saletés d'iPod, je refuse de devenir esclave de la société de consommation.

Ne sachant pas si Issa priait encore, elle retourna dans la grande pièce sans faire de bruit. Personne. Elle courut à la fenêtre, qui était bien fermée, pas de verre brisé. Elle fit volte-face et, avec la lumière dans le dos cette fois, scruta de nouveau la pièce.

Issa se tenait à deux mètres au-dessus d'elle, en haut de l'échelle des ouvriers. Telle une statue de l'ère soviétique, il brandissait d'une main des ciseaux géants et, de l'autre, un avion qu'il avait dû découper dans le rouleau de papier d'apprêt qui se trouvait au pied de l'échelle.

« Un jour, je serai un grand ingénieur aéronautique comme Tupolev, annonça-t-il sans baisser les yeux vers elle.

– Vous ne voulez plus être médecin ? l'interpella Annabel en entrant dans son jeu comme avec un candidat au suicide.

– Médecin aussi. Et peut-être avocat, si j'ai le temps. Je souhaite acquérir les Cinq Excellences. Vous connaissez les Cinq Excellences ? Si vous ne les connaissez pas, c'est que vous n'êtes pas cultivée. J'ai déjà de bonnes bases en musique, en littérature et en physique. Peut-être que vous vous convertirez à l'islam, que je vous épouserai et que je veillerai à votre éducation. Ce sera une bonne solution pour nous deux. Mais vous ne devez pas être sévère. Regardez, Annabel. »

Penchant en avant son corps longiligne jusqu'à défier la loi de la pesanteur, il fit doucement planer son avion en papier.

* * *

C'est juste un client, se répéta-t-elle, furieuse, en tirant la porte derrière elle avant de refermer le vieux cadenas d'un coup sec.

Un client qui a besoin d'une attention particulière, certes. D'une attention pas très orthodoxe, d'une attention hors la loi. Mais un client tout de même. Et bientôt il aura aussi les soins médicaux dont il a besoin.

C'est une affaire, une affaire juridique avec un dossier. Bon, c'est aussi un patient. C'est un enfant blessé et traumatisé qui n'a pas eu d'enfance, et je suis son avocate et sa nounou et son seul lien avec le monde.

C'est un enfant, mais il en sait plus que je n'en saurai jamais sur la douleur, la captivité et les pires aléas de la vie. Il est arrogant, sans défense et, la plupart du temps, ce qu'il dit n'a rien à voir avec ce qu'il pense.

Il essaie de me faire plaisir et ne sait pas s'y prendre. Il prononce les mots qu'il faut, mais il n'est pas l'homme qui devrait les dire :

Épousez-moi, Annabel. Regardez mon avion en papier, Annabel. Convertissez-vous à l'islam, Annabel. Ne soyez pas sévère, Annabel. Je veux être avocat, médecin et ingénieur aéronautique et d'autres choses encore qui me passeront par la tête avant que je sois réexpédié en Suède pour transfert ultérieur au goulag, Annabel. Veuillez quitter la pièce, Annabel.

Sur le port, le petit matin avait succédé à l'aube. Annabel remonta un passage piétonnier qui longeait l'enceinte du port. Au cours de ces dernières semaines d'attente que son nouvel appartement se concrétise, elle s'était souvent promenée ici, repérant les boutiques qu'elle fréquenterait et les restaurants de poisson où elle retrouverait ses amis, s'imaginant les itinéraires qu'elle suivrait pour se rendre à son travail : un jour, elle ferait tout le chemin à vélo ; le lendemain, elle mettrait son vélo sur le ferry pour se rendre trois stations plus loin, sauter à terre et reprendre son vélo. Mais dans l'immédiat, elle ne pouvait penser à autre chose qu'aux derniers mots d'Issa quand elle l'avait préparé à l'idée d'être de nouveau enfermé :

« Si je dors, je retournerai en prison, Annabel. »

* * *

Une fois revenue dans son ancien appartement, Annabel agit avec la précision minutieuse qui lui valait les plaisanteries incessantes du forum familial. Elle avait eu peur et refusé de l'admettre. Maintenant, elle pouvait fêter sa victoire sur la peur.

Elle commença par s'offrir la douche qu'elle s'était promise, et, tant qu'elle y était, se lava les cheveux. À son épuisement presque total d'une heure auparavant avait succédé une soif d'action.

Une fois douchée, elle s'habilla pour sa sortie : cuissard en Lycra, baskets, chemisier léger pour une journée de chaleur, gilet à doublure sherpa et, sur la table en bambou à côté de la porte, casque et gants de cuir. Son besoin d'exercice physique était insatiable. Elle était convaincue que, sans cela, elle deviendrait un tas de graisse en une semaine.

Ensuite, elle envoya le même message urgent par mail à ses ouvriers et à ses fournisseurs : Désolée, les gars, pas de travaux dans l'appartement jusqu'à nouvel ordre. Des problèmes juridiques imprévus avec le bail, tout sera réglé d'ici quelques jours. Je vous dédommagerai entièrement pour le manque à gagner. *Tschüss*, Annabel Richter.

Et elle ajouta à la liste de courses qu'elle avait à portée de main : *Cadenas neuf*, parce que les gens ne lisent pas forcément leurs mails du week-end avant de partir travailler le lundi.

Son portable sonnait. 8 heures. Tous les samedis matin, y compris les jours fériés, à 8 heures pile, Frau Doktor Richter appelait sa fille Annabel. Le dimanche, elle appelait la sœur d'Annabel, Heidi, parce que Heidi était l'aînée. L'éthique familiale interdisait qu'une des deux filles puisse être en train de faire la grasse matinée ou l'amour le samedi ou le dimanche, ou tout autre matin d'ailleurs.

Pour commencer, le discours de sa mère sur l'état de l'Union. Annabel souriait déjà.

« Je commets une énorme indélicatesse, mais Heidi pense qu'elle est peut-être encore enceinte. Elle le saura mardi. Jusque-là, il y a embargo sur la nouvelle, Annabel. Tu as bien compris ?

– J'ai bien compris, maman. C'est formidable, pour toi. Ça te fera quatre petits-enfants, à toi qui n'es encore qu'une enfant !

– Dès que ce sera officiel, tu pourras la féliciter, bien sûr. »

Annabel s'abstint de dire que Heidi était furieuse et que seule l'insistance de son mari l'avait retenue d'avorter.

« Et ton frère Hugo s'est vu offrir un poste dans le service de psychologie humaine d'un grand CHU de Cologne, mais il n'est pas sûr que ce soient de vrais freudiens, alors il va peut-être décliner. Ce qu'il peut être bête, des fois !

– Cologne pourrait très bien convenir à Hugo, dit Annabel sans ajouter qu'elle lui parlait trois fois par semaine en moyenne et n'ignorait rien de ses projets, à savoir rester à Berlin jusqu'à ce que sa liaison torride avec une femme mariée de dix ans son aînée s'éteigne d'elle-même ou lui explose à la figure, voire les deux, ce qui, avec Hugo, était la routine.

– Et ton père a accepté de faire le discours d'ouverture d'une conférence internationale de juristes à Turin. Tu le connais, il a déjà commencé à l'écrire et je ne vais pas pouvoir tirer un mot de lui avant septembre. Tu t'es décidée à faire la paix avec Karsten ?

– On y travaille.

– Bien. »

Un silence.

« Et tes examens, ça donne quoi, maman ?

– N'importe quoi, comme d'habitude, ma chérie. Quand on me dit que les résultats sont négatifs, ça me déprime parce que je suis optimiste de nature. Il faut vraiment que je m'oblige à me rappeler que négatif, c'est bon.

– Et ils étaient négatifs ?

– Sauf un tout petit truc positif perdu au milieu de tous les résultats négatifs.

– Et c'est quoi, ce tout petit truc ?

– Mon imbécile de foie.

– Tu l'as dit à papa ?

– C'est un homme, ma chérie. Soit il me dira de me resservir un verre de vin, soit il me croira à l'article de la mort. Allez, va faire ton petit tour de vélo. »

* * *

Et maintenant, son plan génial.

À son habitude, Hugo vivait comme l'oiseau sur la branche. Le mari de sa bien-aimée, un homme d'affaires toujours en déplacement, avait la sale manie de rentrer chez lui le week-end. En conséquence, Hugo prenait des gardes de nuit les samedis et dimanches, qu'il passait au foyer du personnel à l'hôpital, et voyait ses patients dans la journée. L'astuce consistait donc à le joindre entre 8 heures, fin de son service de nuit, et 10 heures, début de ses visites. Il était maintenant 8 h 20, ce qui était parfait.

Pour raison de sécurité, il lui fallait un téléphone public et, pour sa tranquillité d'esprit, un lieu qu'elle connaissait bien. Elle choisit un ancien pavillon de chasse reconverti en café dans le parc aux cerfs de Blankenese, à quinze minutes de vélo en roulant vite. Ayant fait le trajet en douze minutes, elle dut s'asseoir et se commander une tisane, qu'elle considéra d'un œil hagard le temps de reprendre son souffle. Dans le couloir menant aux toilettes se trouvait une vieille cabine téléphonique rouge anglaise. Annabel fit de la monnaie au comptoir pour ne pas manquer de pièces.

Comme d'habitude avec Hugo, ils eurent un échange mi-badin mi-grave. Peut-être parce qu'elle se sentait si grave, elle força sur le côté badin.

J'ai une affaire cauchemardesque sur les bras, Hugo, commença-t-elle. Un client très intelligent, mais psychologiquement c'est une épave. Il ne parle que russe.

Il faut qu'il décompresse et qu'il soit suivi par un professionnel.

Sa situation matérielle est épouvantable et je ne peux pas t'en parler au téléphone.

« Je crois que tu serais le premier à dire qu'il a grand besoin d'aide », s'avança-t-elle en s'efforçant de ne pas donner l'impression qu'il s'agissait d'une requête.

Mais en appeler au bon cœur de Hugo s'avéra une erreur.

« Ah, tu crois ça ? Eh bien moi, je n'en suis pas si sûr. Quels sont les prétendus symptômes ? » demanda-t-il d'un ton sec, professionnel.

Elle les avait consignés par écrit.

« Des accès de délire. Une minute, il se croit le maître du monde, la suivante, il tremble comme une petite souris.

– Tout le monde est pareil. Il fait quoi dans la vie ? De la politique ? »

Elle s'esclaffa mais eut la désagréable impression que Hugo ne plaisantait pas.

« Des crises de rage imprévisibles, des moments de soumission abjecte, puis il redevient lui-même. Ça t'évoque quelque chose ? Je ne suis pas médecin, Hugo. Son état est pire que ça. Il a vraiment besoin d'aide. Maintenant, de manière urgente. Et dans une discrétion absolue. Il n'y a pas d'endroits pour ça ? Il doit bien y en avoir.

– Des bons ? Non. Pas à ma connaissance. Pas pour ce que tu veux. Il est dangereux ?

– Pourquoi le serait-il ?

– Est-ce que tu as repéré des signes de violence chez lui ?

– Il écoute de la musique, il reste assis des heures à regarder par la fenêtre, il fait des avions en papier. Rien de tout ça ne me semble violent.

– La fenêtre est à quelle hauteur ?

– Oh, Hugo, je t'en prie !

– Est-ce qu'il te regarde d'un air bizarre ? Je te le demande. C'est une question sérieuse.

– Il ne regarde pas vraiment. Je veux dire, il détourne les yeux. La plupart du temps, il fait ça, il détourne les yeux. Bon, alors disons un endroit juste *acceptable*, relança-t-elle en se ressaisissant. Un endroit où on va l'admettre, garder un œil sur lui, ne pas lui poser trop de questions, bref, lui laisser un peu d'air, l'aider à se reconstruire. »

Elle parlait trop.

« Il peut payer ? demanda Hugo.

– Largement, oui. Quel que soit le prix.

– Il le tient d'où, cet argent ?

– De toutes les riches femmes mariées avec qui il couche.

– Est-ce qu'il le dépense de façon extravagante ? En achetant des Rolls Royce, des colliers de perles ?

– Il ne sait pas vraiment qu'il a de l'argent, répondit-elle en commençant à s'impatienter. Mais il en a, ça oui. Tout va très bien pour lui. Enfin, financièrement. D'autres personnes le gardent pour lui. Putain, Hugo ! Il faut vraiment que ce soit aussi compliqué ?

– Il ne parle que le russe ?

– Oui, je te l'ai dit.

– Et tu baises avec lui ?

– Non !

– Tu en as l'intention ?

– Bon sang, Hugo, tu pourrais être raisonnable pour une fois ?

– Je *suis* raisonnable. C'est bien ça qui te met en colère.

– Écoute, tout ce dont j'ai besoin… tout ce dont il a besoin…, enfin, l'essentiel, c'est : est-ce qu'on peut le faire admettre quelque part rapidement, disons, dans la semaine, et tant pis si ce n'est pas parfait, si c'est juste correct et vraiment très discret ? Même les gens du Sanctuaire ne sont pas au courant de cette conversation. C'est dire si tout ça doit rester discret.

– Où es-tu ?

– Dans une cabine téléphonique. Mon portable est mort.

– C'est le week-end, là, au cas où tu n'aurais pas remarqué. »

Elle attendit.

« Et lundi, j'ai une conférence toute la journée. Appelle-moi sur mon portable lundi soir, vers 21 heures. Annabel ?

– Quoi ?

– Rien. Je vais me renseigner. Rappelle-moi. »

7

« Frau Elli », commença Brue d'un ton espiègle.

Le voyage à Sylt et le déjeuner à la villa de Bernhard sur la plage s'étaient déroulés comme prévu, cocktail habituel de riches séniles, de jeunes moroses, de homard et de champagne, suivi d'une balade dans les dunes pendant laquelle Brue n'avait cessé de consulter son portable au cas où il aurait raté un appel d'Annabel Richter, mais hélas non. Le soir venu, le mauvais temps ayant entraîné la fermeture de l'aérodrome, les Brue avaient dû camper dans le pavillon des invités, ce qui avait amené Hildegard, l'épouse cocaïnomane de Bernhard, à se confondre en excuses de ne pas pouvoir offrir à Mitzi un couchage mieux adapté à ses appétits. Toujours aussi habile, Brue avait réussi à désamorcer la scène qui menaçait. Le dimanche, il avait (mal) joué au golf, perdu mille euros et dû partager des boulettes de foie arrosées d'eau-de-vie avec un vieux baron du transport maritime. Maintenant, enfin, le lundi matin était arrivé et la réunion des cadres de 9 heures terminée. Brue avait prié Frau Ellenberger d'avoir la bonté de bien vouloir rester si elle avait un moment, stratégie qu'il avait planifiée tout le week-end.

« Je vais vous demander un tout petit service, Frau Elli, commença-t-il dans un anglais emprunté.

– Monsieur Tommy, aussi petit puisse-t-il être, je suis là pour vous obéir » répondit-elle dans la même veine.

Ces rituels absurdes, observés depuis plus d'un quart de siècle jadis par le père de Brue à Vienne et aujourd'hui par le fils, étaient censés perpétuer la tradition de Frères.

« Si je vous disais *Karpov*, Frau Elli, Grigori Borissovitch Karpov, et si j'ajoutais le mot *lipizzan*, comment pensez-vous que vous réagiriez ? »

Le temps qu'il termine sa question, la plaisanterie avait déjà fait long feu.

« Je pense que j'en serais attristée, Herr Tommy, répondit-elle en allemand.

– Pourquoi, au juste ? À cause de Vienne ? À cause de votre petit appartement dans l'Operngasse que votre mère aimait tant ?

– À cause de votre père, qui était si bon.

– Et à cause de ce qu'il a exigé de vous concernant les lipizzans, peut-être ?

– Les comptes lipizzans, ce n'était pas correct », avoua-t-elle, les yeux baissés.

Ils auraient dû avoir cette conversation sept ans plus tôt, mais Brue n'avait jamais été partisan d'aller inutilement au-devant des ennuis, surtout quand il avait une idée assez précise de leur nature.

« Néanmoins vous avez continué, très loyalement, à les gérer ? avança-t-il avec douceur.

– Je ne les gère pas, Herr Tommy, et j'ai mis un point d'honneur à en savoir le moins possible sur leur gestion. C'est la responsabilité du gestionnaire de fonds au Liechtenstein. C'est son pré carré et c'est son gagne-pain, j'imagine, quoi que nous puissions penser de sa moralité. Je me borne à faire ce que j'ai promis à votre père de faire.

– Y compris expurger les dossiers personnels des titulaires actuels ou passés de comptes lipizzans, si je ne m'abuse ?

– Oui.

– C'est ce que vous avez fait pour celui de Karpov ?

– Oui.

– Donc les documents figurant dans ce dossier sont tout ce qu'il nous reste ? demanda-t-il en le brandissant.

– Oui.

– Tout ce qu'il nous reste au monde ? Dans l'oubliette, dans la cave de Glasgow, ici à Hambourg, c'est tout ce qu'il y a ?

– Oui, répéta-t-elle avec emphase après une légère hésitation qui n'échappa pas à Brue.

– Et en dehors de ces documents, avez-vous un quelconque souvenir *personnel* de Karpov, de cette époque-là, de ce que mon père aurait pu dire ou ne pas dire à son sujet ?

– Votre père traitait le compte Karpov avec...

– Avec... ?

– Avec *respect*, Herr Tommy, finit-elle en rougissant.

– Mais mon père traitait tous ses clients avec respect, non ?

– Selon votre père, Karpov était quelqu'un dont les péchés devaient être pardonnés, même par avance. Il n'était pas toujours aussi indulgent envers nos clients.

– A-t-il précisé pourquoi ses péchés devaient lui être pardonnés ?

– Karpov était spécial. Tous les lipizzans étaient spéciaux, mais Karpov était très spécial.

– A-t-il dit quels étaient ces péchés qu'il fallait lui pardonner à l'avance ?

– Non.

178

– A-t-il laissé entendre qu'il pouvait y avoir – comment dirais-je ? – une vie dissolue à considérer ? Des enfants adultérins à droite à gauche, ce genre de choses ?

– Ce genre de choses étaient clairement sous-entendues.

– Mais pas directement évoquées ? Par exemple, il n'a jamais mentionné un fils illégitime bien-aimé qui pourrait débarquer un beau jour et se présenter comme tel ?

– De nombreuses contingences de ce genre ont été évoquées concernant les lipizzans. Je ne peux pas dire que je garde un souvenir précis de l'une d'elles.

– Et *Anatoly*. Pourquoi le nom d'Anatoly me dit-il quelque chose ? L'aurais-je entendu par hasard ? "Anatoly va s'en occuper."

– Il me semble bien qu'il y avait un intermédiaire qui s'appelait Anatoly, répliqua Frau Elli avec réticence.

– Un intermédiaire entre… ?

– Entre M. Edward et le colonel Karpov, quand Karpov n'était pas disponible ou ne voulait pas l'être.

– En tant qu'avocat de Karpov, alors ?

– En tant que… en tant que *commissionnaire*. Les services d'Anatoly dépassaient le cadre strictement légal.

– Ou *illégal*, rectifia Brue, qui, son trait d'esprit ne lui valant aucune réaction, se lança dans un de ses tours de la pièce. Et sans vous donner le mal d'aller ouvrir l'oubliette, pouvez-vous me dire, en gros, juste entre nous, quel pourcentage du fonds global au Liechtenstein le compte Karpov représente ?

– Chaque titulaire d'un compte lipizzan recevait des parts proportionnelles à son investissement.

– C'est ce que j'ai cru comprendre.

– Si, à quelque moment que ce soit, le titulaire choisissait d'augmenter son investissement, alors sa part totale augmentait aussi.

– Cela paraît logique.

– Le colonel Karpov a été l'un des premiers titulaires d'un lipizzan, et le plus riche de tous. Votre père le surnommait "notre membre fondateur". En quatre ans, son investissement a été accru neuf fois.

– Par Karpov ?

– Par des virements sur son compte. On ignore si c'est Karpov lui-même qui les effectuait ou d'autres personnes en son nom. Les ordres de virement étaient détruits après exécution.

– Par vous ?

– Par votre père.

– Y a-t-il eu des versements d'espèces ? Des billets dans une mallette, pour ainsi dire ? À l'ancienne ? Du temps de Vienne ?

– Pas en ma présence.

– Et en dehors de votre présence ?

– Il arrivait que des versements en liquide soient déposés sur le compte.

– Par Karpov lui-même ?

– Je crois, oui.

– Et par des tiers ?

– C'est possible.

– Comme Anatoly ?

– Les signataires n'étaient pas obligés de s'identifier formellement. L'argent était remis au guichet, le numéro de compte du bénéficiaire était fourni, un reçu était rédigé au nom donné par le déposant. »

Nouveau tour de la pièce tandis que Brue méditait sur le recours à la voix passive.

« Et à quand remonte le dernier virement sur le compte de Karpov, d'après vous ?

– Je pense que les versements continuent encore aujourd'hui.

– Littéralement ? Aujourd'hui ? Ou voulez-vous dire récemment ?

– Je ne suis pas en position de le savoir, Herr Tommy. »

Décidément, vous n'êtes pas en position de savoir grand-chose, songea Brue.

« Et le fonds du Liechtenstein totalisait en gros quel montant, quand nous avons quitté Vienne ? Je veux dire avant répartition entre les actionnaires, évidemment.

– Quand nous avons quitté Vienne, il n'y avait plus qu'un seul actionnaire, Herr Tommy. Le colonel Karpov était le dernier. Les autres s'étaient perdus en route.

– Vraiment ? Et comment cela ?

– Je n'en ai pas été informée, Herr Tommy. D'après ce que j'ai compris, soit les autres lipizzans ont été rachetés par Karpov, soit ils ont disparu de façon naturelle.

– Naturelle, vraiment ?

– C'est tout ce que je peux vous dire, Herr Tommy.

– Donnez-moi un ordre d'idée. Un chiffre, comme ça, insista Brue.

– Je ne peux pas parler à la place du gestionnaire de fonds du Liechtenstein, Herr Tommy. C'est quelque chose qui sort de mes compétences.

– Voyez-vous, une certaine Frau Richter m'a téléphoné, expliqua Brue du ton de l'homme qui abat toutes ses cartes. Une *avocate*. J'imagine que vous avez relevé son message ce matin quand vous avez filtré la moisson du week-end.

– En effet, Herr Tommy.

– Elle avait des questions à me poser concernant... un certain client à elle... et à nous, soi-disant. Des questions urgentes.

– C'est ce que j'avais cru comprendre, Herr Tommy. »

Il avait pris sa décision. Bon. Elle se montrait tatillonne. Elle ne rajeunissait pas, et, concernant les lipizzans, elle avait toujours été tatillonne. Mais il allait en faire une alliée, lui raconter toute l'histoire, la gagner à sa cause.

S'il y avait bien quelqu'un qu'il pouvait faire entrer dans la confidence, c'était Frau Elli, non ?

« Frau Elli.

– Herr Tommy.

– Je trouverais fort agréable que nous puissions avoir une conversation à cœur ouvert sur… euh… les chaussures, les bateaux et… »

Il sourit et s'interrompit, attendant qu'elle complète cette citation de Lewis Carroll qu'elle adorait, mais en vain.

« Bref, ce que je suggère, c'est une grande cafetière remplie de votre excellent café viennois, et quelques biscuits pascaux faits par votre mère, et deux tasses, reprit-il comme sous l'inspiration d'une idée géniale. Et pendant que vous y êtes, dites au standard que je suis en réunion, et vous aussi. »

Mais le tête-à-tête proposé tourna court. Frau Ellenberger revint bien avec le café (dont la préparation prit toutefois un temps anormalement long), et elle se comporta, comme à son habitude, avec la plus extrême courtoisie. Quand un sourire s'imposait, elle souriait. Les biscuits pascaux de sa mère étaient incomparables. Mais dès que Brue tenta de lui en faire dire davantage sur le colonel Karpov, elle se leva et, regardant droit devant elle comme un enfant pendant le spectacle de l'école, récita une déclaration formelle.

« Herr Brue, je suis au regret de vous informer que l'on m'a avisée que les comptes lipizzans transgressent les limites de la légalité. Au vu de la position subalterne que j'occupais à la banque à l'époque et des engagements que j'ai donnés à feu votre père, on m'a également avisée de ne plus discuter avec vous de ce dossier.

– Bien sûr, bien sûr, répondit Brue d'un ton nonchalant, lui qui se flattait d'être à son meilleur quand il essuyait un revers. C'est parfaitement compris et accepté, Frau Elli. La banque vous remercie.

– Au fait, M. Foreman a téléphoné », lui dit-elle une fois devant la porte, alors que Brue s'empressait pour l'aider avec le plateau.

Pourquoi lui parlait-elle en lui tournant le dos ? Pourquoi avait-elle la nuque écarlate ?

« Encore ? Mais pourquoi donc ?

– Il confirmait votre déjeuner d'aujourd'hui.

– Mais il l'a déjà confirmé vendredi, enfin !

– Il voulait savoir si vous aviez des desiderata culinaires. Apparemment, La Scala a des spécialités de poisson.

– Je le sais, qu'il y a des spécialités de poisson. J'y dîne au moins une fois par mois. Et je sais aussi que ce n'est pas ouvert pour le déjeuner.

– Il semblerait que M. Foreman se soit arrangé avec le patron. Et il sera accompagné de son associé, un certain M. Lantern.

– Magique », plaisanta Brue, particulièrement content de ce trait d'humour.

Mais Frau Ellenberger gardait toujours ses distances, comme s'il avait le mauvais œil, et Brue, pour sa part, se demandait quel type d'homme pouvait persuader Mario, le propriétaire de La Scala, d'ouvrir pour le déjeuner, et un lundi, qui plus est, même s'il ne s'agissait certes pas d'un grand restaurant, loin de là. Frau Ellenberger consentit enfin à lui faire face.

« M. Foreman a de très solides références, Herr Tommy, dit-elle avec une emphase dont il ne perçait pas la cause. Vous m'avez demandé de me renseigner sur lui, je l'ai fait. M. Foreman est *personnellement* recommandé par votre propre cabinet d'avocats londonien et par une *grande* banque de la City. Il vient *exprès* de Londres en avion.

– Avec sa lanterne magique ?

– M. Lantern vient séparément de Berlin, où il est en poste, si j'ai bien compris. Ils proposent un déjeuner de prise de contact, sans engagement de part et d'autre. Ils ont un projet de taille, qui va exiger une étude de faisabilité très poussée.

– Et je le sais depuis combien de temps ?

– Une semaine jour pour jour, Herr Tommy. Nous en avons discuté à cette même heure lundi dernier, merci. »

Pourquoi diable ce *merci* ? se demanda Brue.

« C'est le monde qui est devenu fou ou c'est moi, Frau Elli ?

– C'est ce que disait votre père, Herr Tommy », répliqua Frau Ellenberger d'un ton pincé.

Brue repensa à Annabel, altière pasionaria sur sa bicyclette, qui n'avait nul besoin de déjeuners en ville pour s'affirmer.

***

À sa surprise et à son soulagement, MM. Foreman et Lantern se révélèrent d'une compagnie distrayante. Quand il arriva à La Scala, Mario, sous le charme, leur avait indiqué sa table favorite en vitrine et recommandé son vin blanc d'Étrurie préféré, de sorte qu'une bouteille puisse l'attendre. Et elle était bien là, encore bouchée, dans un seau à glace.

Après coup, Brue se demanda comment donc ils avaient appris que La Scala était sa cantine préférée, mais il supposa que, comme la plupart des banquiers hambourgeois savaient qu'il mangeait là, eux aussi le savaient. À moins que Foreman ait usé de son charme pour soutirer l'information à Frau Ellenberger, parce que du charme, Foreman en avait à revendre. Parfois, on rencontre son jumeau, et on accroche aussitôt avec lui. Foreman faisait la même taille que Brue, il avait le même âge et la même forme de tête, un côté gentleman-farmer avec cette classe patricienne que Brue admirait, des yeux rieurs, un sourire si désarmant qu'on ne pouvait s'empêcher d'y répondre, et la voix grave et cordiale d'un homme ayant appris à prendre le monde comme il venait.

« Tommy Brue ! Bravo, monsieur, bravo à nous tous ! murmura-t-il en se levant dès qu'il vit Brue passer la porte. Je vous présente Ian Lantern, mon infâme complice. Je peux vous appeler Tommy ? Moi, c'est aussi Edward, comme votre cher papa, désolé. Mais vous pouvez m'appeler Ted, c'est plus court. Lui n'aurait jamais supporté ça, pas vrai ? Lui, c'était "Edward" ou rien.

– Ou "monsieur", dans le doute », contra Brue à l'amusement général.

Releva-t-il cette première référence possessive à son père ? En son for intérieur, à l'endroit dont il était toujours resté maître, du moins jusqu'à vendredi soir ? Pas consciemment, en tout cas. Edward Amadeus, officier de l'Ordre de l'Empire britannique, avait été et restait une légende. Brue avait l'habitude d'entendre les gens en parler comme s'ils l'avaient connu, et il prenait cela comme un compliment.

Sa première impression de Lantern fut tout aussi favorable. Brue n'avait qu'une expérience limitée de la race des jeunes Anglais d'aujourd'hui, mais Lantern n'entrait pas dans le moule. Petit, svelte, élégamment vêtu d'un complet anthracite avec veste sans épaulettes et à un seul bouton, ses cheveux châtain clair coupés en brosse, il cultivait le style du jeune cadre dynamique de l'époque où Brue en était un lui-même. Il parlait posément, de façon réfléchie, avec une courtoisie engageante. Pour autant, comme Foreman, il irradiait une assurance tranquille laissant entendre qu'il n'était pas manipulable. En outre, son accent correspondait à ce que Brue avait appris à appeler un accent neutre, ce qui fit vibrer sa fibre démocrate.

« C'est vraiment très aimable d'avoir pensé à nous, Ian, attaqua-t-il d'un ton jovial pour lancer la conversation. Nous autres banquiers privés avons le sentiment d'être un peu marginalisés, de nos jours, par rapport à tous les géants du secteur qui occupent le terrain.

– C'est un privilège de vous rencontrer, Tommy, et je n'exagère pas, répondit Lantern en donnant une seconde poignée de main virile à Brue, comme s'il ne pouvait parvenir à le lâcher. Nous avons entendu tellement de choses formidables sur vous, pas vrai, Ted ? Pas le moindre mauvais son de cloche.

– Que pouic », renchérit Foreman de façon pittoresque.

Sur ce ils s'assirent, et Mario accourut en leur présentant un bar géant dont il jura qu'il avait été tué en leur honneur et dont, après quelques échanges plaisants, ils s'accordèrent à dire qu'il devrait le faire cuire en croûte de sel. Et pourquoi pas quelques noix de Saint-Jacques au beurre d'ail pendant qu'ils attendaient ?

C'est nous qui régalons, insistèrent les deux hommes.

Pas du tout, c'est moi, protesta Brue. Les banquiers paient toujours l'addition.

Mais ils étaient deux contre un. Et en plus, l'initiative du déjeuner leur revenait. Alors Brue fit exactement ce qu'il savait qu'on attendait de lui : il se carra dans son siège et se prépara à passer un bon moment, sachant fort bien que MM. Foreman et Lantern avaient très certainement l'intention de l'escroquer, comme la plupart des gens avec lesquels il faisait affaire. Eh bien, qu'ils essaient ! S'ils étaient des prédateurs, au moins étaient-ils des prédateurs civilisés, ce qui, Dieu sait, n'était pas toujours le cas. Après son week-end atroce et le silence total d'Annabel, sans parler de son pénible dialogue à sens unique avec Frau Elli, il n'allait pas faire la fine bouche.

Et bon sang qu'est-ce qu'il les aimait, ces Rosbifs ! En tant qu'expatrié, il nourrissait une intense nostalgie pour sa terre natale. Ses huit années cauchemardesques de pensionnat en Écosse avaient laissé en lui un vide qu'aucun séjour à l'étranger, si prolongé fût-il, ne pouvait combler. Ce qui expliquait sans doute pourquoi, d'emblée, il s'entendit si bien avec Foreman, tandis que le petit Lantern, tel un elfe fasciné, souriait en alternance aux deux hommes.

« Désolé, Ian ne boit pas, annonça Foreman, s'excusant du refus de son compagnon à goûter au vin que Mario avait versé pour lui. Il est de la nouvelle génération. Rien à voir avec nous, les vieux cons. Allez, santé, aux vieux cons ! »

Et à la santé d'Annabel Richter, qui persiste à faire du vélo dans ma tête quand bon lui chante.

* * *

Par la suite, là encore, Brue eut du mal à se souvenir de quoi ils avaient bien pu parler si longuement avant le coup de massue. Ils avaient évoqué des amis communs à Londres, et Brue avait eu la nette impression que ces amis communs connaissaient plutôt mieux Foreman que Foreman ne les connaissait. Quoi qu'il en soit, Brue ne s'en formalisa pas. C'était là pratique courante pour qui tentait de faire jouer des réseaux professionnels. Rien d'inquiétant à cela. Il finit par dire qu'il allait peut-être falloir se mettre à parler affaires, même si aucun de ses deux hôtes ne semblait pressé d'y arriver. Et il sortit son petit discours sur l'intégrité et la solidité de Frères, et il s'interrogea dûment sur la santé réelle de Wall Street, avec cette histoire de subprimes – Dieu merci, Frères avait avancé prudemment, sur ce front-là ! – et la hausse du prix des matières premières allait-elle affecter la réorientation du marché mondial vers les actifs immatériels, et la bulle asiatique allait-elle repartir ou rester dégonflée, et le boom intérieur chinois allait-il nous obliger à chercher ailleurs de la main-d'œuvre bon marché ? Sujets que Brue maîtrisait relativement bien grâce à sa lecture des journaux financiers, mais sur lesquels en réalité il n'avait aucune espèce d'opinion, ce qui lui permit de s'adonner à de nouvelles cogitations sur Annabel Richter sans que son public en pâtisse.

Puis vint la question arabe. Lequel des deux hommes souleva le sujet, Brue n'arriva jamais à s'en souvenir. Était-ce Ted qui pensait à raison que le père de Brue avait été l'un des premiers banquiers anglais à ramener dans son giron des investisseurs arabes après le fiasco de 1956, ou bien Ian ? Peu importait : l'un avait lâché ce lièvre, l'autre l'avait couru. Oui, en effet, concéda prudemment Brue sans mentionner de noms, un ou deux des membres les moins éminents des familles royales saoudienne et koweïtienne avaient des comptes chez Frères, quoique Brue lui-même, plutôt européaniste, n'ait jamais vraiment partagé l'enthousiasme de son père pour ce marché.

« Mais bon, sans rancune ? s'enquit Foreman avec sollicitude. Pas de ressentiment, ni rien ? »

Brue répliqua que grands dieux non, pas du tout. Tout baignait dans l'huile. Quelques-uns étaient morts, d'autres étaient partis, certains étaient restés. Simplement, les riches Arabes aimaient fréquenter les mêmes banques, or, de nos jours, Frères n'était pas vraiment en position d'offrir un parapluie doré aussi grand.

Sur le coup, ils parurent se satisfaire de cette réponse. Avec le recul, c'est comme si la question figurait sur leur check-list et qu'ils l'avaient artificiellement casée dans la conversation. Et peut-être fut-ce cette intuition qui poussa Brue à orienter la conversation sur eux, quoique un peu tardivement.

« Alors, et vous, messieurs ? Vous connaissez notre réputation, sinon vous ne seriez pas là. En quoi pouvons-nous vous être utiles ? Ou bien, comme nous aimons à le dire, que pouvons-nous faire pour vous que les gros ne peuvent pas faire ? »

Parce que si ce n'était pas à cause de ma putain de banque, vous ne seriez pas là.

Foreman s'arrêta de manger et se tamponna les lèvres avec sa serviette tout en jetant un regard circulaire aux tables voisines inoccupées comme en quête d'une réponse. Puis il regarda Lantern qui, lui, semblait ne rien avoir entendu. De ses petites mains manucurées, il pratiquait une opération chirurgicale sur son bar, peau d'un côté de l'assiette, arêtes de l'autre, et une petite pyramide de chair qui s'entassait au milieu.

« Ça vous dérangerait beaucoup si je vous demandais de l'éteindre un moment ? demanda posément Foreman. Pour être parfaitement honnête, ça m'horripile. »

Brue comprit que Foreman faisait référence à son portable, qu'il avait posé près de lui dans l'espoir improbable d'un coup de fil d'Annabel. Après un instant de perplexité, il l'éteignit et le laissa tomber dans sa poche, et là Foreman se pencha au-dessus de la table pour lui parler.

« Bon, attachez votre ceinture et écoutez-moi un instant, murmura-t-il sur le ton de la confidence. Nous appartenons au renseignement britannique, d'accord ? On est des barbouzes. Ian est de l'ambassade à Berlin, moi je viens de Londres. Nos noms sont authentiques. Si vous avez un doute, vérifiez auprès de l'ambassadeur de Ian. Mon turf, c'est la Russie. Et ça fait vingt-huit ans que ça dure, mon Dieu ! Voilà comment j'en suis venu à connaître feu votre vénéré père, Edward Amadeus. À l'époque, pour lui, mon nom était Findlay. Peut-être l'avez-vous entendu parler de moi à l'occasion ? »

– Désolé, non.

– Formidable. C'est tout Edward Amadeus, ça. Muet jusqu'au bout. Sans vouloir insister lourdement, c'est grâce à moi qu'il a obtenu son titre d'officier de l'Ordre de l'Empire britannique. »

* * *

Brue aurait raisonnablement pu s'attendre à ce que Foreman s'interrompe, à ce stade, pour lui permettre de lui poser quelques questions pertinentes entre les milliers qui se bousculaient dans sa tête, mais Foreman n'avait nulle intention de lui offrir un tel répit. Ayant percé une brèche dans les défenses de Brue, il poussait son avantage pour asseoir sa victoire. À présent confortablement carré dans son siège, le bout de ses doigts joint, ses traits burinés affichant une expression bienveillante, voire bonhomme, il présentait l'apparence extérieure d'un convive agréable faisant part de ses observations sur l'état de l'univers. Sa voix mise en sourdine semblait légère et étonnamment enjouée. De la musique passait dans la cuisine (du luth, pour autant que Brue puisse en juger), et Foreman la laissait couvrir ses propos. Il évoquait une époque aussi défunte que le père de Brue mais qui, comme son fantôme, refusait de disparaître : les dernières années de la guerre froide, Tommy, quand le chevalier soviétique agonisait dans son armure et que toute la Russie puait la charogne.

Il ne mentionna pas la loyauté suprême des Russes ayant espionné pour son compte, leurs idéaux, leurs nobles motivations. Quand on essayait de convaincre un Soviet haut placé de risquer sa peau pour le capitalisme, alors, croyez-moi, Tommy, il fallait lui offrir ce qui faisait l'essence même du capitalisme : de l'argent à la pelle.

Mais l'argent seul ne suffisait pas, car, tant qu'il œuvrait pour vous, il ne pouvait pas le dépenser, l'exhiber, le transmettre à ses enfants, sa femme ou sa maîtresse. S'il essayait, ce fieffé crétin méritait de se faire pincer, ce qui était généralement le cas. Bref, ce qu'on offrait à un espion potentiel, c'était un *package*.

Et un élément crucial de ce *package*, c'était une banque occidentale solide et arrangeante avec une longue tradition derrière elle, parce que, vous le savez aussi bien que moi, Tommy, les Russes adorent la tradition. Un autre élément crucial, c'était un système en béton pour transmettre son butin durement gagné à ses héritiers et cessionnaires sans les formalités d'usage, à savoir enregistrement, droits de succession, acte de notoriété et questions inévitables sur la provenance dudit butin, bref, je ne vous apprends rien, Tommy.

« C'était à qui arriverait le premier de l'œuf ou de la poule, poursuivit-il du même ton charmant tandis que Brue s'escrimait à rassembler ses idées. En l'occurrence, ce fut l'œuf. Un œuf d'or. Un colonel de l'Armée rouge qui avait senti le vent tourner a décidé de son plein gré de venir nous vendre ses avoirs avant le grand krach. Il raisonnait comme un banquier. Le cours de l'action Russkoff SARL était en baisse, alors il voulait se délester de ses titres avant qu'ils ne deviennent invendables. Et il en avait beaucoup à vendre. Il avait aussi quelques amis intéressants à nous présenter. Des gens sur la même longueur d'onde, qui auraient tué père et mère pour récupérer un peu d'argent dans une devise forte. Je vais l'appeler Vladimir, d'accord ? »

Et moi je vais l'appeler Grigori Borissovitch Karpov, songea Brue. Et Annabel aussi. Après le premier choc, un calme inattendu s'était emparé de lui.

« Vladimir était un enfoiré, mais c'était notre enfoiré, si vous me passez l'expression. Malin comme un singe, vénal jusqu'au bout des ongles, mais avec un accès privilégié aux secrets militaires. Dans notre métier, c'est le cocktail parfait. Il était membre de trois commissions sur le renseignement, il avait servi avec les forces spéciales soviétiques en Afrique, à Cuba, en Afghanistan et en Tchétchénie, il avait trempé dans toutes les combines imaginables et inimaginables. Il connaissait tous les officiers corrompus, les arnaques qu'ils mijotaient, les menaces à utiliser contre eux, la façon de les acheter. Il gérait une mafia de l'Armée rouge cinq ans avant que quiconque en dehors de la Russie ne sache même qu'ils avaient des mafias dans le trafic : sang, pétrole, diamants, héroïne sortie d'Afghanistan par des avions cargo de l'armée de l'air soviétique. Quand son unité a été démobilisée, Vladimir a dit à ses gars de porter des complets Armani, mais de garder leurs armes. Sinon, comment allaient-ils pouvoir s'occuper de la concurrence ? »

Brue avait à présent décidé de l'attitude à adopter : ne rien dire, avoir l'air attentif mais détaché, et se demander en son for intérieur pourquoi Foreman lui racontait tout ça, et avec autant de détails, et pourquoi il usait sur lui de tous ses considérables pouvoirs d'attraction, comme si tous trois étaient d'ores et déjà frères dans une entreprise restant à dévoiler.

« Notre problème (et ce n'est ni la première ni la dernière fois que cela arrive dans notre métier), c'est que, pour satisfaire Vladimir, on ne devait pas seulement mettre son argent en banque et le faire fructifier, mais aussi le *blanchir* pour lui. »

Étonnamment, d'après ce que Brue commençait à cerner du personnage, Foreman se crut obligé de fournir une justification à ces propos.

« Enfin, ce que je veux dire, c'est que si *nous* on ne le faisait pas, alors c'est les Américains qui l'auraient fait et ils auraient merdé. C'est ce qui nous a amenés à avoir une petite conversation avec votre papa. Vladimir aimait Vienne pour y être allé deux ou trois fois en délégation. Il aimait les valses, les bordels et les Wiener Schnitzels. S'il voulait aller rendre visite à son argent de temps en temps, la belle ville de Vienne était l'endroit rêvé. Et votre papa a été, disons, formidablement réceptif. Au poil. C'est un des aspects amusants de toute cette histoire. Plus un homme est respectable dans sa vie publique, plus il arrive en courant quand des espions le sifflent. À la seconde où on a suggéré l'idée des lipizzans, il a démarré au quart de tour. Si on lui avait laissé la bride sur le cou, il aurait transformé toute sa banque en une antenne du Service. Alors on espère que vous aurez la même attitude quand on vous aura exposé notre petit souci, pas vrai, Ian ? Enfin, pas pour l'antenne du Service, il ne s'agit pas de ça, Dieu merci ! dit-il, ce qui les fit s'esclaffer tous les deux. Non, juste, euh, un coup de main par-ci par-là.

– Nous comptons sur vous, Tommy », renchérit Lantern, avec son doux accent du Nord et le sourire facile d'un petit homme qui s'efforce de faire plaisir.

Là encore, Foreman aurait décemment pu marquer une pause, mais il approchait du nœud de l'affaire et ne souhaitait pas de diversion. Mario attendait avec la carte des desserts. Brue attendait aussi, mais dans le saint des saints de son père à Vienne, porte fermée, pour mettre rageusement la touche finale à la dispute inachevée qui les avait opposés concernant les comptes lipizzans : *Alors comme ça, on m'apprend que tu étais un espion britannique ? Tu bradais Frères en échange d'une médaille de la mère patrie ? Dommage que tu n'aies pas cru bon de me le révéler toi-même.*

* * *

La dernière affectation de Vladimir avait été la Tchétchénie, expliquait Foreman. Et si Brue multipliait par dix tout ce qu'il avait pu entendre sur cet endroit infernal, il aurait une vague idée de ce à quoi ça ressemblait : les Russes qui réduisaient le pays en cendres, les Tchétchènes qui leur rendaient la politesse à la première occasion.

« Mais pour Vladimir et sa clique, c'était la fiesta totale, confia-t-il du même ton intime, comme s'il refoulait cette histoire en lui depuis des années et n'en accouchait que grâce à la présence de Brue. Bombardements, beuveries, viols, pillages, siphonnage du pétrole pour le revendre au plus offrant. Et puis on aligne les autochtones et on les fusille en représailles pour les crimes qu'on a soi-même commis, et on décroche une promotion pour sa peine. »

Cette fois, Foreman se permit enfin une pause, ne fût-ce que pour indiquer un tournant dans son récit.

« Voilà, ça c'était pour le contexte, Tommy. Et c'est dans ce contexte que Vladimir est tombé amoureux. Il avait des femmes dans tous les coins de la planète, mais celle-ci, on ne sait trop pourquoi, lui est vraiment entrée dans la peau. Une beauté tchétchène qu'il avait enlevée, installée dans les quartiers des officiers à Grozny et aimée à la folie. Et elle l'aimait aussi, ou du moins s'en était-il convaincu. L'amour et Vladimir, ça faisait deux, je le reconnais, enfin, dans le sens où vous et moi comprenons ce terme. Mais pour Vladimir, c'était enfin le grand amour. En tout cas c'est ce qu'il m'a avoué. Un jour de beuverie. À Moscou. Il avait quitté le front tchétchène pour jouir d'une permission bien méritée. »

Foreman était devenu un personnage de son propre récit. Les traits de son visage s'étaient adoucis, ainsi que sa voix de confessionnal. Et Brue était ainsi invité à pénétrer le cercle de ses étranges relations, et à y entraîner Annabel sur son vélo.

« Quand on prend de l'âge, Tommy, voilà des moments de notre vie qu'on brûle de raconter à quelqu'un, mais dans notre métier c'est impossible. J'imagine que c'est pareil dans votre monde ? »

Brue répondit par une platitude.

« Vous êtes claquemuré dans une planque puante de la banlieue moscovite avec votre *Joe*. Vous travaillez sous couverture diplomatique, vous avez mis toute la journée pour vous y rendre sans vous faire repérer, vous avez une heure maximum avec lui, vous guettez les bruits de pas dans l'escalier, il vous remet des microfilms, vous essayez de le briefer et de le débriefer en même temps. "Pourquoi le général Truc vous a dit ça ? Parlez-moi du site de fusées à Tel Endroit. Est-ce que notre nouvelle procédure de transmission vous convient ?" Mais votre *Joe* n'écoute pas. Il pleure comme un veau, et tout ce dont il veut vous parler c'est de cette fille fabuleuse qu'il a violée. Et maintenant, Dieu lui vienne en aide, elle l'aime et elle attend un enfant de lui. Et lui est l'homme le plus heureux du monde. Il n'aurait jamais cru que ça puisse exister. Alors je me réjouis pour lui. On boit à la santé de sa belle. À la santé de Yelena, ou je sais plus son prénom. Et à la santé du bébé, Dieu le bénisse. C'est mon boulot, enfin, ça l'était. Moitié espion, travailleur social à cent pour cent. Il ne me reste plus que sept mois à tirer. Dieu seul sait ce que je vais faire de ma vie ensuite. Les sociétés de sécurité privées me courent après, mais je crois que je préférerais méditer sur le passé, ajouta-t-il de façon désarmante, avec un sourire triste que Brue essaya dûment d'imiter.

« Bref, Vladimir amoureux, c'était ça, reprit Foreman avec un nouvel entrain. Et comme toutes les grandes histoires d'amour, celle-ci n'a pas duré. Juste après l'accouchement, la famille de la demoiselle a fait entrer un de ses frères en douce dans le camp pour la tuer. Vladimir était inconsolable, ça se comprend. Quand son unité a été renvoyée à Moscou et dissoute, il a emmené le gamin avec lui. L'épouse en titre à Moscou n'a pas vu ça d'un bon œil. Elle a dit à Vladimir qu'elle n'appréciait pas de se retrouver avec un bâtard cul-noir sur les bras. Mais Vladimir ne l'a pas abandonné. Cet enfant que lui avait donné l'amour de sa vie, il l'aimait et il en avait fait l'héritier de son compte d'argent sale, et rien n'allait y changer quoi que ce soit. »

L'histoire était-elle terminée ? Foreman haussa les épaules en arquant les sourcils comme pour signifier : ainsi va le monde, qu'y pouvons-nous ?

« Et maintenant ? demanda Brue.

– Et maintenant la grande roue de l'histoire a fait un tour complet, Tommy. Le passé est le passé, le fils de Vladimir est devenu un homme et il s'apprête à venir voir le fils d'Edward Amadeus pour réclamer son dû. »

* * *

Brue se révéla cette fois plus difficile à convaincre qu'ils n'avaient semblé s'y attendre. Il commençait à entrer dans la peau de son personnage, quel qu'il fût.

« Pardonnez-moi, commença-t-il après avoir sacrifié au moment de réflexion du banquier. Sans vouloir vous gâcher votre plaisir, je suis bien convaincu que si je retourne à la banque, que je sors les dossiers lipizzans, que je détermine quel client correspond le mieux à la description que vous m'avez fournie et aux dispositions prises pour son héritier… »

Point n'était besoin d'en dire plus. D'une poche de sa veste, Foreman sortit une enveloppe blanche qui rappela à Brue les petites boîtes blanches contenant des morceaux gluants de pièce montée enveloppés dans un napperon que sa fille Georgie avait envoyées aux amis n'ayant pu assister à ses noces avec un artiste quinquagénaire du nom de Millard (le mariage n'avait guère duré). L'enveloppe renfermait un bristol blanc sur lequel était écrit au stylo à bille le nom KARPOV, et au verso le mot *lipizzan*.

« Ça vous dit quelque chose ? s'enquit Foreman.

– Quoi, le nom ?

– Oui, pas le cheval, le type. »

Mais Brue n'allait pas se laisser bousculer. Une rétivité de mule s'emparait de lui, qui allait bien au-delà du devoir de discrétion d'un banquier, bien au-delà des manifestations occasionnelles de son esprit de contradiction tout écossais qui survenaient impromptu et qu'il refrénait promptement. Elle était tissée de multiples brins qu'il démêlerait en temps utile, mais il savait déjà qu'Annabel Richter était un fil de cette trame et qu'elle avait besoin de sa protection, ce qui impliquait qu'Issa aussi. En attendant, il allait réagir de la manière qui lui venait le plus naturellement : il allait faire le hérisson, comme disait Edward Amadeus, se rouler en boule et sortir ses piquants. Il en dirait le minimum et laisserait les deux hommes combler les silences par eux-mêmes.

« Il faudrait que je consulte ma caissière principale, annonça-t-il. Les lipizzans constituent un monde à part, chez Frères. C'est ainsi que mon père voulait que ce soit.

– C'est à moi que vous dites ça ! s'exclama Foreman. Dans le genre muet comme une carpe, E.A. se posait là ! C'est justement ce que je disais à Ian avant votre arrivée. Pas vrai, Ian ?

– Mot pour mot, Tommy, littéralement, acquiesça le petit Lantern avec son joli sourire.

– Alors peut-être en savez-vous plus que moi à leur sujet, avança Brue. Les lipizzans, pour moi, c'est le flou artistique. Un vrai cauchemar pour ma banque depuis vingt ans. »

Contrairement à Foreman, Lantern ne se pencha pas par-dessus la table pour se confier à Brue, mais, comme Foreman, il savait moduler sa voix d'homme du Nord pour la maintenir au-dessous du niveau de la musique.

« Tommy, donnez-nous le mode d'emploi. Si le jeune homme en question, ou un mandataire muni du mot de passe ou du numéro de référence nécessaire, se présentait à votre banque, d'accord ?

– Je vous écoute, dit Brue, songeant qu'Annabel écoutait elle aussi intensément.

– Et si cette personne faisait une requête pour accéder à un compte lipizzan, par exemple pour le vider, à quel moment en auriez-vous connaissance ? Tout de suite ? Deux jours plus tard ? Ça marche comment ? »

Brue le hérisson resta si longtemps sans répondre à la question que Lantern aurait fort bien pu se demander s'il l'avait comprise.

« Déjà, on peut supposer qu'il prendrait rendez-vous et préciserait ses intentions, commença-t-il prudemment.

– Et dans ce cas ?

– Dans ce cas, mon assistante personnelle, Frau Ellenberger, me préviendrait. Et, si tout était dans l'ordre, je me rendrais disponible. S'il y avait un élément personnel (je ne suis pas sûr que cela s'appliquerait en l'occurrence, mais supposons que oui, par commodité), si son père à lui avait connu mon père à moi, par exemple, et s'il le mentionnait, alors évidemment nous mettrions un point d'honneur à lui réserver un accueil chaleureux. Frères a toujours accordé grand crédit à ce genre de continuité, ajouta-t-il, avant de marquer une pause pour renforcer le poids de ces paroles. En revanche, s'il n'y avait pas de rendez-vous, et si j'étais en réunion ou à l'extérieur, alors il est possible, quoique improbable, que l'affaire serait traitée sans que j'en aie connaissance. Ce qui serait malheureux. Je le regretterais fort. »

À en juger par son air soucieux, il semblait le regretter déjà.

« Mais bon, les lipizzans sont vraiment une catégorie à part, reprit-il d'un ton réprobateur. Et honnêtement, nous n'en sommes pas fiers. Quand il nous arrive d'y penser, j'imagine que nous en sommes venus à considérer les comptes encore existants comme en sommeil ou bloqués. Aucune correspondance directe avec les clients, tous les documents et les relevés conservés à la banque, ce genre de choses, quoi », conclut-il avec dédain.

Foreman et Lantern se consultèrent du regard pour déterminer qui devait enchaîner et jusqu'où il devait aller. À la surprise de Brue, c'est Lantern qui se lança.

« Voyez-vous, Tommy, il est urgent que nous parlions à ce jeune homme, expliqua-t-il dans un murmure encore plus assourdi où perçait toujours son accent des Midlands. Nous devons lui parler en privé et au plus vite. Discrètement, dès qu'il pointera le bout de son nez. Avant qu'il ait parlé à qui que ce soit d'autre. Mais il faut que cela paraisse naturel. La dernière chose que nous voulons, c'est qu'il pense que quelqu'un le surveille, ou que le personnel a été alerté, ou qu'on lui réserve un traitement particulier, que ce soit à la banque ou ailleurs. Ça ficherait tout par terre, pas vrai, Ted ?

– Absolument, confirma Foreman dans son nouveau rôle de second couteau.

– Il entre, il se fait annoncer, il voit la personne qu'il verrait si tout était normal, poursuivit Lantern. Il soumet sa requête, il règle son affaire, et pendant ce temps vous nous envoyez un signal. C'est tout ce qu'on vous demande, à ce stade.

– Et concrètement, comment je fais au juste pour vous envoyer un signal ?

– Vous composez le numéro de Ian à Berlin, reprit Foreman en bon lieutenant de Lantern. Tout de suite. Avant même de serrer la main du jeune homme ou de le faire monter dans votre bureau pour lui offrir un café. "Le jeune homme est là." C'est tout ce qu'il vous suffit de dire. Ian se chargera du reste. Il a du personnel. Il y a quelqu'un à côté du téléphone jour et nuit.

– Vingt-quatre heures sur vingt-quatre, sept jours sur sept », confirma Lantern en tendant sa carte à Brue par-dessus la table.

Des armoiries quasi royales en noir et blanc. Ambassade de Grande-Bretagne à Berlin. Ian K. Lantern, conseiller, Défense et Liaison. Une série de numéros de téléphone, dont un souligné au bic bleu et marqué d'un astérisque. Comment savaient-ils que mon bureau est à l'étage ? De la même manière qu'Annabel l'a découvert, en passant à vélo devant ma fenêtre ? Évitant le regard de ses hôtes, Brue rangea la carte de Lantern dans sa poche avec celle portant les mots « Karpov » et « lipizzan ».

« Alors, si j'ai bien compris, le scénario envisagé est le suivant, reprit-il. Corrigez-moi si je me trompe. Un tout nouveau client arrive à ma banque. C'est le fils d'un gros client aujourd'hui décédé. Et il revendique une somme sûrement importante. Et au lieu de le conseiller, ce qui serait mon rôle, sur la meilleure façon de l'investir en nous en confiant la gestion, je vous livre ce jeune homme sans même lui avoir parlé…

– Non, Tommy, le corrigea Lantern avec son sourire inoxydable.

– Pardon ?

– Pas *au lieu de*. En plus de. Nous voulons que vous fassiez les deux. D'abord, vous nous prévenez, et après vous vous comportez comme si de rien n'était. Il ne

200

sait pas que vous nous avez avertis, et la vie poursuit son cours normal.

– Donc, je triche.

– Si c'est comme ça que vous voulez le présenter.

– Pendant combien de temps ?

– Désolé, Tommy, ça c'est notre affaire. »

Peut-être Lantern avait-il répondu de façon plus abrupte qu'il n'en avait eu l'intention, ou bien était-ce seulement là l'impression de Foreman, son aîné, qui estima nécessaire de rectifier le tir.

« Ian a juste besoin d'avoir une conversation très privée et très importante avec le jeune homme, Tommy. Vous ne serez pas en train de nuire à votre client. En aucune façon. Si nous pouvions vous raconter toute l'histoire, vous sauriez qu'en fait c'est un énorme coup de main que vous lui donnerez là. »

Il est en train de se noyer. Tout ce que vous avez à faire, c'est de lui tendre la main, lui dit une voix d'enfant de chœur.

« Soit, mais vous comprendrez bien que c'est beaucoup demander à un banquier », persista Brue.

Les deux hommes se consultèrent à nouveau du regard et décidèrent que la tâche de lui répondre revenait cette fois à Foreman.

« Disons simplement que c'est une scorie du passé qui doit être effacée, Tommy. Ça vous irait, ça ? Des dossiers pas très nets qu'un de vos clients décédé a laissés en souffrance.

– Si on ne les liquide pas maintenant, ils pourraient revenir nous hanter cruellement, renchérit Lantern d'un ton grave, apparemment au sujet de ces dossiers en souffrance. Nous hanter tous autant que nous sommes.

– Tous autant que nous sommes ? » répéta Brue.

Après un nouveau coup d'œil à Lantern, Foreman haussa les épaules d'un air résigné, indiquant que, au point où il en était, il pouvait aussi bien aller jusqu'au bout et advienne que pourra.

« Je ne suis pas certain d'avoir le droit de vous dire ça, Tommy, mais je vais le faire quand même. À Londres, il y a quelques inquiétudes sur l'impact que tout ceci pourrait avoir sur votre banque si nous ne réglons pas la situation, voyez-vous.

– Nous faisons absolument tout ce qui est en notre pouvoir, Tommy, se hâta d'intervenir Lantern à titre de réconfort personnel. Au plus haut niveau.

– Au plus haut du plus haut, acquiesça Foreman.

– Encore une chose, Tommy, reprit Lantern comme en forme d'avertissement. Il n'est pas impossible que vous ayez des Allemands suspects qui viennent fouiner. Si jamais ça devait arriver, nous vous demanderons, là encore, de nous avertir aussitôt pour qu'on puisse arranger ça. Ce que nous ferons sans délai, du moment que vous nous en donnez l'occasion.

– Mais que diable viendraient faire ces Allemands ? demanda Brue, tout en songeant qu'il y avait au moins une Allemande qui fouinait déjà, mais que ce n'était pas ce genre d'Allemands contre lequel ils le mettaient en garde.

– Peut-être qu'ils ne raffolent pas des banquiers anglais qui gèrent des caisses noires sur leur turf », avança Lantern en arquant joliment ses jeunes sourcils.

Une fois dans le taxi, Brue consulta sa boîte vocale, puis appela Frau Ellenberger. Non, elle n'a pas appelé, Herr Tommy. Et pas non plus sur votre ligne directe.

* * *

Il existait un endroit, un endroit précieux, un endroit ouvert au public mais privé pour lui, où se réfugiait Brue lorsque la vie l'oppressait. C'était un petit musée consacré à l'œuvre du sculpteur Ernst Barlach. Brue n'avait rien d'un amateur d'art et il ne connaissait Barlach que de nom, et encore très vaguement, jusqu'à ce jour, deux ans plus tôt, où Georgie, par téléphone depuis les États-Unis, l'avait informé d'une voix atone que son bébé de six jours était mort. À cette nouvelle, il était sorti dans la rue, avait hélé le premier taxi venu et dit au chauffeur, un homme âgé d'origine croate, à en juger par le nom figurant sur sa licence, de l'emmener dans un lieu isolé, peu importait où. Une demi-heure plus tard, sans un autre mot échangé, ils arrivaient devant un bâtiment bas en brique à la lisière d'un grand parc. Pendant un instant d'écœurement, Brue crut avoir été conduit à un crématorium, mais une femme vendait des tickets derrière un bureau, alors il en acheta un et pénétra sous une verrière peuplée de personnages mythiques de la terre du milieu.

L'un flottait dans les airs en habit de moine, un deuxième s'abandonnait à la dépression, un troisième à la contemplation ou au désespoir. Un autre criait, mais impossible de dire si c'était de douleur ou de plaisir. Ce qui parut évident à Brue, en revanche, c'est que chaque personnage était aussi seul que lui, que chacun communiquait quelque chose sans que personne ne l'écoute, que chacun cherchait en vain le réconfort, ce qui constituait en soi un certain réconfort.

Et que le message qu'envoyait au monde l'œuvre de Barlach était une profonde perplexité mêlée de pitié face à la souffrance, ce qui expliquait pourquoi Brue y était peut-être allé une douzaine de fois depuis ce jour, soit quand il traversait une période de désespoir – son côté *chien battu*, comme disait Edward Amadeus –, soit quand les choses tournaient au vinaigre à la banque, ou encore quand Mitzi lui disait, presque littéralement, qu'il ne répondait pas à ses attentes exigeantes en matière de sexualité, chose qu'il avait plus ou moins devinée mais aurait préféré ne pas entendre.

En tout cas, jamais auparavant il n'était venu là dans un tel état de colère rentrée et de perplexité.

* * *

J'ai fait preuve de loyauté et je l'ai soutenue, dit-il aux créatures de Barlach. J'ai feint. J'ai menti comme eux ont menti : par omission. Leurs mensonges comportaient tant d'omissions que, le temps qu'ils les aient dévidés, je n'entendais plus que les mensonges. Des mensonges d'espion, pas dits à haute voix, mais présents en creux, à lire entre les lignes.

Issa n'a jamais été et n'est pas musulman. Mensonge.

Issa n'a jamais été un militant tchétchène. Il n'a jamais été militant de quoi que ce soit. Mensonge.

Issa n'est qu'un fils d'espion tout ce qu'il y a de plus ordinaire, comme moi, sur le point de réclamer son legs d'argent sale auprès de moi. Mensonge.

Et il n'a *certainement* pas été torturé ou emprisonné, et il ne s'est pas évadé, ça non !

Et il n'a pas le moindre rapport avec un prétendu terroriste islamiste en cavale recherché par les Suédois et placardé sur les sites web de toutes les polices – y compris, peut-on supposer en toute logique, celui des omniscients services secrets britanniques.

Non, non et non ! Le problème d'Issa, si c'en est un pour lui, est lié à des scories du passé, quoi que cela veuille dire. Il est lié à des dossiers pas très nets que nos pères ont laissés en souffrance, et qui font de nous, sans que l'on sache trop comment, des coupables complices.

Mais heureusement, si je fais tout ce qu'on me dit, MM. Foreman et Lantern, avec l'aide de leur plus haut niveau, vont sauver ma peau. Et pendant qu'ils y sont, ils vont aussi me sauver des Allemands.

En prenant congé de Barlach pour s'aventurer dans le parc baigné de soleil, Brue ne trouva au bout du compte rien à se reprocher. Il n'avait pas commis de faux pas. Un cri barlachien de douleur et de plaisir mêlés s'éleva en lui quand il s'éveilla à la réalité de ses sentiments. Depuis leur rencontre à l'Atlantic voilà des lustres, Annabel Richter n'avait cessé d'être une force didactique et, irait-il jusqu'à dire, morale. À compter de cet instant, il n'avait rien vu, il n'avait eu aucune pensée sans s'en référer mentalement à elle : est-ce ainsi qu'il faut faire, est-ce qu'Annabel approuverait ?

Au début, il s'était vu en victime innocente d'une OPA hostile. Puis il s'était regardé d'un œil narquois : moi, l'adolescent de soixante ans aux prises avec sa testostérone déclinante. À aucun moment le mot *amour* tant redouté, quoi qu'il puisse signifier pour lui, n'avait figuré dans le dialogue qu'il entretenait avec lui-même. L'amour, c'était Georgie. Au-delà de ça, les halètements torrides, les serments éternels, franchement, c'était pour les autres hommes. Et d'ailleurs, derrière toute cette comédie, il se demandait même si c'était pour les autres hommes, mais bon, c'était leur affaire. Quoi qu'il en soit, quand une femme deux fois plus jeune que vous fait irruption dans votre vie et se proclame votre directeur de conscience, vous n'avez d'autre choix que de lui prêter attention. A fortiori si elle se trouve être la femme la plus attirante et fascinante au monde, et l'amour le plus impossible à s'être jamais présenté à vous.

Et le sexe, dans tout ça ? Quand il avait épousé Mitzi, il savait déjà qu'il boxait au-dessus de sa catégorie. Il ne lui en voulait pas, et elle non plus, apparemment. Mis au pied du mur, il aurait sans doute dit qu'elle l'avait entretenu dans le style auquel il était habitué et le lui avait fait payer, ce qui était de bonne guerre. Il pouvait difficilement lui reprocher d'avoir des appétits qu'il n'arrivait pas à satisfaire.

Maintenant, enfin, il était capable de se comprendre. Il avait fait erreur sur ses besoins. Il ne s'était pas investi sur le bon marché. Ce n'était pas la copulation qu'il recherchait, c'était *ça*. Et maintenant il avait trouvé *ça*, ce qui constituait une révélation majeure et relativement surprenante sur sa propre nature. La testostérone déclinante n'était pas le problème. Le problème c'était *ça*, et *ça*, c'était Annabel.

Et c'était pour *ça*, entre autres raisons, qu'il avait menti à MM. Lantern et Foreman. Ils avaient évoqué son père comme s'il s'agissait de leur propriété personnelle. Ils avaient rudoyé le fils au nom du père, et ils croyaient le posséder lui aussi. Ils s'étaient aventurés trop près du domaine strictement réservé à Annabel et lui, et il les en avait exclus. Ce faisant, il était consciemment et délibérément entré dans la zone de danger d'Annabel, qu'il partageait à présent avec elle. En conséquence, sa propre vie était devenue palpitante et précieuse à ses yeux, et il l'en remerciait du fond du cœur.

* * *

« La maison Brue Frères prend l'eau, à ce qu'on dit », remarqua Mitzi.

C'était le même soir. Ils étaient assis dans la véranda à admirer le jardin. Brue sirotait un vieux calvados offert par un client français.

« Ah bon ? répliqua-t-il d'un ton badin. Première nouvelle. Et qui est-ce qui dit ça, si je peux me permettre de demander ?

– Bernhard, qui le tient de ton copain cacochyme Haug von Westerheim, qui est censé savoir ce genre de chose. Alors, c'est vrai ?

– Pas encore. Pas que je sache.

– Et toi, tu prends l'eau aussi ?

– Pas de façon trop flagrante. Pourquoi ?

– Tu as l'air incapable de te maîtriser. Tu sautes partout comme un petit chiot, et l'instant d'après tu détestes la terre entière. S'agit-il d'une femme, Tommy ? J'avais cru que nous n'avions plus trop d'attrait pour toi, ces derniers temps. »

Même selon les règles des jeux auxquels ils jouaient, ou ne jouaient pas, cette question était d'une franchise inhabituelle, et Brue s'accorda un temps exceptionnellement long pour esquiver.

« Il s'agit d'un *homme*, en fait », répliqua-t-il, mentalement sauvé par Issa.

Sur quoi Mitzi eut un sourire entendu et retourna à son livre.

8

Le bâtiment n'avait rien d'un sanctuaire, du moins vu de l'extérieur : témoin coupable et croulant de l'ère nazie emprisonné dans l'épi d'un carrefour par des panneaux publicitaires criards vantant des cigarettes, il arborait sur ses murs suintants des graffitis alternant couchers de soleil tropicaux et obscénités, avec pour voisins d'un côté le café Asyl dans sa petite échoppe en tôle, de l'autre une friperie africano-asiatique. À l'intérieur, cependant, tout était activité, efficacité et optimisme résolu.

Ainsi en allait-il par ce radieux lundi matin de printemps tandis qu'Annabel, s'efforçant de cultiver une apparence de normalité, hissait sa bicyclette à la force des bras sur le perron pour la garer à sa place habituelle dans le hall d'entrée et l'enchaîner à un tuyau, puis suivait les flèches fluorescentes : de l'escalier carrelé jusqu'au sas à l'étage où elle attendit comme toujours que Wangaza le réceptionniste repère son signe de la main à travers la porte vitrée et appuie sur le bouton qui déverrouillait le loquet ; de là dans le vestibule, où s'alignaient les rangées habituelles d'hommes en costume marron, de femmes voilées et d'enfants aux yeux cernés empilant des cubes dans l'aire de jeux vitrée, donnant de la laitue à la famille tortue ou passant un doigt envieux par le grillage du clapier à lapins – et pourquoi régnait-il un tel silence, ce matin, ou bien était-ce toujours le cas ? ; de là dans le bureau paysager où elle adressa au passage un bonjour et un sourire à Lisa et Maria, nos arabophones maison, déjà installées chacune face à son premier client de la journée ; de là dans le couloir des avocats, rendu paradisiaque par des rectangles de lumière matinale – et pourquoi la porte d'Ursula était-elle fermée si tôt un lundi matin et l'entrée interdite par la lampe rouge allumée au-dessus ? Ursula qui se flattait de toujours laisser sa porte ouverte pour le monde entier et enjoignait tous les autres d'en faire autant ? ; et de là dans son propre bureau, où elle se délesta de son sac à dos, le jeta par terre comme ce fardeau de culpabilité qu'il était devenu, s'assit à sa table, ferma les yeux et plongea un instant sa tête entre ses mains avant de se réfugier dans la contemplation aveugle de son écran d'ordinateur.

* * *

Dans le calme soudain de son bureau, dans cette même pièce où elle avait reçu l'appel initial de Melik, retransmis par Ursula, l'implorant de venir rencontrer un ami russophone qui avait désespérément besoin de son aide, elle repensa au week-end écoulé comme elle aurait fait le bilan de toute une vie.

Les morceaux du puzzle refusaient toujours de s'assembler. Sur deux jours et deux nuits, elle lui avait rendu visite cinq fois – ou bien six ? Ou plutôt sept, si on comptait le fait de l'y emmener ? Et le samedi soir. Et deux fois le dimanche. Et encore ce matin à l'aube, quand je l'ai interrompu dans ses prières. Combien de fois cela faisait-il en tout ?

Quant à retracer précisément les heures passées avec lui, les arranger en un semblant d'ordre rationnel, de quoi ils avaient parlé en marchant chacun sur sa corde raide, à quel moment ils avaient ri, à quel moment ils étaient rentrés chacun dans sa coquille – tout se mélangeait, et les différents incidents commençaient à s'intervertir.

Était-ce pour le dîner de samedi qu'ils avaient réchauffé de la soupe oignon pomme de terre sur son camping-gaz dans le noir, comme des enfants autour d'un feu de camp ?

« Pourquoi n'allumez-vous pas la lumière, Annabel ? Êtes-vous en Tchétchénie, à redouter un raid aérien ? Est-il illégal de faire briller des lumières ce soir ? Dans ce cas, tout Hambourg est dans l'illégalité.

– Mieux vaut ne pas attirer inutilement l'attention, c'est tout.

– Parfois, l'obscurité attire plus d'attention que la lumière », commenta-t-il après mûre réflexion.

Rien n'était vide de sens, pour lui. Un sens qui appartenait à son monde à lui, pas à celui d'Annabel. Rien qui ne soit frappé au coin d'une profondeur chèrement acquise face au désespoir.

Était-ce le dimanche matin ou l'après-midi qu'elle lui avait rapporté des journaux russes du kiosque de la gare ? Elle se rappelait y être allée à vélo et avoir déboursé une petite fortune pour acheter *Ogoniok*, *Novi Mir* et *Kommersant*, puis, sous l'impulsion du moment, un bouquet à l'étal du fleuriste. Elle avait d'abord pensé à un bégonia dont il pourrait s'occuper, sauf que, étant donné les projets qu'elle avait pour lui, mieux valait des fleurs coupées, mais lesquelles ? Les roses dénoteraient-elles de l'amour ? Surtout pas ! Elle s'était rabattue sur des tulipes, pour constater qu'elles ne tenaient pas dans le panier à l'avant de sa bicyclette, ce qui la contraignit à les tenir d'une main comme une torche olympique sur tout le trajet jusqu'au port, pour constater à son arrivée que la moitié des pétales avaient été emportés par le vent.

Et quand ils avaient écouté du Tchaïkovski, assis chacun à un bout du loft, et qu'il s'était levé d'un bond, avait éteint le lecteur de cassettes et regagné sa place sur la caisse en bois sous la fenêtre cintrée pour lui réciter un poème épique tchétchène sur les montagnes, les rivières, les forêts et les amours contrariées d'un noble chasseur, traduisant arbitrairement certains passages en russe quand l'envie lui en prenait ou bien, soupçonnait-elle, quand il en comprenait la signification, ce qui n'était pas toujours le cas, et serrant son bracelet en or dans sa main durant toute sa déclamation, eh bien était-ce hier soir ou samedi ?

Et quand donc lui avait-il raconté, au gré du flot de ses souvenirs, un tabassage subi en se faisant traîner d'une pièce à une autre par deux hommes qu'il s'entêtait à appeler les « Japonais », de là à savoir s'il s'agissait d'une description réelle de leur origine ou de leur surnom en prison, et si ce tabassage avait eu lieu en Russie ou en Turquie, il n'en semblait pas très sûr. Seules lui importaient les pièces : dans cette pièce-ci ils m'ont frappé aux pieds, dans celle-là sur le corps, dans celle-ci ils m'ont mis des électrodes.

Sans savoir quand, elle savait que c'était l'instant où elle avait failli tomber amoureuse de lui, un tel degré d'intimité relevant d'un acte de générosité si inouï qu'il faisait résonner tout son être : cet homme à qui tout est dû s'humilie pour que je puisse le connaître et le soigner, et moi, qu'ai-je à lui donner en retour ? Mais à peine la réponse avait-elle menacé de se faire jour qu'Annabel l'avait catégoriquement rejetée, parce que cette voie menait à la négation de la promesse qu'elle s'était faite : faire passer la vie d'Issa, et non pas son amour, avant la loi.

Elle savait aussi qu'il y avait eu de longs moments où, comme les gens habitués à la solitude, il avait peu parlé, voire pas du tout. Mais ses silences n'étaient pas pesants. Elle y voyait une sorte de compliment, un nouveau témoignage de confiance. Et à la fin de ces parenthèses, Issa devenait si volubile qu'on eût dit les retrouvailles de deux vieux amis, Annabel se surprenant à se comporter de même, à papoter sur sa sœur Heidi et ses trois bébés, sur Hugo le brillant médecin dont elle était si fière – Issa ne se lassait pas d'en entendre parler – et même sur le cancer de sa mère.

Mais jamais sur son père, allez savoir pourquoi. Peut-être à cause de son ancien poste d'attaché juridique à Moscou. Ou bien était-ce l'ombre oppressante du colonel Karpov qu'elle percevait ? Ou peut-être savait-elle qu'aujourd'hui enfin c'était elle-même, et non son père, qui contrôlait sa vie.

Malgré tout elle restait l'avocate d'Issa, pas seulement sa gardienne. Elle lui avait déjà dit et redit vingt fois, conseillé, quasiment ordonné, de faire une requête en bonne et due forme pour entrer en possession de son héritage, mais toujours en vain. Ce qu'elle espérait lui faire obtenir par cette requête, elle osait à peine y penser. Mais qui pouvait douter que, si l'héritage était aussi énorme que Brue l'avait laissé entendre, toutes sortes de portes s'ouvriraient mystérieusement à lui ? Il se chuchotait au Sanctuaire que certains Arabes ou Indiens fortunés qui traînaient des ribambelles de casseroles derrière eux avaient pourtant vu leur dossier bénéficier d'un traitement de faveur sur la foi d'une belle petite propriété bien allemande et d'un beau petit compte en banque bien allemand.

Occupe-toi en priorité de le faire soigner, se dit-elle. Une fois qu'il sera calmé et rétabli, travaille-le au corps. Attends la solution Hugo.

Et Brue, dans tout ça ? De façon réaliste quoique instinctive, elle pensait bien avoir cerné le personnage : un homme riche et solitaire en bout de course qui cherchait la consécration de l'amour.

Son téléphone sonnait. Ursula en interne.

« On repousse la réunion habituelle du lundi à 14 heures, Annabel. Ça te va ?

– Très bien. »

Non, pas très bien. Le ton sec d'Ursula sonnait comme un avertissement. Elle a quelqu'un dans son bureau. Elle joue pour un public.

« Herr Werner est ici avec moi.

– Werner ?

– De l'Office de protection de la constitution. Il souhaite te poser quelques questions concernant un de tes clients.

– Impossible. Je suis avocate. Il n'a pas le droit de m'interroger et je n'ai pas le droit de lui répondre. Il doit connaître la loi aussi bien que toi et moi, insista-t-elle avant d'ajouter, faute de réaction d'Ursula : Et puis, de quel client s'agit-il, de toute façon ? »

Il est debout derrière elle, songea-t-elle. Il écoute toute notre conversation.

« Herr Werner est venu avec Herr *Dinkelmann*, Annabel, lui aussi de l'Office de protection. Ce sont des messieurs très sérieux et ils souhaitent discuter de toute urgence avec toi d'une "menace d'attentat imminent". »

Elle cite leurs paroles, elle les fait mousser pour m'en imposer.

* * *

Herr Werner était un homme replet bientôt trente-naire, avec de petits yeux larmoyants sous des sourcils blond cendré et un teint pâle congestionné par les excès de bouche. Lorsque Annabel entra dans la pièce,

Ursula était assise à son bureau et Herr Werner debout derrière elle, exactement comme prévu, la tête penchée en arrière et sa bouche tombante pincée en une moue hautaine tandis qu'il soumettait Annabel à une fouille au corps visuelle prolongée : visage, poitrine, hanches, jambes et retour au visage. Une fois son inspection terminée, il fit un pas raide en avant, lui attrapa la main et s'inclina à demi.

« Frau Richter, je m'appelle Werner. Je suis l'un de ces fonctionnaires payés pour permettre au bon peuple allemand de dormir tranquille la nuit. Selon la loi, mon Office a des responsabilités, mais aucun pouvoir exécutif. Nous sommes des employés du gouvernement, pas des policiers. Mais vous êtes avocate, donc vous le savez déjà. Permettez-moi de vous présenter Herr Dinkelmann, de notre Unité de coordination », poursuivit-il en lui lâchant la main.

Mais Herr Dinkelmann de notre Unité de coordination restait invisible. Assis dans un coin derrière le bureau d'Ursula, il finit par en émerger. La quarantaine bien sonnée, les cheveux châtains, courtaud, vêtu d'une veste en lin froissée de bibliothécaire sur une vieille cravate à carreaux, il affichait un air désolé comme pour s'excuser de ne plus être au sommet de sa carrière.

« De coordination ? répéta Annabel en coulant un regard en coin à Ursula. Et vous coordonnez quoi, Herr Dinkelmann ? Ou bien n'avons-nous pas le droit de le savoir ? »

Le sourire d'Ursula n'était guère engageant, mais celui de Herr Dinkelmann fut aussi bref que ravageur. Un sourire de clown, d'une oreille à l'autre.

« Frau Richter, sans moi le monde non coordonné s'effondrerait sur-le-champ », plaisanta-t-il, gardant sa main dans la sienne une seconde de plus que nécessaire, jugea-t-elle.

* * *

Ils s'assirent tous quatre autour de la table basse en bois de pin. Le dos droit, les yeux bleus, ses cheveux prématurément gris relevés en chignon, Ursula tenait le rôle de la mère supérieure. Ses fauteuils en tapisserie étaient si profonds qu'ils interdisaient à leurs occupants toute velléité de condescendance. Sur chacun reposait un de ses coussins brodés à la main. Les travaux d'aiguille sont ma façon de gérer ma colère, avait-elle expliqué à Annabel lors d'une de leurs petites conversations. Un thermos de café format géant, du lait, du sucre, des tasses et un bel assortiment d'eaux diverses et variées. Ursula apprécie l'eau en vrai gourmet, comme moi. Et à mi-chemin entre le café et les bouteilles d'eau, une photographie sur papier brillant d'Issa, face et profils.

Seule Annabel regardait la photographie d'Issa, se rendit-elle compte peu à peu. Les trois autres regardaient Annabel, Werner avec un air appuyé de perspicacité professionnelle, Dinkelmann avec son sourire de clown, et Ursula avec cette impassibilité étudiée qu'elle adoptait dans les moments de crise.

« Reconnais-tu cet homme, Annabel ? s'enquit Ursula. En tant qu'avocate, tu n'es pas tenue de dire quoi que ce soit à ces messieurs sauf si tu fais toi-même l'objet d'une enquête. Nous le savons toutes les deux.

– Mais nous le savons aussi, Frau Meyer ! se récria Herr Werner. Depuis le premier jour de notre stage de formation ! Les avocats, c'est zone interdite. Pas touche, surtout si ce sont des dames ! ajouta-t-il, satisfait de son petit sous-entendu. Et nous sommes aussi bien conscients que vous êtes soumise au secret professionnel concernant votre client, Frau Richter. Nous respectons aussi ce principe. Totalement, n'est-ce pas, Dinkelmann ? »

Docile, le sourire de clown confirma ce « totalement ».

« Il serait *complètement* illégal pour nous de vouloir persuader Frau Richter de se soustraire à son devoir de confidentialité. Et pour vous aussi, Frau Meyer. Même vous, vous n'avez pas le droit de l'en persuader ! Sauf si elle fait personnellement l'objet d'une enquête, ce qui n'est à l'évidence pas le cas. Pas à cet instant précis. C'est une avocate, c'est une citoyenne allemande, une honnête citoyenne, supposons-nous, elle appartient à une famille de juristes distingués. Une telle personne ne fait pas l'objet d'une enquête, sauf en des circonstances absolument exceptionnelles. Tel est l'esprit de notre constitution, et nous en sommes les protecteurs dans l'esprit et dans la lettre. Alors *évidemment* que nous savons. »

Il s'arrêta enfin. Et attendit. En regardant Annabel. Ils la regardaient tous les trois. Seul Dinkelmann souriait.

« En effet, je reconnais cet homme, concéda Annabel après un long délai destiné à marquer ses scrupules professionnels. C'est l'un de nos clients, un client récent, expliqua-t-elle à Ursula et à elle seule. Tu ne l'as pas rencontré, tu me l'as adressé parce qu'il est russophone, ajouta-t-elle en ramassant la photo d'un geste mesuré, pour affecter de l'étudier de plus près, avant de la reposer.

– Quel est son *nom*, je vous prie, Frau Richter ? lança Werner dans son oreille gauche. Nous ne vous pressons pas. Peut-être êtes-vous également contrainte de ne pas divulguer son nom. Si c'est le cas, nous ne vous pressons pas. C'est juste qu'on a une menace d'attentat imminent, mais bon, tant pis, hein ?

– Il s'appelle *Issa Karpov*, du moins c'est ce qu'il dit, révéla-t-elle, toujours délibérément et nettement à

Ursula. Il est moitié russe, moitié tchétchène, du moins c'est ce qu'il dit. Avec certains clients, on ne peut jamais être sûr, nous sommes bien placées pour le savoir, toi et moi.

– Ah, mais *nous*, on peut être sûrs, Frau Richter ! contra Werner avec une vigueur inattendue. Issa Karpov est un criminel islamiste russe condamné à de nombreuses reprises pour activisme. Il est entré clandestinement en Allemagne par l'entremise d'autres criminels, peut-être islamistes eux aussi, et il ne jouit d'aucun droit dans ce pays.

– Allons, allons, tout le monde a des droits, lui opposa Annabel en douceur.

– Pas dans sa situation, Frau Richter, pas dans sa situation.

– Mais M. Karpov a contacté Sanctuaire Nord afin de régulariser sa situation, justement, objecta Annabel.

– Ma pauvre ! fit Werner après un éclat de rire forcé. Votre client ne vous a pas dit que le bateau qu'il avait pris a fait escale à Göteborg et qu'il s'en est échappé pour pouvoir entrer clandestinement en Allemagne ? Et qu'il s'est échappé aussi à Copenhague ? Après s'être échappé de Turquie et avant cela de Russie ?

– Ce que mon client m'a dit reste entre mon client et moi et n'a pas à être divulgué à des tiers sans son accord, Herr Werner. »

Ursula affichait son expression la plus impénétrable. À côté d'elle, l'air pensif, Herr Dinkelmann passait et repassait ses doigts boudinés sur ses lèvres tout en regardant Annabel avec un sourire paternel.

« Frau Richter, reprit Werner d'un ton indiquant que sa patience avait des limites. Nous recherchons de façon *urgente* un *fugitif islamiste violent*. C'est un homme désespéré, soupçonné d'être en contact avec des terroristes. Notre tâche est de protéger la population. Et de vous protéger vous aussi, Frau Richter.

Vous êtes une femme seule et sans défense. Et très séduisante, si je puis me permettre. En conséquence, nous vous demandons à vous et à Frau Meyer ici présente de nous aider à faire notre devoir. Où peut-on trouver cet homme, je vous prie ? Et deuxième question, qui est peut-être la première : *quand l'avez-vous vu pour la dernière fois ?* Mais seulement si vous souhaitez répondre, évidemment. Peut-être que cela ne vous dérange pas de protéger un terroriste ou de faciliter l'organisation d'un attentat. »

Souhaitant consulter Ursula sur la recevabilité de cette question, Annabel se tourna pour lui adresser la parole, mais c'était là plus que Herr Werner ne pouvait en supporter.

« Pas besoin de demander à votre directrice, Frau Richter ! Je vais jouer franc jeu, et après vous pourrez décider de la réponse adéquate en fonction des intérêts de votre client. Personne ne vous force. Je le dis devant témoins. *Qu'avez-vous fait d'Issa Karpov après avoir quitté la maison de Mme Leïla Oktay à 4 heures du matin samedi ?* »

* * *

Donc, ils savaient.

Ils savaient, mais pas tout.

Ils savaient de l'extérieur, mais pas de l'intérieur. Du moins devait-elle le croire. S'ils avaient su de l'intérieur, Issa serait déjà sur le vol pour Saint-Pétersbourg, comme Magomed, à lui faire signe par le hublot de ses mains menottées.

« Frau Richter, je vous repose la question, s'il vous plaît. Qu'avez-vous fait d'Issa Karpov en quittant la maison des Oktay ?

– Je l'ai escorté.

– À pied ?

– À pied.

– À 4 heures du matin ? Vous faites ça avec tous vos clients ? Vous arpentez les rues avec eux à l'aube ? C'est une pratique courante pour une jeune avocate séduisante ? Si là encore je vous impose de faillir à votre devoir de confidentialité, je retire complètement ma question. Vous allez ralentir notre enquête, mais peu importe. Nous lui mettrons la main dessus, même si c'est trop tard.

– Notre discussion s'était poursuivie jusqu'au petit matin, ce qui n'est pas inhabituel avec les clients d'origine moyen-orientale ou indienne, reprit Annabel après mûre réflexion. Il régnait une certaine tension chez les Oktay. M. Karpov ne souhaitait pas abuser plus longtemps de leur hospitalité. C'est un homme d'une grande sensibilité. Son statut de clandestin commençait à les angoisser, et il en était conscient. Et en plus, ils s'apprêtent à partir en Turquie pour des vacances. »

Elle continuait à adresser ses réponses à Ursula plutôt qu'à Werner, les formulant en phrases courtes, guettant chaque fois l'approbation d'Ursula avant de passer à la suivante. Tel un sphinx, Ursula scrutait le vide les yeux mi-clos tandis que Herr Dinkelmann, assis près d'elle l'air très détendu, ne se départait pas de son doux sourire.

« Veuillez décrire précisément votre itinéraire, Frau Richter ! Et les moyens de transport utilisés. Je dois vous avertir que vous êtes potentiellement dans une situation dangereuse, là, et pas seulement à cause d'Issa Karpov. Nous ne sommes pas des policiers, mais nous avons des responsabilités. Allez-y, je vous prie.

– On est allés à pied jusqu'à l'Eppendorfer Baum et on a pris le métro.

– Pour où ? Je vous prierais de bien vouloir nous raconter toute l'histoire, et pas des bribes.

– Mon client était très perturbé, et le métro l'angoissait. Au bout de quatre stations, on a pris un taxi.

– Vous avez pris un taxi. Toujours une information à la fois. Pourquoi vous faut-il nous livrer chaque fait comme une pépite d'or, Frau Richter ? Vous avez pris un taxi pour aller où ?

– On n'avait pas vraiment de destination programmée.

– Vous plaisantez ? Vous avez donné une adresse au chauffeur : un carrefour à moins d'un kilomètre du consulat américain ! Comment pouvez-vous nous dire que vous n'aviez pas de destination alors que vous en avez donné une au chauffeur ?

– C'est très simple, Herr Werner. Si vous pouviez pénétrer ne serait-ce qu'un instant dans la mentalité de beaucoup de nos clients, vous comprendriez que de telles choses se produisent tous les jours. »

Elle s'en sortait brillamment. Pas un mot déplacé. Pas la moindre erreur. Elle n'avait jamais été aussi bonne lors des forums familiaux d'arguties juridiques.

« M. Karpov avait une destination en tête, mais, pour des raisons qui lui sont propres, il ne souhaitait pas me la communiquer, poursuivit-elle. Ce carrefour mène à plusieurs directions. Et il me convenait aussi très bien puisqu'il se trouve que je n'habite pas loin.

– Mais pourquoi n'avez-vous pas pris le taxi jusqu'à votre appartement ? Vous seriez arrivée tranquillement à bon port et lui aurait pu partir à pied de là. Ou bien nous heurtons-nous une fois de plus à un obstacle insurmontable dans votre histoire ?

– Non, il n'était pas question que j'aille en taxi jusqu'à mon appartement, lui rétorqua-t-elle en pleine face.

– Pourquoi pas ?

– Peut-être que je ne suis pas allée à mon appartement.

– Et pourquoi ?

– Peut-être que je ne souhaite pas montrer à mes clients où j'habite. Peut-être que j'ai décidé d'aller à l'appartement de l'un de mes nombreux amants, Herr Werner, ajouta-t-elle en songeant qu'il aimerait bien en faire partie.

– Mais vous avez renvoyé le taxi.

– Oui.

– Et vous avez continué à pied. Et nous ne sommes pas autorisés à savoir jusqu'où.

– C'est exact.

– Et Karpov a marché avec vous, c'est évident ! Il n'aurait pas laissé une jolie femme comme vous seule dans la rue à 4 h 30 du matin. C'est un homme sensible. Pas du tout dangereux. Vous l'avez dit vous-même, pas vrai ?

– Non.

– Quoi, non ?

– Non, il n'a pas marché avec moi.

– Il a marché aussi, mais dans une autre direction.

– En effet. Il est parti vers le nord et il a disparu. Je suppose qu'il a pris une rue transversale. Je me souciais moins de la direction qu'il prenait que du fait qu'il ne me suive pas.

– Et après ça ?

– Quoi, après ça ?

– Vous ne l'avez pas revu depuis ? Vous n'avez pas eu de contact avec lui ?

– Non.

– Pas même par des intermédiaires ?

– Non.

– Mais bien sûr il vous a laissé un numéro de téléphone. Et une adresse. Un immigré clandestin aux abois ne se dégote pas une jeune défenderesse de talent un jour pour la laisser tomber le lendemain, j'imagine.

– Il ne m'a donné ni téléphone ni adresse, Herr Werner. Dans notre travail, ça aussi c'est normal. Il a le numéro du Sanctuaire. J'espère bien évidemment que nous aurons de ses nouvelles, mais il se peut très bien que non, précisa-t-elle, guettant une fois de plus la confirmation tacite d'Ursula, mais ne recevant qu'un très vague hochement de tête. C'est la nature même de notre travail ici au Sanctuaire. Les clients entrent dans notre vie, et ils en disparaissent. Ils ont besoin de temps pour parler à leurs camarades de détresse, pour prier, pour récupérer ou pour se cacher. Peut-être M. Karpov a-t-il une femme et une famille déjà sur place. Il est rare qu'on nous raconte toute l'histoire. Peut-être a-t-il des amis, des compatriotes russes, des compatriotes tchétchènes. Peut-être s'est-il placé entre les mains d'une communauté religieuse. Nous l'ignorons. Parfois ils reviennent le lendemain, parfois six mois plus tard, parfois jamais. »

Herr Werner cherchait encore comment lancer sa contre-attaque lorsque son collègue jusqu'alors silencieux se décida à entrer dans la conversation.

* * *

« Et cet autre type qui était dans la maison des Turcs vendredi soir ? s'enquit Herr Dinkelmann du ton convivial d'un habitué des cocktails. Un grand type distingué avec de beaux vêtements. De mon âge, sinon plus âgé. C'est aussi un avocat de Karpov ? »

Annabel se rappela la conférence de son professeur de droit à Tübingen sur l'art du contre-interrogatoire. Ne jamais sous-estimer le silence d'un témoin, aimait-il à dire. Il y a des silences éloquents, des silences coupables, des silences de réelle stupéfaction et des silences créatifs. Le truc, c'est de reconnaître quel genre de

222

silence vous oppose votre témoin. Sauf que ce silence-ci était celui d'Annabel.

« Ça fait partie de vos activités de coordination, Herr Dinkelmann ? demanda-t-elle d'un ton badin tout en essayant désespérément de rassembler ses idées.

– Pas de petits jeux avec moi, Frau Richter, contra-t-il, son sourire de clown parfaitement en place. Je suis trop susceptible. Dites-moi juste qui était cet homme. Vous l'avez amené avec vous. Il est resté dans cette maison pendant des heures. Et puis il est parti tout seul, le pauvre. Il a marché dans toute la ville comme s'il avait perdu quelque chose. Qu'est-ce qu'il cherchait ? demanda-t-il avant d'en appeler à Ursula : Frau Meyer, dans cette histoire, tout le monde passe son temps à marcher. Ça m'épuise ! commenta-t-il avant de se retourner tranquillement vers Annabel. Allons, dites-moi juste qui c'est. Un nom. N'importe quel nom. Inventez, s'il le faut. »

Mais Annabel avait revêtu l'expression de son père, celle qui intimait de ne plus jamais soulever cette question.

« Mon client a un bienfaiteur potentiel ici à Hambourg. En raison de son statut social, ce bienfaiteur souhaite rester anonyme pour l'instant. J'ai accepté de respecter son souhait.

– Respectons-le tous. Il a parlé, ou bien il est juste resté assis à regarder, ce bienfaiteur anonyme ?

– Parlé à qui ?

– À votre homme, Issa. À vous.

– Ce n'est pas mon homme.

– Je suis en train de vous demander si le bienfaiteur anonyme de votre client a participé à votre conversation. Je ne suis pas en train de vous demander quel était le sujet de cette conversation. Je vous demande : y a-t-il participé, ou bien est-il sourd et muet ?

– Il y a participé.

– Bien, donc, c'était une conversation à trois. Vous, le bienfaiteur et Issa. Vous pouvez me le dire, ça. Vous ne violez aucune règle. Vous étiez assis là tous les trois et vous avez taillé une petite bavette. Vous pouvez me répondre par oui ou par non.

– Alors, oui, dit-elle en haussant les épaules.

– Un échange de vues libre. Vous aviez des choses à discuter que vous ne pouvez pas nous révéler. Mais vous en avez discuté de façon libre et sans contrainte, c'est ça ?

– Je ne vois pas ce que vous êtes en train d'insinuer.

– Ne cherchez pas. Répondez simplement à ma question. Avez-vous eu un échange libre et sans frein, tous les trois, une conversation spontanée, sans obstacle ?

– Tout ceci est ridicule.

– Oui, en effet. Alors ?

– Oui.

– Donc il parle russe, comme vous.

– Je n'ai rien dit de tel.

– Non, en effet. Il a fallu qu'on le dise à votre place. Je vous admire. Votre client a bien de la chance.

– Alors c'est *là* que votre Issa Karpov est allé quand vous l'avez quitté à 4 h 30 du matin ! s'écria Herr Werner dans une ultime tentative pour reprendre la haute main. Il est allé voir son bienfaiteur anonyme ! Peut-être même le bailleur de fonds terroriste ! Vous l'avez laissé à un carrefour dans un quartier huppé de la ville, et dès que vous avez été hors de portée il s'est rendu chez son bienfaiteur. Pensez-vous que ce soit là une hypothèse raisonnable ?

– Aussi raisonnable ou déraisonnable que n'importe quelle autre hypothèse, Herr Werner », répliqua Annabel.

Étonnamment, ce fut le charmant et ringard Herr Dinkelmann, plutôt que son jeune supérieur fougueux, qui décréta qu'ils retenaient Frau Meyer et Frau Richter depuis bien trop longtemps.

* * *

« Annabel ? »

Elles étaient seules toutes les deux.

« Oui, Ursula ?

– Peut-être vaudrait-il mieux que tu n'assistes pas à la réunion de cet après-midi. Je te soupçonne d'avoir un emploi du temps bien chargé. Y a-t-il autre chose que tu souhaiterais me dire sur notre client en vadrouille ? »

Annabel n'avait rien d'autre à dire.

« Parfait. Notre monde est un monde de compromis. Nous n'avons pas toujours de solution parfaite à disposition, quoi qu'il nous en coûte. Mais je crois que nous avons déjà eu cette conversation par le passé. »

En effet. Au sujet de Magomed. On ne peut pas attendre d'une institution qu'elle réalise nos utopies personnelles, Ursula lui avait-elle dit quand Annabel avait organisé un mouvement de protestation du personnel devant son bureau.

* * *

Ce n'était pas de la panique. Annabel ne paniquait jamais. La panique n'appartenait pas à son univers. Elle était en train de réagir à une situation critique qui menaçait de dégénérer.

Elle quitta le Sanctuaire et fila à bicyclette jusqu'à une station-service en lisière de la ville, guettant dans les deux rétroviseurs montés sur son guidon les signes d'une éventuelle filature. Quels signes, elle n'en avait aucune idée.

À la caisse, elle fit de la monnaie.

Elle composa le numéro du portable de Hugo et tomba sur sa boîte vocale, comme elle s'y attendait.

Elle appela les renseignements et obtint le numéro de l'hôpital où il travaillait.

Lundi, c'était conférence toute la journée, lui avait-il dit. Appelle-moi lundi soir. Mais lundi soir, désormais, c'était trop tard. La conférence avait pour objet la restructuration de l'aile psychiatrique de l'hôpital, se rappela-t-elle. Elle tomba d'abord sur la standardiste et, après une âpre négociation, sur la secrétaire du directeur. Elle était la sœur du Dr Hugo Richter, expliqua-t-elle, et il s'agissait d'une urgence familiale, et serait-il possible de le faire venir au téléphone pour une conversation très rapide ?

« J'espère que ça en vaut la peine, Annabel.

– Mon client a pété les plombs, Hugo. Il faut qu'il puisse rentrer en clinique maintenant. Et quand je dis maintenant, c'est vraiment maintenant.

– Quelle heure est-il ? demanda Hugo, le seul médecin au monde à ne jamais porter de montre.

– 10 h 30. Du matin.

– Je te rappelle pendant ma pause déjeuner. À 12 h 30. Sur ton portable. Il marche, maintenant, ou tu ne l'as toujours pas rechargé ? »

Elle faillit dire « pas sur le portable », mais se contenta d'un « merci, Hugo, vraiment merci », ajoutant que son portable marchait très bien, maintenant.

Devant la station-service, deux femmes s'occupaient d'une camionnette jaune décrépite. Annabel les chassa de son esprit. Les camionnettes de Herr Werner seraient immaculées. Pour passer le temps, elle se rendit à son centre commercial favori : les harengs fraîchement marinés qu'il adore, du chocolat noir bio et de l'emmental pour ce qui serait, priait-elle, leur dernière soirée au loft. Et la marque d'eau plate qu'elle préférait, et qui était devenue aussi la préférée d'Issa.

Hugo rappela à 12 h 30 précises, comme elle s'en doutait, montre ou pas montre. Elle était assise sur un

226

banc dans un parc, sa bicyclette appuyée contre un réverbère. Il démarra d'un ton agressif. Elle espéra que c'était bon signe.

« Et j'imagine que c'est moi, le docteur qui l'envoie dans cette clinique ? Je suis censé signer une ordonnance sans même connaître son nom ? Parce que ça, c'est hors de question. De toute façon, tu n'as même pas besoin d'une fausse ordonnance, poursuivit-il sans lui laisser le temps de répondre. Ils auront forcément un psy maison qui lui prendra le pouls et posera un diagnostic à mille euros par jour. Bon, j'ai deux options, du cinq étoiles hors de prix. »

Annabel écarta sa première suggestion, à Königswinter, pour cause de distance. La seconde était idéale : une ferme reconvertie près de Husum, à deux heures de train à peine au nord de Hambourg.

« Demande Herr Doktor Fischer et n'oublie pas de te boucher le nez avec une pince à linge. Voilà le numéro. Et ne me remercie pas. J'espère juste qu'il en vaut la peine.

– Oui, il en vaut la peine », confirma-t-elle avant de composer le numéro indiqué.

Le Dr Fischer comprit instantanément la situation.

Il comprit instantanément qu'Annabel parlait d'un ami proche, mais se garda de s'enquérir de la nature de leur amitié.

Il comprit instantanément ses exigences en matière de discrétion téléphonique et les partageait.

Il comprit que ce patient anonyme ne parlait que le russe, mais n'y voyait pas d'inconvénient puisque plusieurs de ses infirmières les plus expérimentées venaient de ce qu'il appela délicatement « l'Est ».

Il comprit que ce patient n'était nullement violent, mais traumatisé par une série d'incidents malheureux dont il vaudrait mieux discuter de vive voix.

Il convint qu'un régime de repos complet, de nourriture abondante et de promenades accompagnées pourrait bien assurer la guérison souhaitée. De telles décisions dépendraient naturellement de l'examen approfondi de son cas.

Il comprit la situation d'urgence, et proposa un entretien initial sans engagement entre le patient, son accompagnatrice et un praticien.

Oui, parfait, demain après-midi conviendrait très bien, est-ce que 16 heures vous irait ? Disons 16 heures pile, alors.

Au fait, quelques détails encore. Le patient pouvait-il se déplacer seul ou aurait-il besoin d'assistance ? Des brancardiers qualifiés et des moyens de transport adaptés étaient disponibles moyennant supplément.

Il comprit enfin qu'Annabel pourrait souhaiter avoir une idée des tarifs journaliers de la clinique qui, même sans supplément pour assistance spécialisée, se révélèrent astronomiques. Mais, grâce à Brue : Parfait, dit-elle, son ami malade était heureusement en position de verser des arrhes substantielles.

Eh bien à demain 16 heures, alors, Frau Richter. Nous pourrons, je l'espère, régler au plus vite toutes les formalités restantes. Vous pouvez me redonner votre nom ? Votre adresse ? Profession, s'il vous plaît ? Et ceci est bien le numéro de portable où l'on peut vous joindre ?

* * *

Elle lui avait apporté le jeu d'échecs de sa grand-mère, un véritable trésor. Elle s'en voulait de ne pas y avoir pensé plus tôt. Pour lui, c'était un sport complet. Avant de jouer un coup, il restait assis immobile sur le rebord de la fenêtre cintrée en brique, où elle supposait qu'il passait tout son temps en son absence, ses longues jambes croisées, ses mains effilées de philosophe serrées sur ses genoux remontés jusqu'au menton. Puis il bondissait, jouait son coup, sautait de nouveau sur ses pieds et dansait jusqu'à l'autre bout du loft pour faire voler ses avions en papier et tourbillonner au rythme de Tchaïkovski tandis qu'elle-même planifiait son coup. Il l'avait assurée que la musique n'était pas prohibée par la loi islamique du moment qu'elle ne perturbait pas le rituel de prières. Ses préceptes religieux semblaient parfois des leçons apprises plus que des convictions.

« Je suis en train de m'organiser pour vous emmener ailleurs demain, Issa, déclara-t-elle à la faveur d'un moment de détente. Un endroit plus confortable où on pourra s'occuper correctement de vous. De bons médecins, de la bonne nourriture, tous les conforts de l'Occident décadent. »

La musique s'était arrêtée, le bruit de ses pas aussi.

« Pour me cacher, Annabel ?

– Pendant quelque temps, oui.

– Vous serez avec moi ? demanda-t-il en tendant la main vers le bracelet de sa mère.

– Je vous rendrai visite. Souvent. Je vous y emmènerai, et je viendrai vous voir aussi souvent que possible. Ce n'est pas très loin. À deux heures de train, précisa-t-elle négligemment, comme prévu.

– Leïla et Melik vont venir aussi ?

– Je ne crois pas, non. Pas tant que vous n'aurez pas été régularisé.

– Annabel, cet endroit où vous allez me cacher, c'est une prison ?

– Mais non, ce n'est pas une prison ! s'exclama-t-elle avant de se calmer. C'est un endroit pour se reposer. Un genre de… »

Elle ne voulait pas dire le mot, mais le dit quand même.

« Un genre de clinique spécialisée où vous pourrez reprendre des forces en attendant que M. Brue nous fasse signe.

– Une clinique *spécialisée* ?

– Une clinique privée. Mais atrocement chère, forcément vu la qualité des prestations. C'est pourquoi il faut qu'on reparle de l'argent que M. Brue détient en votre nom. M. Brue nous a généreusement avancé de l'argent pour votre séjour là-bas. Raison de plus pour faire votre requête sur votre héritage. Pour pouvoir rembourser M. Brue.

– C'est une clinique du *KGB* ?

– Mais enfin, Issa, nous n'avons pas de KGB, ici ! »

Elle se maudissait d'avoir été si stupide. Pour lui, une clinique, c'était pire que la prison.

Il devait prier. Elle se retira dans la cuisine. À son retour, il était perché à sa place habituelle sur le rebord de la fenêtre.

« Votre mère vous a-t-elle appris à chanter, Annabel ? demanda-t-il d'un ton pensif.

– Quand j'étais jeune, elle m'emmenait à l'église. Mais je ne crois pas qu'elle m'ait appris à chanter, cela dit. Je crois que personne ne l'a fait. Je crois que personne n'en aurait été capable, pas même les meilleurs professeurs.

– Il me suffit de vous entendre parler. Votre mère est-elle catholique ?

– Luthérienne. Elle est chrétienne, mais pas catholique.

– Et vous êtes aussi luthérienne, Annabel ?

– J'ai été élevée dans cette foi.

– Vous priez Jésus, Annabel ?

– Plus maintenant.

– Vous priez le Dieu unique ?

– Issa, écoutez-moi, fit-elle, à bout.

– Je vous écoute, Annabel.

– On ne peut pas éluder ce problème en n'en parlant pas. C'est une bonne clinique. Cette bonne clinique est un endroit où vous serez en sécurité. Pour que vous séjourniez dans cette bonne clinique, nous devons récupérer votre argent. Ce qui veut dire que vous devez faire cette requête. C'est votre avocate qui vous parle. Si vous ne faites pas cette requête, vous ne pourrez pas faire d'études de médecine ici ni nulle part ailleurs dans le monde. Ni quoi que ce soit d'autre que vous voudrez faire de votre vie.

– La parole de Dieu prévaudra. Ce sera Sa volonté.

– Non ! Ce sera la *vôtre*. Vous pouvez prier tant que vous voulez, c'est *vous* qui allez devoir prendre cette décision. »

N'y avait-il donc rien pour le persuader ? Apparemment non.

« Vous êtes une femme, Annabel. Vous ne vous comportez pas de façon rationnelle. M. Tommy Brue aime son argent. Si je lui dis de le garder, il me sera reconnaissant et il continuera de m'aider. Si je lui prends cet argent, il ne m'aidera plus, il sera fâché. Voilà la logique de sa position. Et cette logique me convient aussi, puisque cet argent me répugne et que je refuse de me salir les mains en le touchant. Voulez-vous récupérer cet argent pour vous ?

– Ne soyez pas ridicule !

– Alors nous n'en avons aucun besoin. Vous l'aimez aussi peu que moi, cet argent. Vous n'êtes pas encore prête à accepter la réalité de Dieu dans votre vie, mais vous avez de la moralité. Ceci augure bien de notre relation. Nous allons construire sur cette base. »

Effondrée, elle enfouit son visage entre ses mains, mais ce geste resta sans effet sur Issa.

« Je vous prie de ne pas m'envoyer dans cette clinique, Annabel. Je préfère rester ici chez vous. Quand vous vous serez convertie à l'islam, c'est ici que nous devrons vivre. Dites-le aussi à M. Brue. Et maintenant, vous devez partir, sinon vous aller me tenter. Il vaut mieux que nous ne nous serrions pas la main. Allez avec Dieu, Annabel. »

* * *

Elle avait laissé sa bicyclette dans le hall d'entrée. Les lumières embrumées du port trouaient le crépuscule, et elle dut cligner plusieurs fois des yeux avant d'accommoder. Se rappelant que la piste cyclable se trouvait de l'autre côté de la route, elle prit place parmi le groupe de piétons qui attendait devant le passage clouté. Quelqu'un prononçait son nom. Elle n'était pas sûre que la voix ne soit pas dans sa tête, mais d'un autre côté, non, parce que c'était une voix de femme alors que la voix dans sa tête appartenait à Issa.

La voix externe qu'elle entendait, maintenant qu'elle y prêtait attention, lui parlait de sa sœur.

« Annabel ? Ça alors ! Comment vas-tu ? Et comment va Heidi ? C'est vrai qu'elle est encore enceinte, déjà ? »

Une femme large d'épaules, du même âge qu'elle. Une veste en veloutine verte, un jean, des cheveux courts, pas de maquillage, un grand sourire. Alors que son esprit s'efforçait encore de se réajuster au monde réel, Annabel temporisa tout en cherchant un lien : Fribourg ? L'école ? Les vacances au ski en Autriche ? Le club de gym ?

« Oh, je vais très bien, répondit-elle. Et Heidi aussi. Tu fais des courses ? »

Le feu passa au vert pour les piétons. Elles traversèrent côte à côte, séparées par la bicyclette d'Annabel.

« Mais dis donc, Annabel, qu'est-ce que tu fais dans le quartier ? Tu n'habites plus à Winterhude ? »

Une seconde femme s'était positionnée à la gauche d'Annabel, du côté où n'était pas la bicyclette. Elle était gironde, avec des joues roses et un fichu de bohémienne sur la tête. Arrivées au trottoir, elles se retrouvèrent seules toutes les trois. Une main puissante se referma sur le poignet droit d'Annabel, une autre agrippa son bras gauche et, dans un geste qui aurait pu passer pour affectueux, le ramena derrière son dos. Sous l'effet de la douleur, Annabel revit soudain très nettement les deux femmes à la station-service ce matin-là.

« Montez calmement, l'instruisit la seconde femme au creux de l'oreille. Vous vous asseyez à l'arrière, à la place du milieu, sans faire d'histoire. Tout cela est très amical et normal. Mon amie va s'occuper de votre vélo. »

La vieille camionnette jaune attendait, portières arrière ouvertes. Un chauffeur et un passager étaient assis à l'avant, les yeux fixés devant eux. Le bras de la femme autour de ses épaules, Annabel se laissa propulser sur la banquette arrière. Elle entendit sa bicyclette faire un bruit métallique puis un bruit sourd derrière elle. Dans la mêlée, elle n'avait pas remarqué qu'elles lui avaient subtilisé son sac à dos. Sans se presser, les deux femmes s'assirent de part et d'autre d'Annabel, lui prirent chacune une main, y passèrent une menotte, et la coincèrent hors de vue sur le siège entre elles deux.

« Qu'allez-vous faire de lui ? murmura Annabel. Il est enfermé ! Qui va le nourrir pendant que je ne serai pas là ? »

Une berline Saab noire démarra devant eux. La camionnette la suivit de près. Personne n'était pressé.

9

Rassemble soigneusement et calmement tous les faits.

Tu es avocate.

Tu es peut-être une femme outragée bouillonnant d'une rage qui menace d'entrer en éruption, mais c'est l'avocate et non la femme qui va parler pour toi.

Cet ascenseur métallisé poussif t'emmène vers le haut, pas vers le bas. Tu le sais à cette petite contraction dans le ventre, très distincte de tes autres sensations, comme la nausée et cette douleur lancinante due au fait d'avoir été violentée.

Tu vas donc arriver à un étage et non dans une cave, ce qui te soulage quelque peu.

Cet ascenseur ne s'arrête à aucun étage. Il n'y a ni boutons, ni miroir, ni fenêtre. Il sent le diesel et les champs. C'est un ascenseur à bestiaux. Il sent comme le terrain de jeux de ton école en automne. Racontez.

Ses autres occupantes s'y trouvent par la volonté de tiers. Tu es debout entre deux femmes qui t'ont enlevée en se faisant passer pour des amies. Elles ont ensuite été rejointes par une troisième qui ne s'est pas fait passer pour une amie. Aucune des trois ne s'est identifiée. Aucune n'a utilisé un nom en ta présence, sauf le tien.

Personne, pas même Issa, ne peut te décrire ce que ça fait de perdre sa liberté, mais là tu commences à apprendre.

Tu es une avocate qui commence à apprendre.

234

La Saab noire leur ouvrant le chemin, ils avaient défilé en lent cortège devant des flèches d'église et des docks, respecté les feux, mis le clignotant avant de tourner à droite ou à gauche, traversé à une allure modérée des avenues bordées de villas cossues aux fenêtres éclairées, pénétré dans une friche industrielle, franchi une haie de bornes escamotables en fer qui s'étaient rétractées à leur arrivée, ralenti sans s'arrêter devant une guérite flanquée de barbelés tranchants, regardé la barrière rouge et blanche se lever sur demande de la Saab, et débouché dans une cour asphaltée illuminée par des projecteurs, occupée d'un côté par des voitures garées et des bureaux enténébrés, de l'autre par d'anciennes écuries assez semblables à celles du domaine familial de Fribourg.

Sans s'arrêter, la camionnette avait roulé jusqu'au coin le plus sombre de la cour, lentement et (semblat-il à Annabel) furtivement, pour se garer à quelques mètres des écuries. L'ayant libérée de ses entraves entre les coussins du siège et fait sortir sur le tarmac, ses gardiennes l'avaient escortée jusqu'à une porte à taille d'homme et propulsée vers l'avant une fois celle-ci ouverte de l'intérieur. Une troisième femme, plus jeune, au visage couvert de taches de rousseur et aux cheveux très courts, attendait en renfort. Elles se trouvaient dans une sellerie désaffectée : des murs hérissés de patères en fer et de porte-selles, un vieux seau pour cheval avec un numéro de régiment marqué au pochoir, un petit banc rembourré avec une unique couverture, une cuvette d'eau comme à l'hôpital, du savon, des serviettes, des gants en caoutchouc.

À chacune des femmes revenait la garde d'un tiers d'Annabel. Celle aux taches de rousseur avait des yeux de la même couleur que les siens, ce qui expliquait peut-être pourquoi elle était mandatée pour lui parler. Une femme du Sud, peut-être du Bade-Wurtemberg comme Annabel, deuxième point commun. Vous avez le choix, Annabel, lui avait-elle expliqué. Nous suivons la procédure standard applicable aux complices de terroristes. Vous pouvez vous y soumettre paisiblement ou vous pouvez être menottée. Que décidez-vous ?

Je suis avocate.

Vous vous soumettez à la procédure ou non ?

Annabel s'y était soumise en se récitant les inutiles conseils de dernière minute qu'elle fournissait à ses clients avant qu'ils se présentent au tribunal : *soyez honnête... restez calme... ne pleurez pas... ne haussez pas le ton et n'essayez pas de les charmer... ils ne veulent pas vous détester ni vous aimer, ils ne veulent pas avoir pitié de vous... ils veulent faire leur travail, se faire payer et rentrer chez eux.*

***

La porte de l'ascenseur s'ouvrit sur une petite pièce peinte en blanc comme celle où on avait mis sa grand-mère à sa mort. Derrière la table en bois brut sur laquelle aurait dû reposer sa grand-mère était assis l'homme qui, ce matin, s'était fait appeler Herr Dinkelmann. Il tirait sur une cigarette russe – elle reconnut l'odeur instantanément. Son père fumait les mêmes à Moscou après un bon repas.

À côté de Herr Dinkelmann, une grande femme sèche aux cheveux grisonnants et aux yeux marron qui, sans du tout ressembler à sa mère, respirait pourtant la même sagacité.

Étalé sur la table devant eux, le contenu de son sac à dos, comme autant de pièces à conviction, mais pas dans des sachets en plastique étiquetés. Et du côté de la table le plus proche d'elle, une chaise unique pour Annabel, l'accusée. Debout face à ses juges, elle entendit les cahots métalliques de l'ascenseur à bestiaux qui redescendait.

« Mon vrai nom est *Bachmann*, déclara Dinkelmann comme si elle venait de soutenir le contraire. Si vous envisagez de nous poursuivre en justice, c'est *Günther Bachmann*. Et voici Frau Frey, *Erna* Frey. Elle fait du bateau. De l'espionnage et du bateau. Moi, je fais de l'espionnage mais pas de bateau. Asseyez-vous, je vous prie. »

Annabel avança jusqu'à la table et s'assit.

« Voulez-vous déposer plainte tout de suite, histoire d'être débarrassée ? s'enquit Bachmann en tirant sur sa cigarette. Nous faire tout votre cinéma à la con sur votre statut spécial d'avocate ? Vos privilèges démentiels, la confidentialité de vos rapports avec votre client ? Et que vous pourriez me faire virer dès demain ? Et que j'ai violé toutes les règles existantes, ce qui est le cas ? Et que j'ai foulé aux pieds l'essence même de la constitution ? Vous allez me les sortir, toutes ces conneries, ou on fait seulement comme si ? Ah, au fait, quand est fixé votre prochain rendez-vous avec le terroriste recherché Issa Karpov, que vous dissimulez dans votre appartement ?

– Ce n'est pas un terroriste. C'est vous qui en êtes un. J'exige de parler à un avocat sur-le-champ.

– À votre mère, madame la super-juge ?

– À un avocat susceptible de me représenter.

– Et pourquoi pas votre illustre père ? Ou bien votre beau-frère, à Dresde ? Ça, côté relations, vous êtes servie. Un ou deux coups de fil, et vous pouvez me faire tomber sur le râble toute la fine fleur des juristes de ce pays. La question, c'est : est-ce que c'est ça que vous souhaitez ? Non. C'est des conneries, tout ça. Vous voulez sauver la peau de votre protégé. C'est tout ce que vous voulez, là. Ça se voit comme le nez au milieu de la figure. »

Erna Frey ajouta son grain de sel, plus réfléchi.

« J'ai bien peur que vos options se résument à nous et personne d'autre, mon petit. Il y a beaucoup de gens tout près d'ici qui n'aimeraient rien tant que d'organiser une arrestation spectaculaire d'Issa et de s'en attribuer tout le mérite. Et bien sûr la police serait ravie de pouvoir arrêter ses complices présumés. Leïla, Melik, M. Brue si ça se trouve, et même votre frère Hugo. Ça leur ferait des gros titres formidables, quelle que soit l'issue de l'affaire. Et quant à Sanctuaire Nord… Imaginez ce que les pauvres mécènes d'Ursula diraient. Et puis, il y a vous. Vous qui *faites l'objet d'une enquête officielle* de la part de Herr Werner, pour reprendre cette terminologie déplaisante qu'il aime tant. Vous avez abusé de votre statut d'avocate, vous avez sciemment hébergé un terroriste recherché, vous avez menti aux autorités, tout ça. Votre carrière terminée à, disons, quarante ans, d'ici à ce que vous sortiez de prison.

– Ce que vous pouvez me faire m'est bien égal.

– Mais ce n'est pas de vous que nous parlons, mon petit, c'est d'Issa. »

Bachmann, dont la capacité de concentration était apparemment limitée, avait déjà perdu tout intérêt pour cette conversation et manipulait les différents objets sortis de son sac à dos : son carnet à spirale, son agenda, son permis de conduire, sa carte d'identité, son foulard, qu'il porta ostensiblement à son nez comme pour y humer l'effluve d'un parfum alors qu'elle n'en mettait jamais. Mais c'est au chèque de Tommy Brue qu'il revenait sans cesse, l'inclinant sous la lumière, l'examinant recto et verso, analysant les chiffres ou l'écriture et secouant la tête d'un air mystifié très étudié.

« Pourquoi ne l'avez-vous pas encaissé ? demanda-t-il.

– J'attendais.

– Vous attendiez quoi ? La clinique du Dr Fischer ?

– Oui.

– Ça ne vous aurait pas menés bien loin, hein ? Cinquante mille, dans un endroit comme ça…

– Ça aurait duré assez longtemps.

– Pour quoi ?

– Pour tenter le coup, fit Annabel avec un haussement d'épaules résigné. C'est tout, juste pour essayer.

– Brue a-t-il dit qu'il y en aurait plus à venir ? »

Annabel était sur le point de répondre quand elle changea soudain d'avis.

« Je veux savoir ce qui fait que vous vous croyez si différents, tous les deux, lança-t-elle d'un ton de défi en se tournant vers Erna Frey.

– Différents de qui, mon petit ?

– Des gens dont vous dites qu'ils veulent le faire arrêter par la police et le renvoyer en Russie ou en Turquie. »

Répondant pour eux deux, Bachmann prit une fois de plus le chèque de Brue entre ses doigts et l'étudia comme s'il pensait y trouver la réponse.

« Oh, pour être différents, on est différents, marmonna-t-il. C'est rien de le dire. Mais ce que vous êtes en train de nous demander, c'est ce qu'on a l'intention de faire de lui, rectifia-t-il en posant le chèque devant lui sans pour autant le quitter des yeux. Eh bien, Annabel, je ne suis pas sûr que nous le sachions. Pour tout dire, je suis même sûr que nous n'en savons rien. Notre truc à nous, c'est de forcer le destin. On y va doucement. On attend le plus longtemps possible. Et on voit ce qu'Allah nous apporte, ajouta-t-il en touchant le chèque du bout du doigt. Et si Allah assure, eh bien, peut-être que votre protégé finira libre, qu'il s'installera à l'Ouest et qu'il pourra assouvir ses rêves et ses espoirs les plus fous. Sinon, si Allah n'assure pas, ou si *vous* vous n'assurez pas, eh bien, ce sera retour à l'envoyeur pour lui, pas vrai ? Sauf si les Américains le réclament. Auquel cas, on n'aura pas moyen de savoir où il sera. Et sans doute que lui non plus.

– On essaie de faire ce qu'il y a de mieux pour lui, mon petit, dit Erna Frey avec une sincérité si patente dans la voix qu'Annabel eut un instant la tentation de la croire. Günther le sait aussi, mais il ne l'exprime pas très bien. On ne pense pas qu'Issa soit mauvais. On ne porte absolument pas ce genre de jugement. Et on sait qu'il est un peu bizarre, oui bon, qui ne le serait pas dans le même cas ? Mais en revanche on croit qu'il peut nous aider à attraper des gros méchants.

– Issa, recruté comme espion ? fit Annabel en essayant d'en rire. Mais vous êtes malades ! Vous êtes aussi cinglés que lui !

– Recruté comme n'importe quoi, on s'en fout ! s'irrita Bachmann. Personne n'a de rôle prédéfini dans cette pièce, y compris vous. Ce qu'on sait, c'est que si vous collaborez et qu'on arrive à nos fins, tous ensemble on va sauver beaucoup plus de vies innocentes que vous ne le ferez jamais en filant à bouffer à vos lapins de Sanctuaire Nord ! »

Il ramassa le chèque sur la table et se leva d'un bond.

« Alors voilà la première chose que je veux savoir : qu'est-ce que va foutre un banquier anglais, expatrié de Vienne, russophone et pas très heureux en affaires un vendredi soir à aller présenter ses hommages à M. Issa Karpov ? Vous voulez aller dans un endroit plus confortable, ou vous préférez rester là à faire du boudin ? »

Erna Frey avait un message plus subtil.

« Nous ne vous dirons pas toute la vérité, mon petit, parce que c'est impossible. Mais ce que nous vous dirons, ce sera la vérité. »

* * *

Il était minuit passé depuis longtemps, et elle n'avait toujours pas pleuré.

Elle leur avait dit tout ce qu'elle savait, savait à moitié, devinait et devinait à moitié, tout jusqu'à la lie, mais elle n'avait pas pleuré, elle ne s'était même pas plainte. Comment se faisait-il qu'elle se soit ralliée si vite à leur camp ? Qu'était-il arrivé à la rebelle en elle, à ses légendaires capacités d'argumentation et de résistance si appréciées du forum familial ? Pourquoi n'avait-elle pas tissé sa toile de mensonges, comme pour Herr Werner ? Était-ce le syndrome de Stockholm ? Elle se rappela un poney qu'elle avait eu, Moritz. Moritz était un délinquant. Impossible à dresser, impossible à monter. Aucune famille dans tout le Bade-Wurtemberg n'en voulait – jusqu'à ce qu'Annabel en entende parler et, histoire de faire montre de son pouvoir, passe outre l'avis de ses parents et collecte des fonds auprès de ses camarades d'école pour l'acheter. Quand Moritz fut livré, il donna un coup de pied au palefrenier, creusa un trou dans son box avec son sabot et s'enfuit dans le paddock. Mais le lendemain matin, quand Annabel se précipita dehors pour le voir, il avança vers elle, baissa la tête pour accepter le licou et devint à tout jamais son esclave. Il avait fait une ventrée de rébellion et voulait maintenant que quelqu'un d'autre prenne ses problèmes en charge.

Était-ce là ce qu'elle venait de faire ? Jeté l'éponge et dit « Eh bien d'accord, je suis à vous », comme elle avait pu le dire à certains hommes quand la lourdeur inouïe de leur insistance l'avait réduite à la soumission malgré elle ?

Non. La faute en incombait à la logique, elle en était convaincue. Au détachement voulu avec lequel l'avocate en elle avait pris le recul nécessaire pour reconnaître qu'elle avait un dossier bien trop vide pour plaider, a fortiori pour gagner – au nom de son client ou en son nom à elle, même si elle était bien la dernière personne dont elle se souciait. C'était l'avocate pragmatique en elle (du moins voulait-elle farouchement y croire) qui lui avait dit que son seul espoir était d'implorer la clémence de la cour – en l'occurrence celle de ses geôliers.

Oui, elle était lessivée nerveusement. Rien d'étonnant à cela. Oui, la solitude et la tension de garder pour elle un tel secret pendant si longtemps l'avaient amenée aux limites de son endurance. Et il y avait un certain soulagement, voire un certain plaisir, à redevenir enfant, à s'en remettre pour les grandes décisions de sa vie à des personnes plus mûres et plus sages qu'elle. Mais même avec tous ces éléments dans la balance, cela n'en restait pas moins sa logique d'avocat (se rassurait-elle résolument) qui l'avait persuadée de raconter tout ce qu'elle savait.

Elle leur avait dit pour Brue, et M. Lipizzan, et la clé, et la lettre d'Anatoly, et Issa et Magomed, et puis encore Brue : à quoi il ressemblait, comment il parlait, comment il avait réagi à tel ou tel moment, à l'Atlantic, au café avant d'aller chez Leïla. Et c'était quoi, cette histoire sur les études à Paris ? Et tout cet argent qu'il lui avait donné d'un coup – pourquoi ? Pour s'attirer vos faveurs, mon petit ? C'est Erna Frey qui avait posé cette question, pas Bachmann. Quand il s'agissait de jolies femmes, il était trop faible.

Ces aveux ne lui avaient pas été soutirés par la ruse, la menace ou la cajolerie. Annabel s'était juste honteusement laissée aller. Un flot cathartique d'informations et d'émotions trop longtemps refoulées en elle, l'effondrement de toutes les barrières qu'elle avait érigées dans son esprit, contre Issa, Hugo, Ursula, les plombiers, les décorateurs, les électriciens, et surtout contre elle-même.

Et ils avaient raison : elle n'avait pas le choix. Comme Moritz, elle était épuisée par sa propre rébellion. Elle avait besoin d'amis et non d'ennemis pour arriver à sauver Issa, qu'ils soient réellement différents des autres ou qu'ils fassent seulement semblant.

Un étroit couloir menait à une chambre minuscule. Le double lit était fait avec des draps propres. Si fatiguée qu'elle aurait pu dormir debout, Annabel regarda autour d'elle tandis qu'Erna Frey lui indiquait le fonctionnement de la douche, puis enlevait les serviettes sales avec un claquement de langue irrité pour les remplacer par des propres prises dans un tiroir.

« Et vous deux, vous dormez où ? demanda Annabel sans savoir pourquoi elle s'en souciait.

– Ne vous inquiétez pas, mon petit. Il faut vous reposer, maintenant. Vous avez eu une journée très dure, et demain sera une journée tout aussi dure. »

Si je dors, je retournerai en prison, Annabel.

* * *

Tommy Brue n'était pas en prison, mais il ne dormait pas pour autant.

À 4 heures du matin le même jour, il s'était discrètement glissé hors du lit conjugal et avait descendu l'escalier sur la pointe des pieds jusqu'à son bureau, où il rangeait son carnet d'adresses. Six numéros figuraient en regard du nom de Georgie. Cinq étaient barrés. À côté du sixième, il avait écrit « portable K ». K comme Kevin, sa dernière adresse connue. Cela faisait trois mois qu'il n'avait pas utilisé ce numéro, et encore plus longtemps qu'il n'avait pas réussi à passer le barrage de Kevin. Mais cette fois-ci, Georgie allait vraiment mal et Brue le savait. Ce n'était pas de la prémonition ni une crise de panique, simplement les angoisses d'un père.

Utilisant son portable pour qu'aucun signal lumineux révélateur n'apparaisse sur le téléphone posé sur la table de chevet de Mitzi, il composa le numéro de Kevin, ferma les yeux et se prépara à entendre la voix pâteuse l'informer que, ouais, ben, désolé, Tommy, mais Georgie n'a pas envie de vous parler, là tout de suite, elle va bien, elle va super bien sauf que bon elle a un peu les nerfs. Mais cette fois-ci il allait *exiger* de lui parler. Il allait arguer de ses droits parentaux, non qu'il en ait vraiment. Une explosion de musique rock entama sa résolution. Ainsi que la voix enregistrée de Kevin lui disant que s'il voulait vraiment laisser un message, vieux, vous pouvez le laisser, mais comme personne se fatigue à les relever, les messages, pourquoi pas raccrocher et rappeler une autre fois – jusqu'à ce que l'annonce elle-même soit interrompue par une voix de femme.

« Georgie ?

– Qui est à l'appareil ?

– C'est vraiment toi, Georgie ?

– Bien sûr que c'est moi, papa. Tu ne reconnais pas ma voix ?

– C'est juste que je ne pensais pas que tu répondrais au téléphone. Je ne m'y attendais pas. Comment vas-tu, Georgie ? Tu vas bien ?

– Très bien, oui. Quelque chose ne va pas ? Tu n'as pas une bonne voix. Comment va la nouvelle Mme Brue ? Ouh là là, mais ça fait quelle heure, chez toi ? Papa ? »

Il tenait le portable à bout de bras le temps de se ressaisir. La nouvelle Mme Brue. Cela faisait déjà huit ans qu'elle était nouvelle. Jamais Georgie ne l'appelait Mitzi.

« Non, non, tout va bien, Georgie. Je me porte très bien. Elle dort. C'est juste que je me faisais un sang d'encre pour toi, je ne sais pas pourquoi. Mais puisque tu vas bien. Très bien, même, à t'entendre… J'ai eu soixante ans la semaine dernière. Georgie ? »

Ne la défiez pas, disait l'insupportable psy viennois. Quand elle se réfugie dans un de ses silences, attendez qu'elle vous revienne.

« Papa, toi tu n'avais pas l'air bien, juste là, se plaignit-elle, comme s'ils discutaient ensemble tous les jours de la semaine. J'ai cru que c'était Kevin qui m'appelait du supermarché, mais en fait c'était toi. Ça m'a juste surprise.

– Ça alors ! Je ne croyais pas que vous alliez dans des supermarchés. Qu'est-ce qu'il est parti acheter ?

– Tout le magasin. Il a pété un câble. Le quadragénaire qui se nourrit de pignons de pin depuis dix ans et qui considère que les enfants c'est l'apocalypse, eh bien le voilà, obsédé par les plans à langer, les grenouillères à oreilles de lapin, le berceau à volants et la poussette avec pare-soleil. T'étais comme ça, toi, quand maman est tombée enceinte ? Tu me vois, obligée de lui rappeler qu'on est fauchés et de lui dire de rapporter tout ça au magasin ?

– Georgie ?

– Oui ?

– C'est formidable ! Extraordinaire ! Je n'étais pas au courant.

– Moi non plus, il y a encore cinq minutes.

– Mais enfin c'est pour quand, si je peux savoir ?

– Pour dans des siècles. Tu te rends compte ? Et Kevin qui me fait déjà une couvade. Il veut même m'épouser, maintenant que son livre a été accepté.

– Son livre ? Je ne savais même pas qu'il écrivait.

– C'est un guide pratique. L'intelligence, le régime et la contemplation.

– Formidable !

245

– Et au fait, joyeux anniversaire ! Viens nous rendre visite un de ces jours. Je t'aime, papa. Ce sera une fille. Enfin, c'est Kevin qui le dit.

– Est-ce que je peux t'envoyer un peu d'argent ? Pour vous aider ? Pour le bébé ? Pour le berceau à volants et tout ça ? »

Il faillit suggérer cinquante mille euros, mais se retint et attendit qu'elle lui revienne.

« Peut-être plus tard. Je vais en parler à Kevin et je te rappelle. Peut-être que de l'argent pour un berceau à volants, ça va. Ce qui ne va pas, c'est de l'argent pour remplacer l'amour. Redonne-moi ton numéro. »

Pour la dixième ou la quatre-vingt-dixième fois en dix ans, Brue lui dicta tous ses numéros : portable, maison, ligne directe au bureau. Les avait-elle notés ? Peut-être que oui, cette fois-ci.

Il se servit un scotch. Quelle nouvelle formidable, incroyable ! La meilleure nouvelle qu'il aurait pu souhaiter.

Dommage qu'Annabel ne puisse pas lui confirmer qu'elle aussi allait bien. Parce que, il le comprenait maintenant, c'est au sujet d'Annabel, et non de Georgie, qu'il avait été si inquiet quand il s'était réveillé en sursaut avant de descendre furtivement l'escalier.

Bref, c'était là ce qu'on pourrait appeler un cas de paranoïa par transfert, comme aurait pu le dire l'odieux psy viennois.

* * *

Cet escalier est débile.

Je n'aurais jamais dû acheter cet appart.

Tous ces petits coins et recoins et demi-paliers si dangereux. Je pourrais me casser le cou.

Ce sac à dos pèse une tonne. Mais qu'est-ce qu'on a bien pu mettre dedans ?

Les bretelles me cisaillent les épaules comme des barbelés.

Plus qu'un étage et j'y suis.

Elle avait dormi. Après deux nuits d'insomnie dans son appartement à contempler le plafond, une nuit de sommeil profond, de sommeil d'enfant, de sommeil sans rêves.

« Issa va être très content de vous, mon petit, l'avait assurée Erna Frey en la réveillant avec une tasse de café avant de s'asseoir sur son lit. Vous allez lui apporter *la* nouvelle qu'il espérait. Et un excellent petit déjeuner. »

Et elle l'avait répété dans le rétroviseur, tandis qu'Annabel, tapie à l'arrière avec sa bicyclette, attendait d'être larguée en haut de la colline qui dominait le port.

« Rappelez-vous juste qu'il n'y a absolument rien de fourbe ou de honteux dans ce que vous faites, mon petit. Vous lui apportez l'espoir et il vous fait confiance. J'ai mis les yaourts sur le dessus. Votre clé est dans la poche droite de votre anorak. On y est ? Alors allez-y. »

Le nouveau cadenas s'ouvrit d'un coup, mais Annabel dut pousser la porte en fer à deux mains. Une musique douce passait à la radio, du Brahms, supposa-t-elle. Elle se tenait dans l'embrasure de la porte, emplie de peur et de honte et d'une tristesse infinie, écœurante, à cause de ce qu'elle était sur le point de faire. À l'emplacement sous la fenêtre cintrée où se trouvait son lit, le long corps d'Issa gisait, enveloppé de la tête aux pieds dans une couverture marron, le haut de son bonnet dépassant à un bout, les chaussettes griffées de Karsten à l'autre. Bien rangés près de lui, tous les objets dont il avait besoin pour l'accompagner dans sa prochaine prison : sa sacoche en peau de chameau, son pardessus noir plié et replié, les mocassins et le jean siglé de Karsten. Était-il nu, hormis les chaussettes et le bonnet ? Annabel referma la porte derrière elle mais ne bougea pas, laissant toute la longueur du loft entre eux.

« Nous partons immédiatement pour la clinique, s'il vous plaît, Annabel, annonça-t-il de sous sa couverture. M. Brue a-t-il fourni un garde armé et un bus gris malodorant avec des barreaux aux vitres ?

– Pas de bus ni de garde armé, désolée, répondit-elle joyeusement. Et pas de clinique non plus. Finalement, vous restez là, annonça-t-elle en marchant en crabe jusqu'à la cuisine. Pour fêter ça, je nous ai apporté un petit déjeuner exotique. Vous voulez bien me rejoindre ici quand vous serez levé ? Peut-être désirez-vous prier. »

Silence. Bruit discret de pieds en chaussettes. Annabel se pencha devant le réfrigérateur, ouvrit la porte, posa le sac à dos à côté.

« Pas de clinique, Annabel ?

– Pas de clinique, répéta-t-elle sans plus entendre le bruit de ses pas.

– Hier, vous m'avez dit que je devais aller dans une clinique, Annabel. Et maintenant, je ne dois plus y aller. Pourquoi ? »

Où était-il ? Elle avait trop peur pour oser se retourner.

« Ce n'était pas une si bonne idée que ça, dit-elle d'une voix forte. Trop de bureaucratie, trop de formulaires à remplir, trop de questions délicates, précisat-elle à la suggestion d'Erna Frey. On a décidé que vous étiez mieux là où vous étiez.

– On ?

– M. Brue et moi. »

Utilisez Brue comme écran, avait conseillé Bachmann. Si Issa le considère comme un être supérieur, jouez làdessus.

« Je ne comprends pas votre motivation, Annabel.

– On a changé d'avis, c'est tout. Je suis votre avocate, lui votre banquier. On a examiné nos options, et on a estimé que vous étiez mieux ici dans mon appartement, là où vous avez envie d'être. »

Elle trouva le courage de se retourner. Enveloppé dans sa couverture marron, il occupait toute l'embrasure de la porte, tel un moine aux yeux noir charbon, et la regardait sortir de son sac à dos tout ce qu'elle avait dit à Erna Frey qu'il aimait : six yaourts aux fruits, des petits pains aux grains de pavot tout chauds, du miel grec, de la crème aigre, de l'emmental.

« M. Brue était-il déprimé à l'idée de tout l'argent qu'il aurait dû payer à la clinique, Annabel ? C'est pour cette raison qu'il a changé d'avis ?

– Je vous ai dit la raison. C'est pour votre sécurité.

– Vous me mentez, Annabel. »

Elle se releva soudain et fit volte-face pour le regarder. Il y avait à peine un mètre entre eux. En toute autre occasion, elle aurait respecté la zone d'exclusion invisible qui les séparait, mais cette fois-ci elle ne céda pas de terrain.

« Non, je ne vous mens pas, Issa. Je suis en train de vous dire que, pour votre propre bien, il y a eu un changement de programme.

– Vous avez les yeux injectés de sang, Annabel. Avez-vous bu de l'alcool ?

– Non, bien sûr que non.

– Pourquoi bien sûr, Annabel ?

– Parce que je n'en bois jamais.

– Ce M. Tommy Brue, vous le connaissez bien, je vous prie ?

– Mais de quoi parlez-vous ?

– Avez-vous bu de l'alcool avec M. Brue, Annabel ?

– Issa, arrêtez ça tout de suite !

– Avez-vous une liaison avec M. Tommy Brue de la nature de celle que vous aviez avec l'homme insatisfaisant de votre précédent appartement ?

– Issa, je vous ai déjà dit d'arrêter !

249

– M. Tommy Brue est-il le successeur de cet homme insatisfaisant ? M. Brue exerce-t-il un pouvoir exagéré sur vous ? Je l'ai vu vous regarder avec concupiscence chez Leïla. Avez-vous succombé aux vils désirs de M. Brue parce qu'il est matériellement riche ? M. Brue croit-il qu'en me gardant ici chez vous, il vous soumet à sa volonté et s'assure en même temps de ne pas avoir à payer de grosses sommes d'argent à la clinique du KGB ? »

Elle s'était ressaisie. Ce n'est pas de la docilité que nous attendons de vous, c'est de la créativité, avait dit Bachmann. Votre esprit rationnel, votre esprit juridique tordu, pas ce sentimentalisme à la con qui ne vous mènera nulle part.

« Regardez, Issa, fit-elle d'un ton engageant en se retournant vers le sac à dos. M. Brue ne pense pas qu'à nourrir votre corps. Regardez ce qu'il vous fait passer. »

Une édition brochée russe regroupant en un volume *Eaux printanières* et *Premier Amour*, de Tourgueniev.

Les *Nouvelles* de Tchekhov, également en russe.

Un petit lecteur de CD pour remplacer le vieux magnétophone à cassettes, des CD classiques, Rachmaninov, Tchaïkovski, Prokofiev, et, comme Erna pense à tout, des piles de rechange.

« M. Brue nous aime et nous respecte tous les deux, déclara Annabel. Il n'est pas mon amant. C'est seulement dans votre imagination. Nous ne voulons pas vous garder ici un jour de plus que nécessaire. Nous ferions n'importe quoi pour vous libérer. Vous devez le croire. »

* * *

La camionnette jaune était garée là où elle l'avait déposée, avec le même jeune homme au volant et Erna

250

Frey, toujours assise à la place du mort, qui avait allumé la radio et écoutait du Tchaïkovski. Annabel hissa sa bicyclette à l'arrière et le sac à dos avec, monta à bord et claqua les portières derrière elle.

« C'est le truc le plus abject que j'aie jamais eu à faire de ma vie, remarqua-t-elle en regardant devant elle par le pare-brise. Merci beaucoup. J'ai vraiment adoré.

– Allons, allons, mon petit, vous avez été parfaite, la contra Erna Frey. Il est heureux. Écoutez donc. »

Tchaïkovski passait toujours à la radio, mais la réception semblait étonnamment hachée, jusqu'à ce qu'Annabel identifie le son d'Issa marchant d'un pas lourd dans le loft avec les mocassins de Karsten aux pieds, chantant à pleins poumons d'une voix de ténor discordante.

« Ah, alors j'ai aussi fait ça, dit-elle. De mieux en mieux. »

10

Une cascade de glycine tombait depuis l'auvent de bois. Le jardinet impeccable cultivait l'esprit romantique, avec une roseraie et un bassin à nénuphars alimenté par des grenouilles ornementales. Sise près de l'un des canaux les plus recherchés de Hambourg, la maison elle-même, aussi petite que ravissante, évoquait une chaumière à la Blanche-Neige avec son toit d'ardoises roses rustiques et ses cheminées alambiquées. Il était 19 heures précises. Bachmann n'ignorait pas l'importance de la ponctualité. Vêtu de son plus beau costume de bureaucrate, il portait un attaché-case d'allure officielle. Il avait ciré ses souliers noirs et, avec l'aide de la laque d'Erna Frey, temporairement dompté sa mèche rebelle.

« Schneider », murmura-t-il dans l'interphone.

La porte d'entrée s'ouvrit aussitôt pour être promptement refermée derrière lui par Frau Ellenberger.

* * *

Dans les quelque dix-huit heures qui s'étaient écoulées depuis qu'Erna Frey avait escorté Annabel jusqu'à son lit, Bachmann avait fait le siège de l'ordinateur central du Service pour y traquer tous les Karpov de l'univers avec l'assistance de Maximilian, téléphoné à un contact au Service de sécurité autrichien pour lui faire déterrer la triste histoire du déclin de Brue Frères à Vienne, coincé l'ombrageux chef de la surveillance urbaine d'Arni Mohr pour lui soutirer des informations sur le style de vie apparent du dernier associé principal encore en vie de la banque, envoyé un documentaliste prendre d'assaut les archives de l'office des finances de Hambourg et, au milieu de l'après-midi, assailli Michael Axelrod du Pilotage à Berlin pendant une heure entière sur la ligne cryptée avant de sortir tous les dossiers sur un érudit musulman fort respecté installé dans le nord de l'Allemagne et connu pour ses vues modérées et ses manières agréables à la télévision.

Afin d'obtenir certains de ces dossiers, Bachmann avait dû demander l'autorisation spéciale de la section du Pilotage spécialisée dans le blanchiment d'argent. Erna Frey l'avait trouvé presque illuminé en le voyant multiplier les allers et retours entre le repaire des documentalistes et le leur, tirer sur d'innombrables cigarettes, se plonger dans les dossiers étalés sur son bureau ou réclamer un mémo qu'il lui avait envoyé, qu'il avait oublié, et qui se trouvait maintenant enterré dans les entrailles de l'ordinateur de sa fidèle assistante.

« Putain, mais pourquoi les Rosbifs ? avait-il exigé de savoir. Qu'est-ce qui peut bien pousser un escroc russe à choisir une banque anglaise dans une ville autrichienne ? D'accord, Karpov senior admire leur hypocrisie. Il respecte leurs mensonges de gentlemen. Mais comment l'a-t-il dénichée, cette foutue banque ? Qui la lui a recommandée ? »

Et à 15 heures, eurêka ! Il l'avait entre les mains, ce petit dossier marron extirpé des catacombes du bureau du procureur. Estampillé « à détruire », mais ayant par miracle échappé aux flammes. Une fois de plus, Bachmann avait forcé le destin.

* * *

Assis face à face dans des fauteuils à fleurs devant la fenêtre en saillie de son salon propret au charme tout anglais, ils sirotaient de l'Earl Grey dans des tasses en belle porcelaine tendre Minton. Aux murs, des gravures du vieux Londres et des paysages de Constable. Dans une bibliothèque Sheraton, des éditions de Jane Austen, Anthony Trollope, Thomas Hardy, Edward Lear et Lewis Carroll. Devant la fenêtre, des fleurettes printanières dans des cache-pots Wedgwood.

Pendant un long moment, aucun des deux ne parla. Bachmann souriait gentiment, surtout pour lui-même. Frau Ellenberger contemplait les voilages en dentelle.

« Vous opposeriez-vous à ce que j'utilise un magnétophone, Frau Ellenberger ?

– Oui, formellement, Herr Schneider.

– Alors, oublions le magnétophone ! décréta Bachmann d'un ton catégorique en rangeant l'appareil dans son attaché-case tout en laissant tourner le deuxième. Mais je peux prendre des notes ? avança-t-il en posant un calepin sur ses genoux, stylo levé.

– Je vous demanderai une copie de tout ce que vous vous proposez de verser au dossier. Si vous m'aviez prévenue plus à l'avance, mon frère aurait été ici pour représenter mes intérêts. Malheureusement, il est déjà pris ailleurs, ce soir.

– Votre frère aura tout loisir d'examiner nos dossiers à sa convenance.

– C'est à espérer, Herr Schneider », lâcha Frau Ellenberger.

Quand elle lui avait ouvert la porte, elle avait rougi. Elle était à présent d'une blancheur spectrale, et très belle. Avec ses grands yeux vulnérables, ses cheveux tirés, son long cou et son profil de jeune fille, elle apparaissait à

Bachmann comme l'une de ces beautés qui atteignent l'âge mûr en toute discrétion avant de disparaître.

« Puis-je commencer ? s'enquit Bachmann.

— Je vous en prie.

— Voici sept ans, vous avez fait spontanément une déposition sous serment à mon prédécesseur et collègue, Herr Brenner, concernant certaines inquiétudes que vous aviez au sujet des activités de votre employeur de l'époque.

— Je n'ai pas changé d'employeur, Herr Schneider.

— C'est un fait que nous n'ignorons pas et que nous respecterons, répliqua Bachmann d'un ton plein de révérence, prenant ostensiblement des notes dans son calepin histoire de la rassurer.

— C'est à espérer, Herr Schneider, répéta Frau Ellen-berger à l'attention des voilages en dentelle, tout en s'agrippant aux accoudoirs de son fauteuil.

— Puis-je vous dire que j'admire votre courage ? »

Il pouvait, ou non, car rien ne laissait penser qu'elle l'eût entendu.

« Et aussi votre probité, bien sûr. Mais surtout votre courage. Puis-je vous demander ce qui vous a incitée à faire cette déposition ?

— Et moi, puis-je vous demander à vous ce que vous faites ici ?

— Karpov, répliqua Bachmann du tac au tac. Grigori Borissovitch Karpov. Un ancien client de la banque Brue Frères de Vienne, aujourd'hui de Hambourg. Précieux titulaire d'un compte *lipizzan*. »

À ces mots, elle tourna la tête vers lui avec une expression que Bachmann interpréta comme du dégoût mêlé d'une jubilation intense quoique coupable.

« Ne me dites pas qu'il a remis ça ! s'exclama-t-elle.

— Karpov lui-même, et je ne suis pas au regret de vous l'annoncer, n'est plus de ce monde, Frau Ellen-berger. Mais ses œuvres lui survivent. Ainsi que celles de ses complices. Ce qui explique ma présence ici ce soir, sans entrer dans les détails couverts par le secret officiel. L'histoire ne s'arrête jamais, dit-on. Plus nous creusons, plus nous semblons remonter le temps. Permettez-moi de vous poser la question suivante : est-ce que le nom *Anatoly* vous dit quelque chose ? Anatoly, le *consigliere* de feu Karpov ?

– Vaguement, oui, de nom. C'était son homme d'affaires.

– Mais vous ne l'avez jamais rencontré.

– Il n'y avait jamais d'intermédiaire. Enfin, à part Anatoly, bien sûr, se corrigea-t-elle. L'homme d'affaires hors pair de Karpov, comme l'appelait M. Edward. Mais Anatoly n'était pas juste son homme d'affaires, attention. C'était plutôt son homme à tout faire. Il balayait derrière Karpov et arrangeait tous les trucs tordus. »

Bachmann enregistra ce commentaire crucial, mais ne poursuivit pas.

« Et *Ivan* ? Ivan Grigorevitch ?

– Je ne connais aucun Ivan, Herr Schneider.

– Le fils naturel de Karpov ? Il s'est fait appeler Issa, plus tard.

– Je ne connais pas de descendance au colonel Karpov, naturelle ou pas, quoique je ne doute pas qu'elle soit nombreuse. M. Brue junior m'a justement posé la question l'autre jour.

– C'est vrai ?

– Oui. »

Et de nouveau Bachmann laissa passer cette remarque. Un interrogateur un tant soit peu capable, aimait-il à prêcher en ces rares occasions où on le mettait en présence des nouveaux arrivants dans le service, ne défonce pas la porte d'entrée. Il sonne à la grande porte, puis il entre par la petite. Mais là n'était pas la raison pour laquelle il se retint, comme il s'en ouvrit par la suite à Erna Frey. En fait, il percevait le *contre-chant* : sous l'histoire que lui racontait Frau Ellenberger, il avait l'impression d'en écouter une autre, qu'elle aussi écoutait.

« Alors, puis-je vous demander, Frau Ellenberger, si vous me permettez à nouveau de remonter le temps, ce qui vous a poussée au départ, voici sept ans, à faire cette déposition très courageuse ? »

Il fallut un moment pour qu'elle l'entende.

« Je suis allemande, enfin ! s'irrita-t-elle juste au moment où il allait répéter sa question.

– De fait, oui.

– Je rentrais en Allemagne. Dans ma mère patrie.

– Vous quittiez Vienne.

– Frères allait ouvrir une succursale en Allemagne. Dans *mon* Allemagne. Je voulais… Oui, enfin, je voulais…, commença-t-elle avec colère, avant de regarder d'un œil noir le jardin à travers les voilages en dentelle, comme si la faute s'y trouvait.

– Vous vouliez tirer un trait, peut-être ? Tirer un trait sur le passé ? suggéra Bachmann.

– Je voulais rentrer au pays dans un état de pureté, répliqua-t-elle, s'animant soudain. Sans souillure. Ne comprenez-vous donc pas ?

– Pas encore tout à fait, mais je n'en suis plus très loin, je pense.

– Je voulais un nouveau départ. Pour la banque. Pour ma vie. N'est-ce pas dans la nature humaine ? De vouloir un nouveau départ ? Peut-être n'êtes-vous pas de cet avis. Les hommes sont différents.

– Si je ne m'abuse, il se trouvait aussi que le distingué gentleman qui vous employait depuis des années était décédé et que *Brue junior* venait de reprendre la banque, avança Bachmann en usant du nom qu'elle-même lui avait donné, baissant la voix par soumission à son didactisme.

– C'est exact, Herr Schneider. Vous avez bien fait vos devoirs, je le constate avec plaisir. C'est si rare, de nos jours. J'étais extrêmement jeune, dit-elle en une sévère autocritique. Bien plus jeune que je ne l'étais en âge, comprenez-le bien. Si je me compare à la jeunesse actuelle, je n'étais qu'un bébé. Je venais d'une famille pauvre, et je n'avais strictement aucune expérience du monde.

– Pardonnez-moi, mais vous n'étiez qu'une jeune recrue qui faisait son baptême du feu ! protesta Bachmann du même ton indigné qu'elle. Les ordres venaient d'en haut, et vous y avez obéi. Vous étiez jeune et innocente, dans un rapport de confiance. N'êtes-vous pas un peu dure avec vous-même, Frau Ellenberger ? »

L'avait-elle entendu ? Si oui, pourquoi souriait-elle ? Quand elle reprit la parole, sa voix avait changé, rajeuni, et une cadence plus pimpante s'y était glissée, une intonation plus douce, plus chantante, plus viennoise, qui recouvrait d'un vernis d'absolution ses remarques les plus sévères. Et à voix plus jeune, allure plus jeune : toujours guindée, toujours droite comme la justice, mais avec une gestuelle plus expressive et féminine. Faits encore plus étranges, son discours semblait formulé de façon à flatter l'oreille d'un supérieur hiérarchique à la fois par l'âge et le statut social, ce que n'était pas Bachmann, et sa voix, transformée par un acte inconscient de ventriloquie rétrospective, n'était pas juste celle de sa jeunesse passée, mais spécifiquement celle qu'elle avait jadis utilisée pour conduire des échanges avec la personne évoquée.

« Il y en avait qui étaient *hardies*, Herr Schneider, se rappela-t-elle avec une tendresse mal assortie à ses propos. *Très* hardies, du moment que cela leur attirait les attentions de *M. Edward*, dit-elle comme si ce nom devait être chéri, jalousement gardé, savouré. Mais moi, ce n'était pas du tout mon genre, ça non. C'est ma réserve et non ma hardiesse qui m'a distinguée à ses yeux, il me l'a dit lui-même. "Elli, quand on cherche une fidèle assistante, mieux vaut choisir celle qui reste tout au fond derrière les autres." C'était son côté bourru qui ressortait, ajouta-t-elle d'un ton rêveur. Cela m'a surprise, au début, ce côté bourru. Il fallait s'y habituer. On ne s'y serait pas attendu de la part d'un gentleman de la classe de M. Edward. Et puis après, ça allait. C'était *authentique*, s'extasia-t-elle avant de se taire à nouveau.

– Et à l'époque, vous aviez à peine… quel âge ? finit par demander Bachmann, mais très délicatement, soucieux de ne rien faire qui puisse rompre le charme.

– Vingt-deux ans. Et j'avais un excellent diplôme de secrétariat. Mon père était décédé quand j'étais jeune, voyez-vous. Il plane encore des doutes sur les circonstances de sa mort, je ne vous le cache pas. Il s'est pendu – du moins c'est ce qu'on m'a dit, mais jamais officiellement. Nous sommes catholiques. Le frère de ma mère était prêtre à Passau, et il a eu la bonté de nous recueillir. Que pouvait-on devenir d'autre à Passau ? Malheureusement, au fil des ans, mon oncle s'est montré trop affectueux envers moi, et j'ai trouvé plus prudent, au risque de contrarier ma mère, d'aller suivre une formation de secrétaire à Vienne. Enfin bon… Voilà. Il a abusé de moi, si vous voulez savoir. J'ai à peine compris que c'était ça, à l'époque. On ne peut pas comprendre, quand on est innocente, ajouta-t-elle avant de se taire à nouveau.

– Et Brue Frères était votre premier poste, avança Bachmann.

– Tout ce que je peux vous dire, c'est que M. Edward m'a traitée avec des égards exemplaires, reprit-elle en réponse à une question qu'il n'avait pas posée.

– Je n'en doute pas.

– M. Edward était un modèle de respectabilité.

– Mon service ne le conteste nullement. Nous avons le sentiment qu'il a été dévoyé.

– Il était anglais dans le meilleur sens du terme. Quand M. Edward se confiait à moi, j'en étais flattée. Quand il m'invitait à l'accompagner en société, par exemple *just a little dinner* comme il disait, après une longue journée de travail et avant d'aller se détendre chez lui en famille, j'étais fière d'avoir été choisie.

– Qui ne le serait pas ?

– Le fait qu'il ait été assez vieux non seulement pour être mon oncle, mais presque mon grand-père, ne me dérangeait pas outre mesure, reprit-elle d'un ton sévère, comme pour une déposition. Étant déjà habituée aux attentions d'un homme plus âgé, je les acceptais comme normales envers quelqu'un de ma condition. La différence entre eux, c'est que M. Edward respirait la joie de vivre. Et il n'était *pas* mon oncle. Quand j'ai raconté à ma mère ce qui s'était passé, elle n'a pas jugé ma situation désolante, mais au contraire m'a conseillé de ne pas la compromettre par de basses considérations. M. Edward n'ayant qu'un fils à pourvoir, il n'oublierait sûrement pas une jolie jeune fille qui lui avait témoigné une tendre amitié pendant ses dernières années.

– Et il ne vous a pas oubliée, n'est-ce pas ? » suggéra Bachmann avec un regard appréciateur sur tout ce qui les entourait.

Mais il l'avait de nouveau perdue, et il lui sembla presque qu'elle s'était perdue elle-même. Il reprit la parole d'un ton alerte pour repartir de zéro.

« Frau Ellenberger, à quel moment au juste diriez-vous que l'arrivée du colonel Karpov est venue troubler votre bonheur commun, si je puis le formuler ainsi ? »

* * *

Ne l'avait-elle vraiment pas entendu ?

Toujours pas ?

Elle arqua les sourcils à leur maximum, pencha la tête de côté d'un air attentif, puis se lança dans une nouvelle déclaration pour le dossier.

« L'arrivée de Grigori Borissovitch Karpov en tant que gros client de Frères a coïncidé avec l'épanouissement total de ma relation improbable avec M. Edward. Je ne suis pas plus capable aujourd'hui qu'à l'époque de déterminer quel événement a précédé l'autre. M. Edward venait d'entamer ce que je ne peux guère décrire que comme sa deuxième jeunesse, sinon sa troisième. Il était entreprenant envers moi, beaucoup plus fougueux que ses collègues plus jeunes du milieu bancaire viennois. »

Elle réfléchit un moment, commença à dire quelque chose, secoua la tête et eut un sourire espiègle à certains souvenirs.

« Il était *très* entreprenant, si vous voulez tout savoir, dit-elle pour clore ce chapitre. Vous m'avez demandé *quand*, me semble-t-il. Quand il a fait son entrée en scène, j'imagine. Karpov. C'est bien ça ?

– En gros, oui.

– Bien, je vais vous parler de Karpov, alors.

– Je vous en prie.

– Il serait tentant de décrire Karpov comme le prototype de l'ours russe. Mais cela ne rendrait pas compte de toute la vérité. Sur M. Edward, il a eu l'effet d'un revigorant. "Karpov est ma poudre de cantharide à moi", m'a-t-il dit un jour. L'irrévérence de Karpov envers les normes conventionnelles de la vie trouvait un écho dans le cœur de M. Edward. Durant les semaines qui ont précédé l'instauration du système lipizzan, M. Edward est allé à Prague, Paris et Berlin-Est dans le seul but de rencontrer notre nouveau client.

– Avec vous ?

– Avec moi parfois, oui. Avec moi souvent, en fait. Et en certaines occasions le petit Anatoly était aussi du voyage, avec sa mallette, sacré Anatoly. Je me suis toujours demandé ce qu'elle contenait. Une arme ? D'après M. Edward, c'était son pyjama. Vous imaginez, avec sa mallette, dans une boîte de nuit ! Et il en sortait de quoi payer absolument tous les frais ! Il sortait ça d'un soufflet sur le devant où il rangeait son argent liquide. Mais nous n'avons jamais vu l'intérieur de la mallette elle-même. Top secret. Le fait qu'il soit chauve rendait tout cela encore plus drôle, ne me demandez pas pourquoi, ajouta-t-elle en se permettant un gloussement de petite fille. Ah, on ne s'ennuyait pas un instant, avec ce Karpov. Chaque rencontre était un mélange d'anarchie et de culture, et on ne savait jamais à quoi s'attendre, dit-elle avant de froncer les sourcils comme pour se morigéner. Je vais vous dire une chose, Herr Schneider. Le colonel Karpov était un amateur sincère et passionné de l'art sous toutes ses formes, musique, littérature, et aussi physique. Et de femmes, évidemment. Cela va sans dire. En russe, il se qualifiait de *koultourny*, cultivé.

– Je vous remercie, dit Bachmann en prenant diligemment note dans son calepin.

– Après avoir fait la fête jusqu'à l'aube dans une boîte de nuit et s'être rendu deux, voire trois fois dans les chambres à l'étage tout en discutant littérature dans l'intervalle, il lui fallait enchaîner aussitôt sur des visites de galeries d'art et des sites culturels de la ville, expliqua-t-elle du même ton strict. Le concept de sommeil tel que nous le concevons lui était étranger. Pour M. Edward comme pour moi à titre personnel, ces voyages ont été incroyablement formateurs. »

Elle se départit de sa sévérité pour se mettre à rire sous cape en secouant la tête. Histoire de lui tenir compagnie, Bachmann la gratifia de son sourire de clown.

« Et en ces occasions, les comptes lipizzans étaient-ils ouvertement évoqués ? s'enquit-il. Ou bien était-ce motus et bouche cousue, un secret réservé aux deux hommes ? Et à Anatoly quand il était là ? »

Nouveau silence crispant. Le visage de Frau Ellenberger se rembrunit soudain à certains souvenirs.

« Oh, même dans ses moments les plus débridés, M. Edward cultivait le secret à l'extrême, je vous l'assure ! se plaignit-elle, réagissant à la question sans y répondre directement. Pour toutes les affaires bancaires, eh bien c'était sans doute naturel, j'en conviens. Mais cela s'appliquait aussi à tout ce qui relevait de la sphère privée. Je me demandais parfois si j'étais la seule, en dehors de Mme Brue. Et c'est alors qu'elle est morte, annonça-t-elle avec une moue. Il était bouleversé, j'en suis convaincue. Quelle tristesse ! J'ai pensé que nous pourrions nous marier, voyez-vous. Mais il s'avéra que la place n'était pas libre. Pas pour Elli.

– Et il était également très secret concernant son ami anglais *M. Findlay*, si je me souviens bien d'après votre déposition », lui rappela Bachmann, l'orientant en douceur vers la question qu'il était venu lui poser.

* * *

Le visage de Frau Ellenberger s'était assombri. Elle avança la mâchoire en signe de refus, les lèvres serrées.

« Ce n'est pas comme ça qu'il s'appelait ? Findlay ? Le mystérieux Anglais ? insista Bachmann l'air de rien. C'est ce qui ressort de votre déposition. Ou bien serais-je en train de faire erreur ?

– Non, vous ne faites pas erreur. C'est Findlay qui a fait erreur. Une grosse erreur.

– Findlay, le *génie du mal* à l'origine des comptes lipizzans, pourrait-on dire ?

– Personne ne devrait s'intéresser à M. Findlay. M. Findlay devrait être relégué à l'oubli dorénavant et à tout jamais, voilà ce qui devrait arriver à notre M. Findlay, dit-elle, adoptant le ton furibond d'un personnage de conte. M. Findlay devrait être *coupé en petits morceaux et jeté dans la marmite jusqu'à ce qu'il soit cuit à point* ! »

La vigueur inattendue de cette déclaration confirma ce que Bachmann soupçonnait depuis quelque temps : ils étaient peut-être en train de boire du thé anglais dans de jolies tasses en porcelaine sur un plateau d'argent, avec une passoire en argent et un pot à lait en argent et un pot d'eau chaude en argent, et de grignoter élégamment des sablés écossais faits maison, l'haleine qui lui provenait par bouffées trahissait quelque chose de bien plus fort que du thé.

« Il était si méchant que ça, alors ? s'étonna Bachmann. *Qu'on le coupe en morceaux, qu'on lui inflige ce qu'il mérite !* lança-t-il, mais elle s'était retranchée dans ses souvenirs et il aurait aussi bien pu parler tout seul. Enfin, cela dit, je vous comprends. Si quelqu'un essayait de berner mon employeur, moi aussi je serais sacrément en colère. Rester assis là à regarder son patron se faire mener en bateau…, ajouta-t-il sans obtenir de réaction. Enfin, ça devait être un sacré personnage, notre M. Findlay, non ? Pour réussir à sortir M. Edward du droit chemin, à le présenter à des escrocs russes comme Karpov et son *homme d'affaires hors pair…* »

Il avait rompu le charme.

« Findlay n'était pas un sacré personnage, pas du tout ! s'emporta Frau Ellenberger. Ce n'était pas un personnage du tout. M. Findlay était composé à cent pour cent de caractéristiques volées à d'autres gens ! explosa-t-elle avant de couvrir ses lèvres de sa main pour les empêcher de poursuivre.

– À quoi ressemblait-il, ce Findlay ? Faites-moi son portrait.

– Malin. Malsain. La peau luisante. Le nez sec.

– Quel âge ?

– Quarante ans, soi-disant. Mais son ombre était beaucoup plus âgée.

– Quelle taille ? Quelle allure ? Des signes particuliers dont vous vous souvenez ?

– Deux cornes, une longue queue et une très forte odeur de soufre.

– Vous ne l'aimiez vraiment pas, hein ? » fit Bachmann en secouant la tête d'un air incrédule.

Frau Ellenberger connut une autre de ses métamorphoses subites. Elle s'assit bien droite comme une institutrice, pinça les lèvres et posa sur lui un regard lourd de reproches.

« Quand un homme est délibérément exclu de votre vie, Herr Schneider, quelqu'un à qui vous êtes attachée affectivement, à qui vous vous êtes révélée dans toute votre féminité, il n'est pas déraisonnable de considérer un tel homme avec mépris et suspicion, d'autant plus s'il est le séducteur et corrupteur de votre… de l'intégrité bancaire de M. Edward.

– Vous l'avez souvent rencontré ?

– Une seule fois, et cela m'a largement suffi pour me forger une opinion. Il a pris rendez-vous en se faisant passer pour un client potentiel normal. Quand il est arrivé, je lui ai fait la conversation dans la salle d'attente, ce qui entrait dans le cadre de mes attributions. C'est la seule fois qu'il est venu à la banque. Par la suite, Findlay a exercé sa magie noire et j'ai été totalement mise sur la touche. Par tous les deux.

– Vous pouvez expliquer ?

– Eh bien, si nous partagions un moment privé avec M. Edward, tous les deux, ou s'il me dictait une lettre, peu importe, le téléphone sonnait, c'était M. Findlay, il suffisait que M. Edward entende sa voix et c'était : "Elli, allez vous refaire une beauté." Si Findlay souhaitait rencontrer M. Edward, ça se passait en ville, jamais à la banque, et j'étais de nouveau exclue. "Pas ce soir, Elli. Allez donc faire cuire un poulet pour votre mère."

– Vous vous êtes plainte à M. Edward de ce traitement cavalier ?

– Il m'a répondu qu'il y a certains secrets sur cette terre que même moi je ne pouvais partager, et Teddy Findlay en était un.

– *Teddy ?*

– C'était son prénom.

– Je ne crois pas que vous l'ayez mentionné.

– Parce que je ne souhaitais pas le faire. Nous nous appelions Teddy et Elli. Seulement par téléphone, bien sûr. Et sur la base de cette unique rencontre dans la salle d'attente où nous avions discuté de tout et de rien. Tout ça, c'était des faux-semblants. Findlay, c'était ça, rien que des faux-semblants. Notre supposée familiarité au téléphone n'aurait jamais résisté à l'épreuve de la réalité, vous pouvez en être sûr. M. Edward voulait que je sois amusée par l'impertinence de Findlay, alors évidemment je l'étais.

– Qu'est-ce qui vous rend si sûre que Findlay était derrière l'opération lipizzan ?

– C'est lui qui l'a montée !

– Avec Karpov ?

– Avec Anatoly, qui agissait pour le compte de Karpov, à l'occasion. Du moins à ce que j'en ai compris. De loin. Mais c'était son bébé à lui. Il s'en vantait. *Mes* lipizzans. *Ma* petite écurie. *Mon* M. Edward, c'est ça qu'il voulait dire. Tout était prévu d'avance. Le pauvre M. Edward n'avait pas la moindre chance. Il s'est fait *embobiner*. D'abord le coup de téléphone facétieux, très charmant, qui demandait le rendez-vous, privé et en tête-à-tête, évidemment, pas de tiers, rien de consigné par écrit. Et puis l'invitation flatteuse à l'ambassade de Grande-Bretagne et un verre avec l'ambassadeur pour rendre le tout *officiel*. Officiel comment, je vous le demande. *Rien* n'était officiel, avec les lipizzans ! Ils étaient *tout* sauf officiels. Dopés et entravés dès le début. Des imposteurs aux jambes arquées qui se faisaient passer pour des purs-sangs, voilà ce qu'ils étaient !

– Ah oui, *l'ambassade*… », répéta Bachmann d'un ton évaporé, comme s'il avait un instant oublié ce fait, parce qu'un interrogateur un tant soit peu capable ne défonce jamais la porte.

En réalité, cette histoire d'ambassade de Grande-Bretagne était une nouveauté totale pour lui et le serait aussi pour Erna Frey. Rien dans la déposition de Frau Ellenberger sept ans plus tôt ne les avait préparés à l'implication de l'ambassade britannique à Vienne.

« Euh, quand est-ce que l'ambassade s'en est mêlée, au juste ? demanda-t-il en feignant une certaine gêne. Rafraîchissez-moi la mémoire, si vous voulez bien, Frau Ellenberger. Peut-être que je n'ai pas aussi bien fait mes devoirs que nous le pensions.

– M. Findlay s'était à l'origine fait passer pour un genre de diplomate britannique, répliqua-t-elle d'un ton cinglant. Un diplomate *officieux*, si une telle engeance existe, ce dont je doute. »

À en juger par l'expression sur le visage de Bachmann, il en doutait aussi, quoiqu'il en eût été un lui-même jadis.

« Par la suite, il s'est rebaptisé *consultant financier*. Si vous voulez mon avis, il n'a jamais été ni l'un ni l'autre. C'était un charlatan, un point c'est tout.

– Alors les lipizzans ont vu le jour grâce à l'ambassade britannique à Vienne, dit Bachmann comme s'il réfléchissait à haute voix. Mais c'est bien sûr ! Je m'en souviens, à présent. Veuillez excuser ce trou de mémoire.

– C'est là que tout le plan lipizzan a été concocté, j'en suis convaincue. Le soir où M. Edward est rentré de cette première rencontre à l'ambassade, il m'a expliqué tout le montage. J'étais choquée, mais ma place m'interdisait de le montrer. Après ça, toute rectification ou amélioration survenait invariablement après des consultations avec M. Findlay. Que ce soit dans une ville étrangère, ou à Vienne, mais alors très loin de la banque, ou par téléphone sous une forme soigneusement calculée que M. Edward tenait à appeler leur *code lexical*. C'était une expression que je ne l'avais jamais entendu utiliser auparavant. Bonsoir, Herr Schneider.

– Bonsoir, Frau Ellenberger. »

Mais Bachmann ne bougea pas. Et elle non plus. De toute sa carrière, confia-t-il par la suite à Erna Frey, il n'avait jamais approché de si près une intuition d'ordre psychique. Frau Ellenberger lui avait donné congé, mais il n'était pas parti parce qu'il savait qu'elle brûlait de lui en raconter davantage malgré ses appréhensions. Elle était aux prises avec son sens de la loyauté, d'une part, et son indignation, d'autre part. Soudain, l'indignation prit le dessus.

« Et maintenant il est de retour, murmura-t-elle, ses yeux s'écarquillant de surprise. Et il remet ça avec le pauvre M. Tommy, qui n'arrive pas à la cheville de son père. J'ai *senti* l'odeur de sa voix à l'instant où il a téléphoné. Une odeur de soufre, voilà ce que j'ai senti. C'est Belzébuth, cet homme. *Foreman*. Cette fois, il s'est présenté sous le nom de *Foreman*. Il joue les poids lourds, il ne peut pas s'en empêcher, il l'a toujours fait. La semaine prochaine, il se fera appeler Fiveman ! »

À seulement cent mètres de l'endroit où attendait la voiture de Bachmann se trouvait un parc arboré en bordure de lac à travers lequel courait un sentier. En tendant sa mallette à son chauffeur, il fut pris du désir spontané de s'y promener seul. Un banc s'offrait à lui, il s'y assit. Le crépuscule tombait. L'heure magique de Hambourg venait de poindre. Perdu dans ses pensées, il regarda le lac s'assombrir et les lumières de la ville s'allumer alentour. Pendant un instant, chez Frau Ellenberger, comme un voleur taraudé par son sens moral, il avait eu le sentiment de dévaliser la mauvaise personne. Secouant la tête pour dissiper ce moment d'égarement, il sortit un portable de la poche de son complet de bureaucrate et sélectionna le numéro direct de Michael Axelrod.

« Oui, Günther ?

– Les Anglais veulent la même chose que nous, annonça-t-il. Mais sans nous. »

* * *

Au téléphone, Ian Lantern n'aurait pas pu se montrer plus courtois, Brue devait le lui reconnaître. Il était désolé, il avait bien conscience que l'emploi du temps de Tommy était horriblement chargé, et il n'aurait jamais osé le déranger si Londres n'avait pas été sur son dos.

« Je ne peux pas en dire plus sur une ligne non sécurisée, malheureusement. J'ai besoin de vous voir en tête-à-tête, Tommy, et plutôt hier qu'aujourd'hui. Une heure devrait suffire. Dites-moi juste où et quand. »

Fine mouche, Brue resta tout d'abord circonspect.

« Serait-ce au sujet de l'affaire dont nous avons déjà longuement parlé au déjeuner, par hasard ? suggéra-t-il sans céder un pouce de terrain.

– C'est lié, oui. Pas complètement, mais un peu quand même. L'affreux passé nous rattrape. Rien de menaçant, cela dit. Rien d'embarrassant pour personne. Au contraire, c'est même à votre avantage. Une heure, et vous êtes tranquille. »

Rassuré, Brue consulta son agenda alors qu'il n'en avait pas besoin. Mercredi, c'était la soirée Opéra de Mitzi. Elle et Bernhard avaient des abonnements. Pour Brue, pique-nique avec les restes du frigo, ou bien dîner et partie de billard au Club anglo-allemand – le mercredi, il avait le choix.

« 19 h 15 chez moi, ça vous irait ? demanda-t-il, s'apprêtant à donner son adresse.

– Super, Tommy ! coupa Lantern. J'y serai à l'heure dite. »

Ce qui fut le cas. Avec une voiture et un chauffeur qui l'attendaient dehors. Et des fleurs pour Mitzi. Et ce satané sourire qui ne l'abandonna pas tout le temps qu'il sirota son eau gazeuse avec glaçons et rondelle de citron.

« Non, non, je vais rester debout, si ça ne vous dérange pas, merci, dit-il affablement quand Brue lui proposa un fauteuil. Après trois heures sur l'*autobahn*, c'est agréable de se dégourdir un peu les jambes.

– Vous devriez essayer le train.

– Oui, vous avez raison. »

Donc Brue resta debout lui aussi, les mains derrière le dos, dans l'attitude courtoise mais agacée qu'il espérait être celle d'un homme occupé qu'on est venu déranger jusque chez lui et qui est en droit d'exiger une explication.

« Comme je vous l'ai dit, Tommy, nous sommes pressés par le temps, alors je vais d'abord décrire le merdier dans lequel *vous* êtes, et après, peut-être qu'on pourra parler du merdier dans lequel on est, *nous*. Ça vous va ?

– À votre guise.

– Au fait, mon truc, c'est le terrorisme. Je ne crois pas qu'on en ait parlé pendant notre déjeuner, si ?

– Je ne crois pas, non.

– Et ne vous inquiétez pas pour Mitzi. Si son petit ami et elle décident de se casser à l'entracte, mes hommes seront les premiers à nous en avertir. Pourquoi ne pas vous asseoir et finir votre whisky ?

– Tout va bien, merci. »

Déçu par cette réponse, Lantern poursuivit néanmoins.

« Je ne vous le cache pas, Tommy, je n'ai pas beaucoup apprécié d'apprendre par mon homologue allemand que, loin d'ignorer l'endroit où se trouve un certain Issa Karpov, vous aviez passé la moitié de la nuit avec lui en présence de témoins. Du coup, on a eu l'air assez cons, nous. C'est pas faute de vous avoir posé la question, pourtant.

– Vous m'avez demandé de vous informer s'il déposait une requête. Il ne l'avait pas fait, et il ne l'a toujours pas fait. »

Lantern accepta l'objection de Brue comme il sied venant d'un aîné, mais à l'évidence il n'en était pas pour autant totalement satisfait.

« Franchement, vous déteniez beaucoup d'informations qui nous auraient été bien utiles. Ça nous aurait donné une longueur d'avance, au lieu de nous obliger à nous aplatir lamentablement.

– Une longueur d'avance pour quoi ?

– Sans commentaire, désolé, fit Lantern, dont le sourire se teinta de regret. Dans notre métier, l'information est compartimentée, Tommy.

– Dans le mien également.

– Nous avons réalisé une petite étude de caractère sur vous, Tommy, pour ne rien vous cacher. Nous et Londres. Votre contexte familial, votre fille d'un premier mariage – c'est bien Georgie ? Fille de Sue ? Personne n'a vraiment compris pourquoi vous vous étiez séparés, tous les deux. Moi, je trouve toujours ça triste. À mon avis, le divorce à la légère, c'est comme une sorte de mort. Mes parents à moi ne s'en sont jamais remis, ça je le sais. Et j'imagine que moi non plus, d'une certaine manière. Enfin bref, en tout cas, elle est enceinte, ce qui est une bonne nouvelle. Georgie, je veux dire. Vous devez être aux anges.

– Mais enfin, de quoi je me mêle ? Occupez-vous de vos oignons, d'accord ?

– On est juste en train d'essayer de comprendre pourquoi vous avez fait autant de rétention, Tommy, ce que vous étiez en train de protéger. Ou qui vous étiez en train de protéger. Juste vous personnellement ? Ou Brue Frères ? Ou bien le jeune Karpov ? Vous l'avez à la bonne, pour une raison ou pour une autre ? Enfin, je veux dire, à menteur, menteur et demi, Tommy. Vous nous avez bien eus. Chapeau, même si ça nous fait mal de le dire.

– Il me semble me souvenir que vous n'étiez pas non plus très prodigues, côté vérité. »

Lantern choisit de ne pas entendre cette remarque, et il poursuivit avec insouciance.

« En revanche, une fois qu'on a eu jeté un coup d'œil aux finances poussives de Brue Frères et qu'on a eu fait une estimation à la louche de ce que le vieux Karpov avait dû mettre à gauche, on a eu l'impression de mieux vous comprendre : ah, c'est *ça* qui motive Tommy ! Il espère que les millions du vieux Karpov lui serviront de matelas jusqu'à la retraite. Pas étonnant qu'il ne veuille pas d'une requête officielle. Vous souhaitez faire un commentaire là-dessus ?

– Partons du principe que vous avez raison, lâcha Brue. Et maintenant, vous pouvez sortir de chez moi.

– Ah, Tommy, je suis désolé, c'est impossible, déclara Lantern en élargissant son sourire de commisération. Impossible pour nous, et pour vous, si vous me suivez. En plus, il y a une jeune femme mêlée à cette affaire, paraît-il.

– N'importe quoi. Je n'ai pas de jeune femme. Vous êtes en plein délire. À moins que vous ne vouliez parler de l'avocate du jeune homme, dit-il avec un effort désespéré pour faire semblant de chercher son nom. Frau *Richter*. Elle parle russe. Elle le représente pour sa demande d'asile, entre autres.

– Très mignonne, en plus, à ce qu'on dit. Quand on les aime plutôt menues, ce qui est mon cas.

– Je n'avais pas remarqué. J'ai bien peur d'avoir un peu perdu le coup d'œil pour repérer les dames, vu mon âge. »

Tout en méditant le fait que Brue ait cru bon de faire une référence dépréciative à son âge en cet instant précis, Lantern se dirigea vers la desserte et, le plus naturellement du monde, se resservit de l'eau gazeuse.

« Enfin bref, voilà le merdier dans lequel vous êtes, Tommy, et j'y reviendrai un peu plus tard. Mais avant cela, j'aimerais vous décrire le merdier dans lequel je suis moi, et qui franchement, grâce à vous, ne vaut pas beaucoup mieux que le vôtre. Vous permettez ?

– Je permets quoi ?

– Je viens de vous le dire. Vous permettez que je décrive l'ampleur du merdier dans lequel vous nous avez fourrés ? Vous m'écoutez ou pas ?

– Bien sûr que je vous écoute.

– Parfait. Parce que demain matin à 9 heures précises, ici à Hambourg, je vais assister à une réunion hautement secrète et extrêmement *délicate* dont le sujet sera nul autre que cet Issa Karpov sur lequel vous avez prétendu ne jamais avoir posé les yeux. Alors qu'en fait, si. »

Il avait endossé une nouvelle personnalité : didactique, logorrhéique, napoléonien, sa voix martelant certains mots mal à propos comme les touches d'un piano mal accordé.

« Et *à* cette réunion, Tommy, où, grâce à vous, je m'attends à être envoyé dans les *cordes*, j'ai besoin, ou plutôt mon *bureau* a besoin, en fait, nous tous qui essayons de résoudre cette situation extrêmement délicate, Londres, les Allemands, plus d'autres services alliés que je ne prendrai même *pas* la peine de citer à ce stade, avons *besoin* que *vous*, M. Tommy Brue de la banque Brue Frères, en bon patriote anglais et ennemi avoué du terrorisme, soyez non seulement disposé mais bien *décidé* à collaborer avec moi de quelque manière ou façon que *puisse* exiger cette opération top secret, dont, pour l'instant en tout cas, vous ne saurez absolument rien. La question que je vous pose est donc la suivante : *ai-je* raison ? *Allez*-vous collaborer, ou allez-vous, comme précédemment, faire de *l'obstruction* dans notre guerre contre le terrorisme ? »

Il ne laissa même pas le temps à Brue de contre-attaquer. Il avait cessé d'aboyer et employait déjà un ton apitoyé.

« Voyez-vous, tout à fait *indépendamment* de votre bonne volonté, à laquelle nous faisons appel maintenant, Tommy, je vais vous dire tout ce qui pèse contre vous. Vous êtes à deux doigts de la liquidation judiciaire, même en supposant qu'il n'y ait pas de poursuites pour blanchiment d'argent. *Sans* compter ce que les Allemands auront à dire sur un banquier anglais résidant sur leur territoire qui fricote avec un terroriste islamiste notoire en cavale, et ça, il vaut mieux ne même pas y penser. Vous l'avez dans l'os. Alors, tant qu'à faire, autant en jouir tranquillement et en profiter.

Vous voyez ce que je veux dire ? Je ne suis pas sûr de bien me faire comprendre, là. Vous voulez que je vous parle un peu d'Annabel ?

– C'est du chantage, alors ?

– La carotte et le bâton, Tommy. En cas de succès, les vieux péchés de la banque seront oubliés, la City vous verra sous un jour plus favorable et Brue Frères survivra. Plus généreux, il n'y a pas.

– Et le jeune homme ?

– Qui donc ?

– Issa.

– Ah, oui ! Votre côté altruiste. Eh bien, ça va dépendre de si vous jouez bien votre rôle, tiens. Il appartient aux Allemands, bien sûr. Nous ne pouvons pas empiéter sur leur souveraineté, donc ce sera à eux de décider. Mais personne ne le laissera tomber, quand on en sera là, aucun risque. Ce n'est pas le genre de la maison.

– Et Frau Richter ? Qu'est-elle censée avoir fait ?

– Annabel. Oh, théoriquement, elle est dans la merde, elle aussi. Elle a conspiré avec lui, elle l'a dissimulé, elle s'est sans doute envoyée en l'air avec…

– Je vous ai demandé ce qu'il allait advenir d'elle.

– Non, vous m'avez demandé ce qu'elle avait fait, et je vous ai répondu. Quant à savoir ce qu'il adviendra d'elle… S'ils ont un brin de jugeote, ils la laisseront poursuivre son petit bonhomme de chemin. Elle a des relations inimaginables, comme vous le savez certainement.

– Je l'ignorais.

– Famille de grands juristes, notoriété ancienne, service diplomatique allemand, des titres à ne plus savoir qu'en faire, domaine à Fribourg. Vu la façon dont ce pays fonctionne, mon conseil ce serait de lui donner une petite tape sur les doigts et de la renvoyer dans ses pénates.

– Donc ce que vous êtes en train de me dire, c'est que je dois vous faire un chèque en blanc sur mes services.

– Eh bien, Tommy, en gros, oui, honnêtement. Vous signez sur les pointillés, on oublie le passé, et on avance ensemble en synergie. Et on se convainc qu'on est en train de faire un boulot vraiment utile. Pas seulement pour nous. Pour tous les gens de l'extérieur, comme on dit dans le métier. »

Et, à la stupéfaction de Brue, il y avait de fait un document à signer, qui, à l'examen, comportait beaucoup de ressemblances avec un chèque en blanc. Rangé dans une épaisse enveloppe brune domiciliée dans la veste de Lantern, il engageait les services de Brue pour un « travail d'importance nationale » non spécifié et attirait son attention sur les multiples clauses draconiennes de la Loi sur le secret officiel et les peines encourues si jamais il les transgressait. S'étonnant lui-même, il jeta un coup d'œil à Lantern, puis tout autour de lui comme pour chercher de l'aide dans la véranda où ils se trouvaient, mais en vain, et il signa.

* * *

Lantern était parti.

Ivre de rage, trop furieux même pour finir son scotch comme l'avait si délicatement suggéré Lantern, Brue resta debout dans l'entrée, les yeux rivés à la porte close. Son regard tomba sur la console, où reposait le bouquet de fleurs encore emballé. Il le prit dans les mains, en huma le parfum, puis le reposa au même endroit.

Des gardénias, la fleur préférée de Mitzi. Un fleuriste chic. Il n'a pas d'oursins dans les poches, notre Ian, quand c'est aux frais de la princesse.

Pourquoi les avait-il apportées ? Pour montrer qu'il savait ? Qu'il savait quoi ? Que les gardénias étaient la fleur préférée de Mitzi ? De même qu'ils savaient que je mangeais du poisson à La Scala ? Et qu'ils savaient comment inciter Mario à ouvrir le restaurant pour le déjeuner un lundi ?

Ou au contraire pour montrer qu'il ne savait *pas* qu'elle était allée à l'Opéra avec son amant, alors qu'évidemment il le savait, mais d'un autre côté, dans la logique de son métier, ce qu'on sait c'est ce qu'on prétend ne pas savoir. Alors officiellement il ne savait pas.

Et Annabel ? *Oh, elle est dans la merde, elle aussi.*

Brue tendait à ne pas accorder grand crédit aux propos de Lantern, mais sur ce point-là il le croyait volontiers. Pendant quatre jours et quatre nuits, il avait envisagé toutes les façons possibles d'entrer discrètement en contact avec elle : une lettre remise en main propre à Sanctuaire Nord par le coursier de Frères, un message anodin sur le répondeur de son bureau ou sur son portable.

Mais par délicatesse, pour reprendre le terme de Lantern, ou bien par pure couardise, selon la façon dont on se plaçait, il s'en était abstenu. Au bureau, de façon intempestive quand son esprit aurait dû se concentrer sur la haute finance, il se surprenait, le menton dans la main, à regarder le téléphone en espérant l'entendre sonner. Raté.

Et maintenant, exactement comme il l'avait craint, elle avait des problèmes. Et malgré tout le joli baratin de Lantern, il se refusait à croire qu'elle allait s'en sortir sans dommage. Tout ce qui lui manquait, c'était une bonne raison pour lui téléphoner, et là, dans sa colère, il venait de la trouver. Lantern peut aller se faire voir. J'ai une banque à gérer et un scotch à finir. Il le but cul sec, puis composa le numéro d'Annabel depuis sa ligne fixe.

« Frau Richter ?

– Oui ?

– Ici Brue, Tommy Brue.

– Bonsoir, monsieur Brue.

– Je tombe mal, peut-être ? demanda-t-il en raison de sa voix peu amène.

– Non, non, pas du tout.

– J'ai cru bon de vous appeler pour deux raisons, si vous avez un instant à me consacrer.

– Oui, oui, allez-y, bien sûr. »

Est-elle droguée ? Ligotée ? Contrainte d'obéir à certaines consignes ? De consulter quelqu'un avant de répondre ?

« La première raison de mon appel est la suivante. Je ne souhaite pas entrer dans les détails par téléphone, bien sûr, mais il y a eu un chèque fait récemment. Il ne semble pas avoir été encaissé où que ce soit.

– Les choses ont changé, répondit-elle après une nouvelle attente interminable.

– Ah oui ? C'est-à-dire ?

– Nous avons décidé de nous arranger différemment. »

Nous ? Vous et qui, alors ? Vous et Issa ? Il n'avait pas semblé à Brue qu'Issa était partie prenante dans le processus de décision.

« Mais les choses ont changé en mieux, j'ose l'espérer, reprit-il d'un ton qu'il voulait optimiste.

– Peut-être, peut-être pas. Il faudra voir si ça marche pour le savoir, commenta-t-elle du même ton neutre, sépulcral. Voulez-vous que je le déchire ou que je vous le renvoie ?

– Non, non ! s'exclama-t-il avec trop d'emphase avant de se ressaisir. Pas s'il reste possible que vous en ayez besoin, bien sûr que non. Je ne verrais aucun inconvénient à ce que vous l'encaissiez en attendant de voir comment les choses évoluent, pour ainsi dire. Et

278

s'il n'en sort rien, eh bien, vous me rembourserez plus tard la somme que vous n'aurez pas utilisée, conclut-il avant d'hésiter à oser la seconde raison. Concernant l'autre question financière… Les choses ont-elles bougé, de ce côté-là ? »

Pas de réponse.

« Je veux dire, concernant le patrimoine présumé de notre ami. Vous savez, ce cheval de cirque dont nous avons parlé, fit-il en essayant une pointe d'humour. Notre ami se propose-t-il de le reprendre ?

– Je ne peux pas encore en discuter. Je dois lui en reparler.

– Vous me rappelez, alors ?

– Peut-être après lui avoir reparlé, oui.

– Et dans l'intervalle, vous encaissez le chèque ?

– Peut-être.

– Et vous allez bien, à part ça ? Pas de souci ? Pas de problème ? Si je peux vous aider de quelque façon que ce soit…

– Je vais très bien.

– Bon. »

Long silence partagé. De son côté à lui, une angoisse impuissante. De son côté à elle, apparemment, une profonde indifférence.

« Bon, alors on se tient au courant très vite ? » suggéra-t-il en rassemblant ce qui lui restait d'enthousiasme.

Ils se tiendraient au courant ou non, elle avait raccroché. Ils sont à l'écoute, songea Brue. Ils sont dans la pièce avec elle. Ils dirigent l'enfant de chœur.

* * *

Son portable encore à la main, assise à sa petite table de travail blanche dans son ancien appartement, Annabel regardait par la fenêtre la rue enténébrée. Derrière elle, dans l'unique fauteuil, Erna Frey la surveillait en sirotant son thé vert.

« Il veut savoir si Issa va déposer sa requête, rapporta Annabel. Et aussi ce que j'ai fait de son chèque.

– Et vous avez temporisé, l'approuva Erna Frey. Tout en finesse, je dois dire. La prochaine fois qu'il appellera, vous aurez peut-être de meilleures nouvelles à lui donner.

– Meilleures pour qui ? Pour lui, ou pour vous ? »

Annabel reposa son téléphone sur le bureau, et, la tête entre les mains, le scruta comme s'il renfermait toutes les réponses aux mystères de l'univers.

« Pour nous tous, mon petit », répondit Erna Frey en se levant car le portable sonnait de nouveau.

Mais elle arriva trop tard. Telle une droguée, Annabel l'avait déjà saisi et disait son nom.

C'était Melik, qui voulait lui dire au revoir avant de partir avec sa mère pour la Turquie, mais aussi savoir comment allait Issa, car il se sentait coupable.

« Écoutez-moi, quand on sera rentrés, dites-le à mon frère, dites-le à notre ami : *c'est quand il veut*. Compris ? Dès qu'il se sera fait accepter, il est le bienvenue chez nous. Il peut récupérer sa chambre, il peut manger tout le frigo. Dites-lui que c'est un type super, d'accord ? C'est Melik qui le dit. Il pourrait me mettre K.-O. en un seul round, compris ? Peut-être pas sur un ring, d'accord, mais là-bas, où il était. Vous comprenez ce que je suis en train de vous dire ? »

Oui, Melik, je comprends ce que vous êtes en train de me dire… Et passez le bonjour à Leïla. Et transmettez-lui mes vœux pour un beau mariage, un mariage traditionnel. Et bon mariage pour vous aussi, Melik. Et longue vie à votre sœur et à son futur mari. Je leur souhaite beaucoup de bonheur. Et revenez-moi sain et sauf, Melik, veillez bien sur votre mère, c'est une femme bonne et courageuse, elle vous aime, et elle a été une bonne mère pour votre ami...

Et ainsi de suite, jusqu'à ce qu'Erna Frey extirpe en douceur le téléphone des doigts crispés d'Annabel et l'éteigne, tout en posant son autre main sur son épaule d'un geste plein de tendresse.

11

Ni sa réponse exubérante à Melik ni sa réponse gla-
ciale à Brue n'étaient des épisodes isolés dans la nouvelle existence d'Annabel. Chaque jour qui passait, son
humeur oscillait entre la honte, la haine pour ses officiers traitants, un optimisme béat autant qu'irrationnel
et des périodes prolongées d'acceptation docile de son
calvaire.

Au Sanctuaire, malgré le fait que Herr Werner, sur
l'intervention de Bachmann, ait rendu une visite de
politesse à Ursula pour l'informer que le dossier Issa
Karpov ne préoccupait plus les autorités, Annabel
s'était fait porter pâle.

Erna Frey était à présent sa voisine en plus de sa gardienne. Le lendemain du jour où Annabel avait été
déposée sur le port par la camionnette jaune, Erna avait
emménagé au rez-de-chaussée d'un Apartotel d'acier
et de béton à moins de cent mètres de là. Peu à peu, ce
logement devint la troisième maison d'Annabel. Elle y
passait avant et après chacune de ses visites à Issa. Parfois, par commodité, elle y dormait également, dans
une chambre d'enfant où ne régnait jamais le noir complet en raison des enseignes lumineuses de la rue.

Ses visites biquotidiennes à Issa n'étaient plus des
entreprises aventureuses, mais des pièces de théâtre
bien répétées sous la direction minutieuse d'Erna et, au

fil des jours, de Bachmann également. Dans l'intimité créée par les rideaux tirés du petit salon de la planque, séparément ou en duo, ils la briefaient avant et après chaque ascension de l'escalier de bois en colimaçon. De vieilles scènes étaient rejouées et disséquées, de nouvelles anticipées et améliorées, tout cela dans le but de persuader Issa de réclamer son héritage et de se prémunir ainsi contre les horreurs de l'expulsion.

Annabel, même si elle ne comprenait que vaguement, voire pas du tout, leur but à plus long terme, leur était secrètement reconnaissante de leurs conseils, constatant à son désespoir qu'elle en était arrivée à dépendre d'eux. Tout le temps qu'ils passaient tous trois côte à côte devant le magnétophone, c'étaient Erna et Günther qui incarnaient son contact avec la réalité et non Issa, devenu en son absence leur enfant à problèmes.

C'est seulement quand elle parcourait les cent mètres de son chemin de croix sur le trottoir encombré et se retrouvait en présence d'Issa qu'elle avait une boule au ventre et que sa langue se faisait pâteuse de honte, et là, Annabel aurait volontiers foulé au pied tous les sales services qu'elle rendait à ses manipulateurs. Pis encore, il lui semblait qu'Issa, grâce à son empathie de prisonnier, percevait son changement de personnalité, cette confiance accrue qu'elle retirait du fait d'être sous leur contrôle, malgré tous ses efforts pour s'en défendre.

« Faites-lui don de votre personne, mon petit, le plus possible tout en gardant vos distances, avait conseillé Erna. L'important, c'est de l'amener en douceur à se lancer. Quand il prendra sa décision, ce sera sur la foi de ses sentiments plus que de sa raison. »

Avec Issa, Annabel avait joué aux échecs, écouté de la musique et, à la suggestion d'Erna, abordé des sujets qui n'auraient pas été acceptables encore deux jours plus tôt. Toutefois, étonnamment, alors que leur relation se détendait, Annabel se trouvait beaucoup moins disposée à laisser passer ses critiques acerbes de son mode de vie occidental, et notamment ses allusions désapprobatrices à Karsten, dont il semblait pourtant bien content de porter les coûteux vêtements.

« Et vous, Issa, avez-vous jamais aimé une femme, à part votre mère ? » demanda-t-elle de l'autre bout du loft.

Oui, concéda-t-il après un long silence. Il avait seize ans. Elle en avait dix-huit, elle était déjà orpheline. Une vraie Tchétchène comme sa mère à lui, pieuse, belle et chaste. Leurs sentiments n'avaient pas connu d'expression physique, assura-t-il à Annabel. Ce n'était que de l'amour pur.

« Que lui est-il arrivé ?
– Elle a disparu.
– Comment s'appelait-elle ?
– C'est insignifiant.
– Disparu comment ?
– En martyre de l'Islam.
– Comme votre mère ?
– C'était une martyre.
– Quel *genre* de martyre ? »
Silence.

« Une martyre volontaire ? Vous voulez dire qu'elle s'est délibérément sacrifiée pour l'Islam ? »
Silence.

« Ou bien une martyre malgré elle ? Une victime, comme vous ? Comme votre mère ? »

C'était insignifiant, répéta Issa après une éternité. Dans Sa miséricorde, Dieu lui pardonnerait et la recevrait au paradis. Quoi qu'il en soit, ce simple aveu du fait qu'Issa eût aimé quelqu'un constituait un abaissement de ses défenses, comme Erna Frey fut prompte à le souligner.

« Ce n'est pas un défaut dans sa cuirasse que vous avez trouvé, mon petit, c'est un trou béant ! s'exclama-t-elle. S'il est prêt à parler d'amour, il est prêt à parler de tout, de religion, de politique, de tout. Il ne le sait peut-être pas encore, mais il veut que vous le fassiez changer d'avis. La meilleure manière de l'aider, c'est de continuer le travail de sape, déclara-t-elle avant d'ajouter la petite douceur dont Annabel était devenue dépendante : Vous vous en sortez à merveille, mon petit. Il a beaucoup de chance. »

* * *

Annabel continua le travail de sape.

Le lendemain matin, 6 heures, petit déjeuner. Café et croissants chauds, merci Erna Frey. Ils étaient assis à leurs places devenues respectives : Issa devant la fenêtre cintrée, Annabel dans le coin le plus éloigné, sa longue jupe tirée sur ses grosses bottes noires.

« Il y a encore eu des attentats à Bagdad, aujourd'hui, annonça-t-elle. Vous avez écouté la radio, ce matin ? Quatre-vingt-cinq morts et des centaines de blessés.

– C'est la volonté de Dieu.

– Vous voulez dire que Dieu approuve les musulmans qui tuent des musulmans ? Je crois que je ne comprends pas bien ce genre de Dieu.

– Ne jugez pas Dieu, Annabel. Il sera sévère avec vous.

– Et vous, vous approuvez ?

– Quoi ?

– Les tueries.

– Ce n'est pas en tuant des innocents que l'on satisfait Allah.

– Mais qui est innocent ? Et qui *peut*-on tuer pour satisfaire Allah ?

– Allah le saura. Il sait toujours.

– Mais comment le saurons-nous, nous ? Comment Allah nous le dira-t-Il ?

– Il nous l'a dit dans le Coran. Il nous l'a dit par le Prophète, la paix soit avec Lui. »

Attendez d'être sûre qu'il ait baissé sa garde, et là, foncez, lui avait conseillé Erna. Annabel en était sûre à cet instant.

« J'ai commencé à lire les écrits d'un célèbre érudit islamique. Le Dr Abdullah. Vous en avez entendu parler ? Dr Fayçal Abdullah ? Il habite ici, en Allemagne. Il passe à la télévision, de temps en temps. Pas souvent, parce qu'il est trop pieux.

– Pourquoi en aurais-je entendu parler, Annabel ? S'il se montre à la télévision occidentale, alors ce n'est pas un bon musulman, il est corrompu.

– Pas du tout. Il est pieux, c'est un ascète, un érudit islamique très respecté qui a écrit des livres majeurs sur la foi et la pratique islamiques, rétorqua-t-elle, ignorant le rictus soupçonneux qui se formait déjà sur le visage d'Issa.

– En quelle langue a-t-il écrit ces livres, Annabel ?

– En arabe, mais ils ont été traduits dans beaucoup de langues, en allemand, en russe, en turc, presque toutes les langues possibles et imaginables. Il représente de nombreuses organisations caritatives musulmanes. Il a aussi beaucoup écrit sur le précepte musulman du don, ajouta-t-elle d'un ton lourd de sous-entendus.

– Annabel. »

Elle attendit la suite.

« En attirant mon attention sur l'œuvre de cet Abdullah, votre but est-il de me persuader d'accepter l'argent sale de Karpov ?

– Et alors ?

– Alors veuillez prendre à cœur l'information que je ne le ferai jamais.

– Ah mais ça oui ! explosa-t-elle, à bout de patience. Un peu que je le prends à cœur ! »

Était-ce vrai ou jouait-elle la comédie ? Elle ne savait plus.

« Je prends à cœur le fait que vous ne deviendrez jamais médecin, ni rien d'autre que vous voudriez devenir. Et que je ne vais jamais reprendre le cours normal de ma vie. Et que M. Brue ne va jamais récupérer l'argent qu'il m'a confié pour que je veille sur vous, parce que d'un jour à l'autre ils vont débarquer ici et vous trouver et vous renvoyer en Turquie, en Russie ou je ne sais où qui sera encore pire. Et ce ne sera pas la volonté de Dieu, ça, ce sera votre entêtement débile. »

Haletante, à la fois furieuse contre lui et totalement concentrée, elle vit qu'il s'était levé pour regarder par la fenêtre cintrée le monde ensoleillé en contrebas.

Si ça vous vient naturellement, énervez-vous contre lui, lui avait conseillé Bachmann. *Comme vous vous êtes énervée contre nous le soir où on vous a enlevée pour faire votre éducation.*

* * *

À son retour à la planque, Annabel trouva Erna Frey et Bachmann enthousiastes quoique indécis. Erna Frey la couvrit de louanges : Annabel s'était magnifiquement comportée, elle avait dépassé toutes leurs attentes, les choses avançaient bien plus vite qu'ils n'auraient osé l'espérer. Maintenant, la question était de savoir s'il fallait qu'Annabel laisse mijoter Issa une journée entière, ou bien quitte le Sanctuaire à l'heure du déjeuner sous un prétexte quelconque et revienne pousser son avantage en donnant à Issa les livres d'Abdullah.

C'était sans compter sur la soudaine baisse de moral d'Annabel dans la foulée de son exploit. Au début, tout absorbés qu'ils étaient, ils ne remarquèrent pas son changement d'humeur. La voyant assise la tête entre les mains à l'autre bout de la table, ils supposèrent qu'elle se reposait un peu après cette épreuve de force. Puis Erna Frey tendit la main pour lui toucher le bras, qu'Annabel retira comme si elle venait de se faire mordre. Quant à Bachmann, il n'était pas homme à se plier aux sautes d'humeur de ses agents.

« Qu'est-ce qui se passe, encore ? demanda-t-il.

– Je suis la chèvre attachée au piquet, c'est ça ? rétorqua Annabel, la main devant la bouche.

– Vous êtes *quoi* ?

– Je sers à appâter Issa. Après j'appâte Abdullah, et après vous détruisez Abdullah. C'est ça que vous appelez sauver des vies innocentes.

– Mais c'est complètement con, ce que vous dites ! hurla Bachmann dans l'oreille d'Annabel après avoir fait le tour de la table pour s'en rapprocher. Tant que vous coopérez, votre protégé a une chance de tirer sa carte "sortie de prison". Et pour votre information, je n'ai pas l'intention de toucher à un cheveu de la vénérable caboche d'Abdullah. C'est une icône de tolérance, d'amour et d'intégration, et mon boulot ne consiste pas à déclencher des émeutes ! »

Ils optèrent pour la solution du déjeuner. Annabel ferait un petit saut pour voir Issa et lui déposer les livres d'Abdullah, plaiderait le manque de temps et reviendrait le soir même pour connaître sa réaction. Elle accepta.

« Ne me faites pas le coup du sentimentalisme, Erna, dit Bachmann une fois qu'ils eurent raccompagné Annabel à la camionnette jaune avec sa bicyclette. Il n'y a pas de place pour ça dans cette opération.

– Parce que dans les autres, il y en avait ? » rétorqua Erna Frey.

* * *

Annabel et Issa étaient assis chacun à un bout du loft, comme à leur habitude. Le soir était tombé. Annabel avait fait sa visite éclair à l'heure du déjeuner et déposé les trois petits livres du Dr Abdullah en russe. Maintenant elle était de retour. Elle sortit une feuille de papier de son anorak. Ils avaient à peine parlé jusqu'ici.

« J'ai téléchargé ça. Vous voulez que je vous le lise ? C'est en allemand, il faudra que je traduise. »

Elle attendit en vain une réponse, puis parla assez fort pour se faire entendre de lui.

« "Le Dr Abdullah est né en Égypte voici cinquante-cinq ans. Cet érudit reconnu dans le monde entier est fils et petit-fils d'imams, de muftis et d'enseignants… Durant sa turbulente jeunesse alors qu'il faisait des études au Caire, il a été subjugué par les doctrines des Frères musulmans. Son activisme lui a valu d'être arrêté, emprisonné et torturé… À sa sortie de prison, il a de nouveau failli mourir, cette fois aux mains de ses anciens camarades, parce qu'il prêchait la fraternité, l'honnêteté, la tolérance et le respect de toutes les créatures de Dieu. Le Dr Abdullah est un réformateur traditionaliste qui se réfère constamment à l'exemple du Prophète et de Ses compagnons." Vous m'écoutez, là ? lança-t-elle après une pause.

— Je préfère les œuvres de Tourgueniev.

— Pourquoi ? Parce que vous refusez de prendre une décision ? Ou parce que vous ne voulez pas qu'une païenne idiote vous apporte des livres pour vous montrer ce qu'un bon musulman fait de son argent ? Combien de fois faudra-t-il que je vous rappelle que je suis votre *avocate* ? »

Dans la pénombre constellée, elle ferma les yeux puis les rouvrit. N'a-t-il donc plus aucun sens de l'urgence ? Pourquoi devrait-il se soucier de grandes décisions alors que nous le privons de toutes les petites ?

« Issa, on se réveille, s'il vous plaît ! Les musulmans pieux du monde entier sollicitent les conseils du Dr Abdullah. Pourquoi pas vous ? Il représente beaucoup de grandes organisations caritatives musulmanes, dont certaines qui viennent en aide à la Tchétchénie. Si un érudit musulman avisé comme le Dr Abdullah est prêt à vous dire comment faire bon usage de votre argent, pourquoi refusez-vous de l'entendre, à la fin ?

– Ce n'est pas mon argent, Annabel. Cet argent a été volé au peuple de ma mère.

– Alors pourquoi ne pas chercher un moyen de le lui rendre ? Et pendant que vous y êtes, de devenir vraiment médecin pour pouvoir rentrer au pays l'aider ? Ce n'est pas ça que vous avez envie de faire ?

– M. Brue a-t-il une opinion favorable de cet Abdullah ?

– Je ne crois pas qu'il le connaisse. Peut-être qu'il l'a vu à la télé.

– C'est insignifiant. L'opinion d'un non-croyant sur le Dr Abdullah ne compte pas. Je lirai moi-même ces livres, et je me ferai ma propre opinion avec l'aide de Dieu. »

Son dernier rempart était-il enfin en train de s'écrouler ? Dans un instant d'angoisse inexplicable, elle pria pour que cela ne fût pas le cas. Il se passa encore une éternité avant qu'il reprenne la parole.

« Cela dit, M. Tommy Brue est banquier, et il peut donc consulter ce Dr Abdullah depuis sa perspective laïque. D'abord, il déterminera, avec l'aide d'autres oligarques, si cet homme a une réputation d'honnêteté dans ses affaires séculières. Le peuple opprimé de Tchétchénie a été maintes fois dépouillé, et pas seulement par Karpov. S'il est honnête, alors M. Brue lui proposera de ma part certaines conditions, et le Dr Abdullah accomplira les ordres de Dieu.

– Et après ça ?

– Vous êtes mon avocate, Annabel. Vous me conseillerez. »

* * *

Le petit restaurant s'appelait Chez Louise, et il se trouvait au numéro 3 de la Maria-Louisenstrasse, principale artère d'un charmant village urbain d'antiquaires, de boutiques bio et de salons de toilettage pour les nombreux chiens riches qui résidaient dans ce quartier huppé. À l'époque où Annabel se considérait comme une âme libre, Chez Louise était l'endroit où elle aimait se poser le dimanche matin pour boire un *latte*, lire les journaux et regarder passer le monde. Et c'était cet endroit qu'elle avait choisi pour son rendez-vous galant avec M. Tommy Brue de la banque Brue Frères, certaine qu'il ne se sentirait pas mal à l'aise dans un environnement si protégé et cossu.

À la suggestion d'Erna Frey, elle avait proposé le milieu de matinée, heure la plus calme au restaurant et à laquelle Brue avait le plus de chances de pouvoir se libérer à brève échéance. Parce que, comme l'avait justement dit Erna Frey, si votre M. Tommy est un banquier digne de ce nom, il a forcément rendez-vous pris pour le déjeuner. Ce à quoi Annabel se garda de répondre que, vu les sentiments qu'elle devinait en lui, il aurait décommandé un déjeuner avec le président de la Banque mondiale si elle le lui avait demandé.

Malgré cela, elle décida à sa propre suggestion – sur un coup de tête, après un long face à face décevant avec son miroir – de s'habiller un peu pour cette rencontre. Cela plairait à M. Tommy Brue. Rien d'extravagant, mais c'était un homme bien, il était amoureux d'elle, et il méritait cette petite attention. Et il serait bien agréable de se présenter à lui vêtue à l'occidentale, pour changer ! Alors au diable l'accoutrement que lui imposaient les sensibilités musulmanes d'Issa, son uniforme de prisonnière, comme elle commençait à l'appeler, et pourquoi pas son plus beau jean et le chemisier en soie blanche à ruché que Karsten lui avait offert et qu'elle n'avait jamais mis ? Et ses chaussures neuves un peu élégantes mais portables à vélo ? Et tant qu'elle y était, une touche de maquillage pour rehausser ces joues blafardes et mettre en valeur les atouts cachés de son visage ? La joie sincère de Brue quand elle l'avait appelé depuis l'appartement-prison d'Erna, ce matin juste après être allée voir Issa, l'avait vraiment touchée.

« Merveilleux ! Fantastique ! Bravo, vous l'avez convaincu, alors ? Je commençais à craindre que vous n'y arriviez jamais, mais si ! Dites-moi où et quand. »

Et lorsqu'elle avait fait allusion à Abdullah, sans le mentionner nommément parce qu'Erna jugeait que ce serait prématuré, il s'était exclamé : « Des scrupules éthiques et religieux ? Mais, très chère, nous autres banquiers en rencontrons tous les jours ! La chose capitale, c'est que votre client ait décidé de déposer sa requête. Une fois qu'elle aura abouti, Frères fera ses quatre volontés. »

Un tel enthousiasme chez un autre homme du même âge aurait pu paraître inquiétant, mais, après la piètre prestation d'Annabel lors de leur dernière conversation, elle en éprouvait un profond soulagement, elle s'en réjouissait, même. Car le monde entier ne dépendait-il pas de la façon dont elle se comportait ? Son moindre mot, son moindre sourire, sa moindre moue, son moindre geste n'étaient-ils pas la propriété personnelle de ceux auxquels elle appartenait : Issa, Bachmann, Erna Frey et, au Sanctuaire, Ursula et tous les membres de son ancienne famille, qui évitaient délibérément de croiser son regard tout en l'observant à la dérobée ?

* * *

Pas étonnant qu'elle n'arrive pas à dormir. Il lui suffisait de poser la tête sur l'oreiller pour revivre avec un réalisme criant ses nombreuses et diverses prestations de la journée. Ai-je outré mon intérêt pour le bébé malade de la standardiste du Sanctuaire ? Quelle image ai-je projetée quand Ursula a suggéré qu'il était temps pour moi de prendre des vacances ? Et pourquoi l'a-t-elle suggéré d'ailleurs, alors que je me terre derrière ma porte close pour donner l'impression que je remplis diligemment mes fonctions ? Et pourquoi en suis-je venue à me considérer comme le légendaire papillon d'Australie dont le battement d'ailes peut déclencher un tremblement de terre à l'autre bout de la planète ?

De retour chez elle la veille au soir, dopée par la décision d'Issa de faire sa requête, elle était retournée sur le site du Dr Abdullah pour visionner des extraits de ses apparitions télévisées, et elle se réjouissait vraiment de ce que Günther Bachmann n'ait pas l'intention de toucher à un cheveu de sa vénérable caboche, enfin, façon de parler puisque c'était un petit homme chauve, pétulant et… *erhaben*, le mot préféré de son catéchiste au pensionnat et qui venait de lui revenir, pour désigner le sublime. Cette sublimité d'Abdullah, comme celle d'Issa, recouvrait tout ce qu'Annabel associait avec un homme bon : la pureté d'âme et de corps, l'amour comme absolu, la récognition des nombreuses voies menant à Dieu, quel que soit le nom qu'on Lui donne.

Elle ne put réprimer une certaine perplexité face à l'absence totale de mention par le Dr Abdullah de ce que d'autres pouvaient percevoir comme la face cachée de l'islam tel qu'il est pratiqué, mais son docte sourire bonhomme, son optimisme et sa vivacité d'esprit balayaient

293

ces basses critiques. Toutes les religions comptaient des fidèles qui se laissaient dévoyer par leur zèle, et l'islam ne faisait pas exception à cette règle, avait-il déclaré. Toutes les religions peuvent être utilisées à mauvais escient par des hommes mauvais. La diversité était un don de Dieu pour lequel nous devions Lui rendre grâce. Dans le contexte actuel, Annabel fut surtout sensible au discours d'Abdullah sur la nécessité de donner généreusement et à ses émouvantes allusions aux damnés de la terre d'Islam, qui constituaient la clientèle d'Annabel autant que celle d'Abdullah.

* * *

Étrangement réconfortée par ces pensées éparses, elle s'endormit enfin d'un sommeil profond, dont elle sortit en pleine forme.

Et elle éprouva un réconfort accru à la vue du visage étonnamment réjoui de Brue quand il passa les portes vitrées de Chez Louise et avança vers elle mains tendues, à la russe. Elle eut même l'envie subite d'oublier le restaurant et de lui offrir un café dans son appartement, juste pour lui montrer à quel point elle appréciait son amitié en ces temps difficiles, mais elle se refréna, parce qu'elle avait le sentiment d'avoir tellement de choses en tête que, si elle se relâchait un tant soit peu, tout allait s'en échapper d'un coup et qu'elle le regretterait aussitôt, ainsi que toutes les personnes auxquelles elle devait sa loyauté.

« Alors, qu'est-ce que vous avez pris, vous ? Euh, je ne crois pas que ce soit vraiment pour moi, ça, hein ? dit-il avec une moue comique à la vue de son verre de lait aromatisé à la vanille, avant de se commander un double express. Au fait, comment vont les Turcs ? »

Les Turcs ? Quels Turcs ? Elle ne connaissait pas de Turcs. Elle avait l'esprit tellement ailleurs qu'il lui fallut un moment pour retrouver Melik et Leïla dans la marée de visages qui lui encombrait la tête.

« Oh, très bien, répondit-elle en consultant bêtement sa montre, estimant qu'ils devaient être dans l'avion à cette heure-ci et en route pour Saint-Pétersbourg, euh, non Ankara. Ils marient ma sœur.

– Votre sœur ?

– La sœur de Melik », se corrigea-t-elle en s'entendant éclater de rire avec lui en raison de ce lapsus.

Il a l'air tellement plus jeune, songea-t-elle. Elle résolut de le lui dire. Ce qu'elle fit, avec un regard aguicheur dont elle eut aussitôt honte.

« Grands dieux ! Vous trouvez vraiment ? répondit-il, rougissant de façon attendrissante. Eh bien, pour tout vous dire, je viens d'apprendre une bonne nouvelle pour la famille. *Oui.* »

Ce *oui* apparemment pour indiquer qu'il n'était pas libre d'en révéler plus dans l'immédiat, ce qu'elle comprit parfaitement. C'était un homme honorable, elle le savait, et elle espérait vivement qu'ils pourraient devenir amis pour la vie, quoique sans doute pas dans le sens qu'il avait en tête. Ou bien était-ce elle qui avait cette pensée en tête, et pas lui ?

Quoi qu'il en soit, elle jugea qu'il était temps de se reprendre. À la suggestion d'Erna, elle avait apporté une copie de la page imprimée qu'elle avait montrée à Issa, plus une deuxième fournissant le téléphone, l'adresse personnelle et l'adresse mail du Dr Abdullah, également en libre accès sur Internet. Se rappelant tout cela d'un coup, elle sortit les deux feuilles de son sac à dos d'un geste brusque et les lui tendit tout en se regardant dans le miroir.

« Donc, voilà votre homme, dit-elle de son ton le plus sévère. Un chantre du don musulman. »

Et tandis qu'il regardait les pages d'un œil interdit puisqu'elle ne lui en avait pas expliqué l'utilité, du moins pas encore mais elle allait y venir, elle replongea gaiement dans son sac à dos pour en sortir cette fois son chèque non encaissé de cinquante mille euros, pour lequel elle se crut obligée de le remercier une nouvelle fois, si profusément qu'il en oublia de lire les informations sur le Dr Abdullah, ce qui les fit rire tous les deux, les yeux dans les yeux, chose qu'elle n'aurait normalement pas permise, mais avec Brue cela ne prêtait pas à conséquence parce qu'elle avait confiance en lui, et de toute façon elle riait plus fort que lui, jusqu'à ce qu'elle se ressaisisse et vérifie dans le miroir qu'elle avait recouvré son sérieux.

« Bref, il y a des complications », annonça-t-elle en le regardant toujours bien en face, désolée de voir apparaître quelques traces d'inquiétude sur son visage jusqu'alors si radieux en raison de cette bonne nouvelle familiale qu'il venait d'apprendre, mais bon, c'est comme ça.

Les complications, expliqua-t-elle, étaient dues au fait que son client souhaitait tout donner à des bonnes œuvres musulmanes et, à cette fin, se proposait de solliciter les conseils du grand et bon Dr Abdullah sur la meilleure façon de s'y prendre, sauf que, en raison du statut extrêmement délicat de notre client – dont nous connaissons tous les deux la nature, donc je ne m'étendrai pas plus là-dessus pour des raisons évidentes –, il n'était pas en position de le contacter directement et donc, une fois que sa requête concernant l'argent de son père aurait abouti, ce qui, selon vous, ne posera pas de problème, il compterait sur M. Tommy, comme il vous appelle avec affection, pour le faire en son nom.

« Si c'est là une manière de procéder acceptable pour Brue Frères, conclut-elle en le regardant toujours droit dans les yeux et en lui adressant son sourire le plus lumineux, pour constater, de nouveau désolée, qu'il semblait incapable de le lui rendre avec une quelconque conviction.

– Et notre client se porte bien ? s'enquit-il d'un ton suspicieux, les sourcils arqués jusqu'en haut du front tant il se faisait du souci.

– Étant donné les circonstances, il va bien, monsieur Brue, merci. Très bien, même. Les choses pourraient aller beaucoup, beaucoup moins bien, je dirais ça comme ça.

– Et il est toujours… Il n'a toujours pas été… ?

– Non, l'interrompit-elle. Non, monsieur Brue. Notre client est exactement dans le même état que lorsque vous l'avez vu, merci.

– Et entre des mains fiables ?

– Aussi fiables qu'elles peuvent l'être vu les circonstances, oui. Beaucoup de mains, d'ailleurs.

– Et toi, Annabel ? »

Sa voix avait changé du tout au tout, et il se pencha soudain par-dessus la table pour lui attraper l'avant-bras et la dévisager avec tant d'amour et de tendresse dans le regard que le premier instinct d'Annabel fut de partager ses angoisses et de fondre en larmes. Mais son deuxième instinct fut d'avoir un mouvement de recul et de se retrancher derrière son professionnalisme. Entre-temps, elle avait aussi noté avec désapprobation qu'il s'était permis la liberté d'employer son prénom et, encore plus scandaleusement, le tutoiement, la forme en *Du*, tout cela sans son autorisation. Et pour cela, il n'y avait absolument aucune excuse. Elle s'aperçut qu'elle était toute contractée et lui en attribua aussi la faute. Ainsi que ses mâchoires crispées. Elle avait mal à la poitrine, mais tout le monde s'en foutait bien, de ce qui lui faisait mal ou non, hein ? À commencer par ce banquier entre deux âges qui avait osé lui peloter l'avant-bras.

« Je ne craque pas, annonça-t-elle. Compris ? »

Il avait compris. Il se reculait déjà, l'air contrit, mais sans pourtant lui lâcher le poignet.

« Je ne craque jamais. Je suis juriste. »

Et même une très bonne juriste, renchérissait-il déjà avec son empressement ridicule.

« Mon *père* est juriste, ma *mère* est juriste, mon *beau-frère* est juriste, mon *ex* est juriste. Karsten. Je l'ai jeté dehors parce qu'il travaillait pour une compagnie d'assurance, à faire traîner en longueur des dossiers sur l'amiante pour que les plaignants meurent les uns après les autres. Dans ma famille, de par notre profession, nous nous interdisons de nous laisser emporter par nos sentiments. Et de jurer. J'ai juré devant vous une fois, et je le regrette. Je vous présente mes excuses. J'ai parlé de votre putain de banque. Ce n'est pas une putain de banque. C'est juste une banque. Une banque tout ce qu'il y a de plus respectable et honorable, pour autant que cela existe. »

Non content de s'accrocher à son poignet, il essayait de lui passer un bras derrière le dos. Elle se dégagea. Elle pouvait tenir debout toute seule et c'est ce qu'elle fit.

« Je suis une avocate qui n'est pas en position de négocier, et ça c'est le truc le plus nul et le plus frustrant qui soit, monsieur Brue. Alors n'essayez pas de me consoler. Les stratagèmes ingénieux, très peu pour moi. On fait aboutir ce projet, sinon Issa finit en viande froide. Nous, là, on est l'association *Sauvons Issa*. Notre truc, c'est : *Faisons la seule chose possible et rationnelle pour sauver Issa*. Est-ce que je me fais bien comprendre ? »

Mais avant que Brue puisse formuler une réponse appropriée pour la calmer, elle se laissait tomber lourdement sur sa chaise, et les deux femmes assises à l'autre bout de la salle se précipitaient vers elle. L'une lui passait le bras derrière le dos comme Brue avait voulu le faire, et l'autre agitait sa main potelée en direction d'un break Volvo mal garé le long du trottoir.

12

Günther Bachmann se préparait à étaler sa marchandise. Depuis 9 heures ce matin, les gros acheteurs de Berlin affluaient dans l'antichambre d'Arni Mohr par groupes de deux ou trois, goûtaient son café, lançaient des ordres à leurs sous-fifres, aboyaient dans leurs mobiles et scrutaient leurs ordinateurs portables d'un œil sombre. Le parking étant occupé par deux hélicoptères officiels, les simples automobilistes devaient se contenter du parvis des écuries. Des gardes du corps en vilains costumes gris arpentaient la cour comme des chats perdus.

Et Bachmann, l'homme qui avait enclenché ce processus, l'homme qui avait forcé le destin, l'homme de terrain aguerri, vêtu de son unique complet respectable, faisait la tournée des popotes, tantôt pour converser gravement à mi-voix avec un éminent bureaucrate, tantôt pour donner une claque dans le dos à un bon copain de longue date. Si quelqu'un qu'il connaissait suffisamment bien lui avait demandé depuis combien de temps son produit était à l'étude, il aurait affiché son sourire de clown et murmuré *vingt-cinq piges,* soit la durée totale de sa carrière, à un titre ou à un autre, dans le monde du secret.

Erna Frey l'avait abandonné pour rester auprès de *cette pauvre enfant*, ainsi qu'elle appelait maintenant

Annabel. À supposer qu'elle ait eu besoin d'un second prétexte, ce qui n'était pas le cas, elle serait partie à l'autre bout de la planète plutôt que de respirer le même air que le Dr Keller de Cologne. Privé de cette influence stabilisatrice, Bachmann papillonnait, parlait plus vite – peut-être trop vite, d'ailleurs, comme un moteur auquel il manquerait un rouage.

Parmi ces hommes et femmes au sourire affable et à l'œil torve, qui étaient ses amis et ses ennemis du jour ? Quels obscurs comités, ministères, confessions religieuses ou partis politiques détenaient leur allégeance ? À sa connaissance, ils n'étaient qu'une toute petite poignée à avoir jamais vu de près une bombe exploser, mais tous étaient des vétérans endurcis de la longue guerre silencieuse pour le leadership de leurs services respectifs.

Et c'était là un autre petit discours de mise en garde que Bachmann aurait adoré servir à ces spéculateurs à succès sur le marché haussier du renseignement et des denrées connexes post-11 Septembre, une autre Cantate de Bachmann qu'il gardait sous le coude pour le jour où on le rappellerait à Berlin : malgré tous les fabuleux joujoux d'espions high-tech qu'ils avaient en magasin, malgré tous les codes magiques qu'ils décryptaient et toutes les conversations suspectes qu'ils interceptaient et toutes les déductions brillantes qu'ils sortaient d'une pochette-surprise concernant les structures organisationnelles de l'ennemi ou l'absence desdites, malgré toutes les luttes intestines qu'ils se livraient, malgré tous les journalistes soumis qui se disputaient l'honneur d'échanger leurs scoops douteux contre des fuites calculées et un peu d'argent de poche, au bout du compte, ce sont toujours l'imam humilié, le messager secret malheureux en amour, le vénal chercheur travaillant pour la Défense pakistanaise, l'officier subalterne iranien oublié dans la promotion, l'agent dormant solitaire fatigué de dormir seul, qui à eux tous fournissent les renseignements concrets sans lesquels tout le reste n'est que du grain à moudre pour les manipulateurs de vérité, idéologues et politopathes qui mènent le monde à sa perte.

Mais qui serait prêt à l'entendre ? Bachmann, comme il ne le savait que trop bien, était un prophète en pleine traversée du désert. De toute l'espiocratie berlinoise assemblée ici aujourd'hui, seul ce grand échalas apathique, intelligent mais légèrement vieillissant de Michael Axelrod, qui à cet instant même se penchait pour lui parler, pouvait être considéré comme son allié.

« Tout va bien jusqu'ici, Günther ? » s'enquit-il avec son habituel demi-sourire.

La question n'était pas innocente. Ian Lantern venait de faire son entrée. La veille au soir, lors d'un mariage forcé arrangé par Axelrod en personne, tous trois avaient bu un verre fort amical au bar de l'hôtel Four Seasons. Le petit Lantern s'était montré tellement anglais, tellement gêné de chasser sur les terres de Günther, tellement franc et ouvert sur ce que Londres avait prévu de faire d'Issa si jamais ils lui mettaient la main dessus, « et très honnêtement, Günther, on était si loin du but que je suis bien convaincu qu'au bout du compte on serait venus vous voir pour vous dire : "Écoutez, on travaille ensemble, sur ce coup, et on fait ça à votre façon" », que Bachmann avait pris conscience de s'être méfié de Lantern toute sa vie.

Ce qu'il n'avait pas anticipé, en revanche, fut l'arrivée de Martha, qui aborda l'antichambre d'Arni Mohr dans le sillage de Lantern – à croire qu'il était son héraut attitré. Martha la majestueuse, l'imposante Numéro 2 (sur Dieu seul savait combien) de l'Agence à Berlin, vêtue, tel l'Ange de la Mort, d'un caftan de satin cramoisi constellé de paillettes noires. Et, se glissant dans son sillage à elle, si près derrière qu'il utilisait peut-être sa corpulence comme couverture, nul autre que Newton dit Newt, du haut de son mètre quatre-vingts et quelques, jadis chef adjoint des opérations à l'ambassade américaine de Beyrouth et donc homologue de Bachmann, Newt qui, à la vue de son ancien camarade, rompit les rangs, se précipita vers lui et l'étreignit en s'écriant : « Ah ben merde alors, Günther, la dernière fois que je t'ai vu, t'étais rétamé dans le bar du Commodore ! Qu'est-ce que tu fous à Hambourg, mon vieux ? »

Et Bachmann, tout en blaguant, en riant et en se comportant globalement en bon camarade lui aussi, retournait en silence la question à Newton : qu'est-ce que peut bien foutre à Hambourg le chef de l'antenne berlinoise de la CIA, à s'immiscer sur mon territoire ? Qui l'a invité et pourquoi ? Et dès que Martha et Newton furent partis en quête d'une nouvelle proie, il la posa à Axelrod d'un ton irrité et insistant.

« Ce sont des observateurs inoffensifs. Calmez-vous. On n'a même pas commencé, encore.

– Mais ils observent quoi ? Newt n'observe pas, son truc c'est de couper les gorges.

– Ils ont le sentiment d'avoir un droit de regard sur Abdullah. Selon eux, il aurait cofinancé un attentat contre l'un de leurs complexes d'habitation en Arabie saoudite et un autre, qui a raté, contre une station d'écoute américaine au Koweït.

– Et alors ? Il peut aussi bien avoir cofinancé le 11 Septembre, tant qu'on y est ! On essaie de le recruter, pas de le traduire en justice. Mais comment sont-ils arrivés ici ? Qui les a mis au parfum ?

– Le Pilotage, qu'est-ce que vous croyez ?

– *Qui*, au Pilotage ? Quelle section du Pilotage ? Laquelle de la demi-douzaine de sections du Pilotage ? Vous êtes en train de me dire que c'est *Burgdorf* qui les a mis au parfum ? Que c'est *Burgdorf* qui a refilé mon opération aux *Américains* ?

– C'est le consensus, rétorqua Axelrod au moment précis que choisit Martha pour appareiller tel un immense paquebot, quittant Arni Mohr et mettant le cap sur eux, avec Ian Lantern en remorque.

– Eh bien ça alors, Günther Bachmann, quelle surprise ! beugla-t-elle de sa voix de vigie, comme si elle venait juste de l'apercevoir à l'horizon. Comment se fait-il que vous soyez toujours en train de croupir dans ce trou perdu ? plaisanta-t-elle en lui agrippant la main pour l'attirer vers son corps massif comme si elle le voulait pour elle toute seule. Vous connaissez déjà mon petit Ian ? Mais oui, bien sûr. Ian est mon caniche anglais. Je le promène dans Charlottenburg tous les matins, pas vrai, Ian ?

– Religieusement, acquiesça Lantern en s'approchant d'elle avec reconnaissance. Même qu'elle nettoie derrière moi », ajouta-t-il avec un clin d'œil à l'attention de son nouvel ami Günther.

Axelrod avait disparu. À l'autre bout de la pièce, Burgdorf murmurait quelque chose à son satrape le Dr Otto Keller tout en fixant Bachmann, donc peut-être discutaient-ils de lui. Les hommes de la droite pure et dure sont censés avoir la tête de l'emploi, mais, aux yeux de Bachmann, Burgdorf le sexagénaire ressemblait à un enfant boudeur reprochant à ses frères et sœurs de recevoir plus d'amour maternel que lui. Les doubles portes s'ouvrirent. Le torse bombé, les bras bien rangés le long du corps, Arni Mohr l'imprésario conviait ses invités à rejoindre le lieu de la fête.

Perturbé tout autant que mystifié par la présence américaine, Bachmann s'installa au bout de la longue table de conférence sur la chaise que lui avait réservée Mohr – la place d'honneur ou bien le piquet ? Bachmann était certes l'initiateur de l'opération et son défenseur, mais, si les choses tournaient mal, il en serait aussi le responsable. Une loi d'airain voulait que les décisions du Comité de pilotage, malgré les accrochages en amont, fussent collectives, comme venait de le lui rappeler Axelrod, et les soupirants free-lance comme Bachmann étaient une source potentielle de risques mais aussi de profits qu'il leur fallait adouber ou rejeter par consensus. Peut-être forts de ce précepte, les camps pourtant rivaux de Burgdorf et d'Axelrod semblaient avoir serré les rangs en une ligne de défense commune à l'autre bout de la table, laissant leurs petits ronds-de-cuir occuper l'espace entre eux-mêmes et l'assaillant.

Afin de bien souligner leur rôle de simples observateurs, Mohr avait fait installer Martha et Newton à une table séparée juste pour eux, mais, ajoutant à la consternation de Bachmann, ces deux-là étaient maintenant trois, suite à l'arrivée d'une quadragénaire aux épaules carrées, aux dents parfaites et aux longs cheveux blond cendré. Et comme si cela ne suffisait pas, dans le court laps de temps depuis que Newton avait étreint Bachmann du haut de son mètre quatre-vingts et quelques, il s'était laissé pousser la barbe, ou bien peut-être Bachmann ne l'avait-il pas remarquée dans la mêlée : un triangle noir parfaitement taillé, perché à l'endroit exact de son menton où l'on ferait atterrir un coup de poing, sauf que Newton aurait cogné le premier.

L'onctueux Ian Lantern, participant coopté quoique étranger, avait été placé à la table principale, assez près toutefois de celle des observateurs pour pouvoir murmurer à l'oreille de Martha. À la gauche de Lantern, Burgdorf, mais à bonne distance car Burgdorf le charmant dandy n'appréciait pas la proximité physique. À deux places de Burgdorf étaient assises deux obsessionnelles de l'équipe berlinoise de traque du blanchiment qui, par vocation, se condamnaient à une vieillesse prématurée en élucidant des énigmes du style : comment un virement bancaire de dix mille dollars levés en toute bonne foi par une organisation caritative musulmane de Nuremberg peut-il se transformer en cinq cents litres de teinture pour cheveux dans un garage perdu de Barcelone ?

Les autres visages alignés face à Bachmann étaient ministériels ou pire : des hauts fonctionnaires du Trésor, une femme lugubre du bureau du chancelier, un chef de service ridiculement jeune de la police fédérale et l'ancien chef du service étranger d'un journal berlinois dont la spécialité était d'étouffer des articles potentiels.

Bachmann était-il censé commencer ? Mohr avait fermé la porte à clé. Le Dr Keller lança un regard noir à son portable et le fourra dans sa poche. Lantern gratifia Bachmann de son sourire goguenard qui voulait dire : « Vas-y, fonce, Günther ! » Bachmann fonça donc.

« Opération FELIX, annonça-t-il. J'imagine que tout le monde ici a lu le dossier ? Personne n'a été oublié en route ? »

Personne n'avait été oublié. Tous les visages étaient tournés vers lui.

« Bien, donc le professeur Aziz va nous fournir un profil de notre cible. »

D'abord vous leur balancez Aziz, et vous laissez le plus délicat pour la fin, lui avait conseillé Axelrod.

* * *

Cela faisait vingt ans que Bachmann adorait Aziz, depuis qu'Aziz avait été son principal agent à Amman, depuis qu'Aziz avait croupi dans une prison tunisienne, une fois tous les membres de son réseau pendus et sa famille entrée dans la clandestinité, depuis qu'Aziz avait franchi les grilles de la prison en claudiquant sur ses pieds nus qu'on avait fouettés, pour monter à bord de la voiture de l'ambassade allemande qui l'attendait, direction l'aéroport et une nouvelle vie en Bavière.

Et il adorait toujours Aziz maintenant, alors que, comme convenu, une porte s'ouvrait, laissant brièvement passer la tête de Maximilian, et que le petit moustachu brun et martial en complet sombre avançait doucement dans la pièce et prenait place sur une estrade au bout de la table : Aziz l'espion réimplanté, le principal expert du Pilotage sur les arcanes du djihadisme et sur les actes et réflexions de son ancien camarade d'université à l'époque du Caire, le Dr Abdullah.

Sauf qu'Aziz ne l'appelle pas Abdullah. Il l'appelle JALON, nom de code fantaisiste choisi par Axelrod en une allusion voilée au livre de chevet spirituel de tous les activistes islamistes, *Jalons sur la route*, écrit par leur mentor Sayyid Qutb tandis qu'il purgeait sa peine dans une prison égyptienne. La voix d'Aziz est grave, empreinte de douleur.

« À tous égards sauf un, JALON est un homme de Dieu, commence-t-il, endossant le rôle d'avocat de la défense. C'est un authentique universitaire très érudit. Il ne fait aucun doute qu'il est dévot. Il prêche la voie du pacifisme. Il croit sincèrement que le recours à la violence pour renverser les gouvernements islamistes corrompus est contraire à la loi religieuse. Il a récemment fait paraître une nouvelle traduction allemande des paroles du prophète Mahomet. C'est une excellente traduction, je n'en connais pas de meilleure. Il vit simplement et mange du *miel*, dit-il sans faire rire personne. C'est un consommateur invétéré de miel. Parmi les musulmans, il est connu pour cette passion. Les musulmans aiment étiqueter les gens. Lui est l'homme de Dieu, du Livre et du Miel. Hélas, il semblerait aussi qu'il soit l'homme de la Bombe. Sa culpabilité n'est pas encore prouvée, mais il y a beaucoup d'éléments à charge convaincants. »

Bachmann parcourt la table du regard. Le miel, Dieu et les bombes. Tous les yeux sont braqués sur le petit professeur d'allure martiale, l'ancien ami du poseur de bombes méliphage.

« Il y a encore cinq ans, il portait des costumes faits sur mesure. C'était un dandy. Mais une fois qu'il a commencé à passer à la télévision allemande et à prendre part à des débats publics, il a adopté un style vestimentaire plus discret. Il voulait se faire remarquer pour son humilité, pour son style de vie frugal. C'est un fait. Je ne sais pas exactement pourquoi il a pris cette décision. »

Et le public d'Aziz non plus.

« Toute sa vie, JALON a sincèrement lutté pour dépasser les sectarismes au sein de la *Oumma*. Selon moi, ceci lui vaut notre admiration. »

Il hésite. La plupart des personnes présentes, mais pas toutes, savent que la *Oumma* désigne la communauté des musulmans du monde entier.

« Dans le cadre de ses activités de collecte de fonds, JALON a siégé au conseil d'organisations caritatives de nombreuses obédiences différentes, certaines farouchement opposées les unes aux autres, afin de promouvoir et de distribuer la *zakat*, poursuit-il avant de consulter rapidement son auditoire. La *zakat*, c'est 2,5 % des revenus de tout musulman qui, selon la charia, doivent être consacrés à des bonnes œuvres comme les écoles, les hôpitaux, la nourriture pour les pauvres et les nécessiteux, les bourses pour les étudiants, et les orphelinats. Les orphelinats musulmans. Car telle est sa grande passion dans la vie. JALON a déclaré que, pour nos orphelins, il parcourrait le monde entier pendant le restant de ses jours sans dormir. Et pour cela aussi, il mérite notre admiration. L'Islam compte de nombreux orphelins. Et JALON lui-même a été orphelin très jeune. Il est le pur produit d'écoles coraniques extrêmement strictes. »

Mais il y a un bémol à ce dévouement, comme l'indique sa voix plus tendue lorsqu'il reprend.

« Permettez-moi de vous faire remarquer que les orphelinats sont l'un des nombreux points de rencontre obligés entre les causes humanitaires et terroristes. Les orphelinats sont des sanctuaires pour les enfants des morts. Parmi ces morts figurent les martyrs, des hommes et des femmes qui ont donné leur vie pour défendre l'Islam, que ce soit sur le champ de bataille ou dans des attentats suicides. Il n'est pas dans les attributions des donateurs de s'enquérir de la forme exacte de leur martyre. Des liens avec les bailleurs de fonds du terrorisme sont donc hélas inévitables, dans ce contexte. »

Si la congrégation murmurait un « amen » béat, Bachmann n'en serait pas surpris.

« JALON est *intrépide*, martèle le professeur Aziz, reprenant son rôle d'avocat de la défense. En poursuivant la mission de sa vie, il a été témoin des souffrances de ses frères et sœurs musulmans dans certains des pires endroits de la planète, je dirais même les pires des pires. Ces trois dernières années, malgré les risques encourus, il s'est rendu à Gaza, à Bagdad, en Somalie, au Yémen, en Éthiopie, mais aussi au Liban, où il a pu constater *de visu* les ravages infligés à ce pays par les Israéliens. Tout cela ne l'excuse pas pour autant. »

Il prend une profonde inspiration, comme s'il voulait s'emplir de courage, même si, dans le souvenir de Bachmann, le courage est bien la dernière chose dont manque Aziz.

« Je dois vous dire que, dans de tels cas, on se retrouve toujours face à la même question, qu'il s'agisse de musulmans ou pas : à supposer que les éléments à charge soient avérés, est-ce qu'un homme comme JALON fait un peu le *bien* afin de faire le *mal* ? Ou alors fait-il un peu le *mal* afin de faire le *bien* ? Tel que je le perçois, le but de JALON a toujours été de faire le *bien*.

Interrogez-le sur les cas où le recours à la violence est acceptable, il vous répondra que, lorsqu'on parle de terrorisme, il faut distinguer entre une révolte légitime contre un occupant, d'une part, et le terrorisme pur et dur, que nous ne cautionnons pas, d'autre part. La Charte des Nations unies *autorise* la résistance contre l'occupation. Nous partageons ce point de vue, comme tous les Européens progressistes. *Toutefois…*, commence-t-il d'un ton soudain désolé. Toutefois, l'expérience nous a appris que dans ce genre d'affaire – et, si nous en croyons certains éléments convaincants, JALON ne fait pas exception à cette règle –, des hommes *bien* acceptent un peu de *mal* comme condition nécessaire à leur œuvre. Pour certains, cela peut aller jusqu'à 20 %. Pour d'autres, 12 % ou 10 %. Pour d'autres encore, cela peut se limiter à 5 %. Mais 5 % de mal peuvent faire beaucoup de mal, même si les 95 % restants sont très bons. Ils connaissent bien ces arguments mais, dans leur tête, ils ne les considèrent pas comme *décisifs*, dit-il en tapotant son propre crâne. Leur mode de pensée inclut le terrorisme comme un concept qui n'est pas entièrement *négatif*. Ils le voient comme un tribut douloureux mais nécessaire à la grande diversité qu'est la *Oumma*, dit-il, comme s'il était en train de sonder sa propre conscience en l'apparentant à celle d'Abdullah. Cela ne constitue malheureusement *pas* une excuse, mais cela pourrait peut-être constituer une explication. En conséquence, même si, dans sa tête, JALON a des convictions bien arrêtées sur ce qu'est la juste voie, il n'irait jamais jusqu'à dire en face aux activistes qu'ils ont tort. Parce que dans son *cœur* il n'en est pas totalement convaincu. Voilà le dilemme insoluble auquel il est confronté, et il n'est pas le seul. Car les vrais croyants ne cherchent-ils pas tous la juste voie ? Et les commandements de Dieu ne sont-ils pas difficiles à interpréter ? JALON déteste peut-être viscéralement ce que font les activistes, c'est même fort probable, mais qu'est-ce qui lui permet de dire qu'ils sont moins pieux ou moins guidés par Dieu que lui – toujours à supposer que les éléments convaincants nous convainquent ? »

Bachmann jette un coup d'œil à Burgdorf, et aussitôt après à Martha, parce que la maîtresse espionne américaine et le soi-disant tsar du renseignement allemand ont le même regard, et qu'ils se regardent. C'est un regard inexpressif, qui ne révèle rien d'autre que l'existence d'un lien secret entre eux. Puis Lantern, toujours à l'affût, remarque lui aussi ce regard et, s'efforçant d'entrer dans la connivence, se recule sur son siège jusqu'à approcher au plus près l'oreille ornée d'une boucle de Martha et lui murmurer quelque chose qui n'imprime aucune trace sur son visage non plus.

Si Aziz a remarqué cet échange, il n'en laisse rien paraître.

« Nous devons également envisager une *autre* possibilité, reprend-il. C'est que, étant donné ses origines et les relations qui en ont découlé, JALON soit sous la pression morale de ses coreligionnaires. Cela peut arriver. Sa coopération n'est pas simplement considérée comme acquise, elle est *requise*. "Si vous ne nous aidez pas, vous nous trahissez." Peut-être JALON est-il aussi soumis à d'autres formes de coercition. Il a une première épouse et des enfants bien-aimés issus de ce premier mariage qui habitent aujourd'hui en Arabie saoudite. Nous ne savons *pas*, insiste-t-il cruellement. Nous ne saurons *jamais*. Peut-être JALON lui-même ne saura-t-il jamais exactement comment il est devenu ce qu'il est – à supposer qu'il soit vraiment ce qu'il est, dit-il avant de se préparer à lancer un ultime et dérisoire appel à leur compréhension. Peut-être que JALON ne *veut* pas savoir, peut-être qu'il ne *sait* réellement pas où aboutissent les 5 %. Jusqu'au tout dernier petit chaînon, peut-être que *personne* ne sait. Une mosquée a besoin d'un nouveau toit. Un hôpital a besoin d'une nouvelle aile. Et par la grâce miséricordieuse d'Allah, il y a un intermédiaire qui fournit l'argent. Mais les avant-postes les plus pauvres de l'Islam ne sont pas particulièrement réputés pour la méticulosité de leur comptabilité. Alors l'intermédiaire peut mettre assez d'argent à gauche pour acheter une ou deux ceintures d'explosifs à des kamikazes, explique-t-il avant d'assener son dernier message : 95 % de JALON savent ce qu'il fait et aiment ce qu'il fait, mais 5 % de lui ne veulent pas et ne peuvent pas savoir. Je suis désolé. »

Désolé de quoi ? voudrait lui demander Bachmann.

« Bon alors, c'est qui, ce type ? demande brusquement une voix masculine impatiente, celle de Burgdorf.

– Par ses actes, Herr Burgdorf ? Par leurs *conséquences*, voulez-vous dire ? En supposant que les éléments soient exacts ?

– C'est pas de ça qu'on est en train de parler, là ? Une fois qu'on a supposé ça ? De ses actes ? »

Burgdorf l'homme-enfant boudeur est connu pour son mépris de l'entre-deux gauchiste. On raconte qu'il aurait hurlé à Axelrod pendant une dispute publique surréaliste : « Michael, je ne veux que des conseillers manchots. Plus jamais des ambidextres qui me disent d'un côté ceci, de l'autre côté cela ! »

« JALON est une plaque tournante, Herr Burgdorf, reconnaît tristement le professeur Aziz depuis son estrade. Pas dans l'essentiel de ce qu'il fait, mais dans les détails. Un peu d'argent prélevé ici, un peu d'argent détourné là, jamais de grosses sommes. À l'échelle à laquelle opère le terrorisme de nos jours, il n'y a pas besoin de beaucoup. Quelques milliers de dollars peuvent suffire. Dans les pires points chauds, quelques centaines de dollars, même. Et si on parle du Hamas, encore moins. »

Il semble sur le point d'ajouter quelque chose. Peut-être se rappelle-t-il ce que quelques centaines de dollars ont pu avoir comme conséquences.

« Bon, alors il finance le terrorisme, intervient Burgdorf d'une voix puissante, afin de mettre les points sur les i à l'attention des non-initiés.

– Dans les faits, Herr Burgdorf, oui. Si ce que nous croyons est vrai. 95 % de lui, non. 95 % de lui soutiennent les pauvres, les malades et les nécessiteux de la *Oumma*. Mais 5 % de lui financent le terrorisme. Consciemment, et avec une certaine ingéniosité. C'est donc un homme mauvais. Voilà la tragédie de sa vie. »

Axelrod a senti ce moment arriver et il s'y est préparé.

« Professeur Aziz, n'êtes-vous pas en train de suggérer quelque chose d'autre ? Si on vous a bien lu entre les lignes, ne seriez-vous pas d'accord pour dire, à condition qu'on trouve les bonnes incitations, disons, et la juste dose de pressions et de menaces, que JALON ferait une recrue idéale pour le camp de la paix, comme vous-même voilà de nombreuses années, du temps où vous étiez un Frère musulman qui soutenait l'action directe ? »

Le professeur Aziz salue son auditoire en s'inclinant avant d'être escorté jusqu'à la porte. Il a été agréé par la sécurité, mais pourquoi prendre des risques ? En le regardant partir, Bachmann capte l'aparté volontairement peu discret de Martha à Lantern : « Ian, tu sais quoi ? Là tout de suite, 5 %, je prends. »

* * *

Un branle-bas général suivit la sortie d'Aziz. Martha se leva et quitta la pièce toutes voiles dehors, son portable collé à l'oreille, entraînant dans son écume Newton et la blonde aux épaules carrées. Mohr avait apparemment octroyé à la CIA un bureau à partir duquel effectuer son observation inoffensive. Penché au-dessus de la chaise où était assis Keller, Burgdorf lui murmurait quelque chose à l'oreille tandis qu'ils regardaient dans des directions différentes. Et Bachmann, luttant pour faire taire les angoisses qui s'accumulaient en lui, s'adressait une prière sur l'air de sa Cantate méconnue :

Nous ne sommes pas des policiers, nous sommes des espions. Nous n'arrêtons pas nos cibles. Nous les travaillons et nous les redirigeons contre des cibles plus importantes. Quand nous identifions un réseau, nous l'observons, nous l'écoutons, nous le pénétrons et nous en prenons peu à peu le contrôle. Les arrestations ont un impact négatif. Elles détruisent des acquis précieux. Elles nous renvoient à la case départ, elles nous obligent à chercher un autre réseau qui serait même deux fois moins bien que celui qu'on vient de foutre en l'air. Si Abdullah ne fait pas partie d'un réseau identifié, je veillerai personnellement à ce qu'il en intègre un. Au besoin, j'inventerai un réseau rien que pour lui. Ça a déjà marché pour moi dans le passé, et ça marchera pour Abdullah, si on m'en donne l'occasion. Amen.

* * *

Entre les mains d'une analyste légendaire du nom de Frau Zimmermann que Bachmann a rencontrée lorsqu'elle faisait des visites éclairs à l'ambassade de Beyrouth, JALON l'universitaire théologien mangeur de miel avec une faille de 5 % est en train de se muer en argentier sanguinaire du terrorisme.

Sur un écran au-dessus de la tête courtaude de Frau Zimmermann sont apparus des diagrammes semblables à des arbres généalogiques indiquant quelles bonnes œuvres musulmanes hautement respectables parmi

313

celles qu'il contrôle JALON est supposé exploiter pour siphonner de l'argent et du matériel à l'intention des terroristes. Les 5 % de JALON n'accomplissent pas que des transactions financières. Les miséreux de Djibouti réclament cent tonnes de sucre ? L'une des associations de JALON va faire en sorte qu'une cargaison soit acheminée sur-le-champ. Mais en chemin pour Djibouti, le navire humanitaire se trouve faire escale dans le petit port de Berbera, sur la côte septentrionale de la Somalie déchirée par la guerre, pour décharger une autre cargaison, explique Frau Zimmermann en frappant l'écran d'un geste irrité de son pointeur comme pour en chasser un insecte parasite.

Et dix tonnes de sucre sont déchargées par erreur à Berbera, transpire-t-il. Eh bien, ce sont des choses qui arrivent, que ce soit à Berbera ou à Hambourg. Cette erreur mineure n'est repérée qu'une fois le navire reparti. Et quand il atteint sa destination officielle, Djibouti, les récipiendaires sont si affamés et si reconnaissants de recevoir leurs quatre-vingt-dix tonnes que personne ne se plaint de la disparition des dix autres. Pendant ce temps, à Berbera, dix tonnes de sucre servent à acheter des détonateurs, des mines antipersonnel, des armes de poing et des lance-roquettes individuels pour des militants somaliens dont le but dans la vie est de répandre le chaos et la mort à des prix défiant toute concurrence.

Mais qui jetterait la pierre à l'organisation caritative respectable qui, dans sa bonté indiscutable, a fourni du sucre aux affamés de Djibouti ? Et qui oserait jeter la pierre à JALON, le chantre pieux à 95 % de la tolérance et de l'harmonie entre les peuples de toutes religions ?

Eh bien, Frau Zimmermann, déjà.

Pour de plus amples informations, elle renvoie son auditoire à leurs dossiers FELIX, qui exposent en détail le raisonnement étayant ses découvertes. En attendant, pour les nuls, elle a un autre diagramme encore plus simple que le premier. Il représente un archipel de banques commerciales petites et grandes dispersées aux quatre coins du globe. Certaines sont connues, d'autres plutôt du genre à avoir leur siège social dans un bidonville pakistanais à flanc de colline. Rien ne relie les unes aux autres. Leur seul point commun est une diode lumineuse, qui apparaît lorsque Frau Zimmermann agite son pointeur dans leur direction, un peu comme une petite vieille en colère agite son parapluie en direction du bus qui part sans l'attendre.

Un beau jour, une modeste somme d'argent est déposée dans cette banque-ci, explique-t-elle. Disons à Amsterdam. Disons dix mille euros. Un gentil monsieur débarque dans l'agence et dépose l'argent.

Et l'argent reste dans cette banque. Il est peut-être porté au crédit d'un particulier ou d'une entreprise ou d'une institution ou d'une organisation caritative. En tout cas il ne bouge pas. Il reste au crédit de l'heureux titulaire du compte. Peut-être six mois, voire un an.

Et puis une semaine plus tard, voilà-t-y pas que la même somme d'argent est déposée dans cette banque-là, à des milliers de kilomètres, disons à Karachi. Et elle aussi reste où elle est. Pas d'appel téléphonique, pas de virement, juste un autre gentil monsieur qui débarque dans l'agence.

« Jusqu'à ce que, un mois plus tard, une somme très similaire finisse par arriver *ici*, explique Frau Zimmermann, sa voix aiguë s'élevant sous l'effet de son indignation, alors que le bout de son pointeur se pose sur le nord de Chypre. À l'endroit où il était prévu qu'elle arrive depuis le début, versée là par suite d'un troc secret que nous n'avons aucun espoir de retracer faute de renseignements détaillés du terrain. D'innombrables transactions de ce genre se produisent à chaque heure de la journée. Seul un nombre infime sert à financer des actes terroristes. Le recoupement des sources et les bases de données nous montrent parfois la piste, mais une piste *unique* et c'est bien là le problème. Si nous pouvons remonter la chaîne cette fois-ci, qui nous dit que nous la remonterons la prochaine fois ? La prochaine fois, le montage pourrait être complètement différent. C'est toute la beauté du système. Sauf si, par excès de confiance ou par paresse, le chef de la chaîne commence à se répéter, bien sûr. Alors là un schéma émerge et, avec le temps, on peut établir certaines hypothèses. L'idéal, c'est de repérer le chef de la chaîne et son premier chaînon. JALON est un chef de chaîne qui est devenu paresseux. »

Un point lumineux brûle sur la ville de Nicosie. Le pointeur lui assène un petit coup accusateur et se pose dessus.

« Il en va des transferts invisibles comme du décryptage : la répétition est le rêve de tout enquêteur, reprend la légendaire Frau Zimmermann dans son allemand du Sud aux accents de directrice d'école. Sur la base de trois ans d'observation de cette minuscule compagnie maritime connue pour avoir souvent déchargé par erreur des denrées alimentaires ou autres dans des endroits suspects sans trop se soucier de les récupérer », commence-t-elle tandis que le nom anodin de SEVEN FRIENDS NAVIGATION COMPANY s'étale soudain en rouge sur le haut de l'île et que le pointeur reste résolument à son poste, « et sur la base des dépôts de JALON en premier chaînon sur le compte de *cette* organisation caritative dans *cette* banque », poursuit-elle alors que Riyad s'illumine ainsi que le nom de la banque en arabe et en anglais, « et du dépôt d'une somme équivalente dans cette banque-*ci* », continue-t-elle alors que le pointeur s'est déplacé sur Paris, « et de la même somme dans cette banque-*là* », nous sommes à Istanbul, « tout cela sur des comptes que nous avons été en mesure de prérepérer, nous pouvons établir une présomption très solide de l'implication de JALON dans le financement du terrorisme. Si JALON était innocent, nous sommes convaincus qu'il n'aurait jamais eu un contact direct avec cette compagnie maritime aussi minable qu'insolite. Or il a personnellement sollicité ses services à plusieurs reprises, alors même qu'il n'ignorait pas – ou peut-être bien *parce qu*'il n'ignorait pas – que plus d'une fois elle a livré des marchandises au mauvais endroit. Ceci ne constitue pas une preuve. Mais comme fondement d'une présomption, c'est du béton. »

Tandis que l'écran se rétracte dans les chevrons, la voix posée de Frau Zimmermann est couverte par le mégaphone de la vigie : Martha la majestueuse l'interpelle depuis l'autre bout de la pièce.

« Quand vous dites *présomption très solide*, Charlotte… »

Comment diable connaît-elle le prénom de cette femme ? s'interroge Bachmann. Et comment diable est-elle revenue dans cette pièce sans que je m'en aperçoive ?

« … vous voulez dire genre comme une *preuve* ? Il fait la démarche qu'on veut qu'il fasse – le premier chaînon –, et là ça nous donne une *preuve* ? Une preuve qui pourrait être retenue par un tribunal américain ? »

Troublée, Frau Zimmermann se défend d'avoir un grade assez élevé pour répondre à cette question quand Axelrod prend habilement le relais.

« De quel genre de tribunal américain parlons-nous, Martha ? Vos tribunaux militaires à huis clos, ou bien les tribunaux à l'ancienne, où l'accusé avait le droit de savoir de quoi on l'accusait ? »

Quelques-uns des esprits les plus libres s'esclaffent. Les autres font semblant de n'avoir pas entendu.

« Herr Bachmann, intervient Burgdorf. Vous avez un projet d'opération. Veuillez nous l'exposer, je vous prie. »

* * *

Un homme qui force le destin accepte mal que des non-initiés regardent par-dessus son épaule pendant qu'il accomplit son œuvre. Bachmann avait une susceptibilité d'artiste quand il s'agissait de partager son processus de création. Néanmoins il prit sur lui pour satisfaire son public. En un langage simple accessible aux béotiens et destiné à séduire les participants en marge du monde de l'espionnage, il exposa les arguments qui, avec l'aide rédactionnelle d'Erna Frey et d'Axelrod, avaient constitué le cœur de son rapport écrit à la va-vite. Le but de l'opération, expliqua-t-il, était d'établir la preuve de la culpabilité de JALON, mais sans ternir sa réputation et sa stature, voire, à long terme, en les renforçant, tout en préservant l'ensemble de ses relations dans le caritatif. Il s'agissait de phagocyter ses 5 % et de l'utiliser comme courroie de transmission et poste d'écoute. Malgré qu'il en eût, Bachmann se força à utiliser l'expression « guerre contre le terrorisme ». En conséquence, la première étape était la plus cruciale : il fallait compromettre JALON pour de bon, lui faire savoir qu'il était compromis, et lui offrir le choix entre rester un chef spirituel distingué de la *Oumma*, ou…

« Ou *quoi*, exactement, Günther ? Dites-nous donc, l'interrompit Martha, l'observatrice inoffensive.

– L'humiliation publique, et peut-être la prison.

– *Peut-être* ?

– On est en Allemagne, Martha, intervint Axelrod en soutien.

– D'accord, on est en Allemagne. Vous le jugez et, pour une fois, supposons qu'il soit condamné. Il prend combien ? Genre six ans, dont trois avec sursis ? Vous autres, vous ne savez même pas ce que c'est, la prison. Qui aura le droit de l'interroger ?

– Il serait propriété allemande et interrogé selon les lois en vigueur en Allemagne, répondit Axelrod sans le moindre doute. Ça, c'est s'il refuse de jouer le jeu. Mais ce qui serait beaucoup mieux, c'est qu'il garde sa situation et qu'il collabore avec nous. Nous pensons que c'est ce qu'il fera.

– Et pourquoi ? C'est un terroriste fanatisé. Il préférera peut-être se faire sauter sur une bombe.

– Ce n'est pas l'impression que nous avons de lui, Martha, reprit Bachmann. C'est un père de famille installé, respecté dans toute la *Oumma*, admiré en Occident. Il n'a pas fait de prison depuis trente ans. Nous ne lui demandons pas de devenir un traître. Nous lui proposons une nouvelle définition du mot *loyauté*. Nous asseyons sa position dans ce pays, nous lui promettons la nationalité allemande, qu'il a demandée sans succès une demi-douzaine de fois. Bon, d'accord, peut-être qu'au début on le menace. Mais c'est juste des préliminaires. Après, on en fait un allié. "Venez à nous et travaillons ensemble pour construire un Islam meilleur et plus modéré."

– Et une amnistie pour ses actes terroristes passés ? suggéra Martha, comme si elle se rangeait à son avis plutôt que de le contester. Vous ajouteriez ça dans la balance ?

– À condition qu'il avoue tout. Et en supposant que Berlin ait donné son accord. Si c'est un volet indispensable du deal, oui. »

Le nuage d'hostilité mutuelle s'était évaporé. Martha affichait un large sourire.

« Günther, chéri. Vous avez quel âge, nom de Dieu ? Cent cinquante ans ?

– Cent quarante-neuf, rétorqua Bachmann en entrant dans son jeu.

– Et dire que je me suis fait prendre mon dernier idéal quand j'avais dix-sept ans et demi ! » s'exclama Martha en s'attirant un éclat de rire général lancé par Ian Lantern.

***

Mais Bachmann était loin d'avoir remporté le morceau. Un examen discret des visages autour de la table confirma ses craintes initiales : la perspective d'une amitié amoureuse avec un argentier du terrorisme n'était pas du goût de tous.

« Alors, de nos jours, on accorde la *citoyenneté* à nos ennemis, insinua d'un ton acide un farceur bien connu du ministère des Affaires étrangères. Nous ouvrons les bras non seulement à JALON, un terroriste international identifié, mais aussi à notre bon ami FELIX, un récidiviste russe en cavale avec de multiples condamnations pour actes de violence d'inspiration islamiste. Notre hospitalité envers les criminels étrangers semble ne connaître aucune limite. Nous tenons cet homme totalement à notre merci, et histoire de l'attirer on lui propose la citoyenneté allemande. On peut se demander jusqu'où ira notre générosité.

– C'est pour la fille, grogna Bachmann en rougissant.

– Ah, bien sûr. La jeune dame mêlée à cette affaire. J'avais oublié.

– La fille n'aurait jamais travaillé pour nous si on ne lui avait pas donné notre promesse solennelle que FELIX repartirait libre. Sans cette fille, on n'aurait jamais persuadé FELIX. Elle en a fait son ami, et elle l'a persuadé de s'adresser à JALON. »

S'apercevant que ses paroles étaient accueillies par un silence incrédule, sinon carrément sceptique, Bachmann rentra la tête dans les épaules d'un air pugnace.

« Je lui ai donné *ma parole*. Une parole d'officier traitant à agent, une parole à laquelle on ne manque jamais. C'était ça, notre accord. Et il a été approuvé par le Pilotage, ajouta-t-il en visant directement Burgdorf, tandis qu'Axelrod regardait au loin en fronçant les sourcils, l'air mal à l'aise. C'est son avocate, reprit-il, s'adressant cette fois à tout son auditoire. À ce titre, elle a juré de tout faire pour protéger son client. Elle coopère parce que nous l'avons assurée que ce sera pour le bien de son client. Il sera libre et on le laissera tranquillement étudier et prier, c'est tout ce qu'il souhaite faire. Voilà pourquoi elle collabore avec nous.

– Il paraît aussi qu'elle est amoureuse de lui, suggéra la même voix acide sans en rabattre. Alors ce qu'il faudrait peut-être savoir, c'est si elle a encore de l'amour à nous accorder à nous ? »

Malgré les gros yeux d'Axelrod, Bachmann aurait pu répondre à cette pique en des termes qu'il aurait regrettés par la suite si Lantern n'était pas adroitement monté au créneau pour désamorcer la tension.

« Je peux agiter le petit drapeau de Sa Majesté, là, Ax ? dit-il en sélectionnant Axelrod comme cible de son humour anglais. Je me sens juste obligé de rappeler que, sans l'implication d'une banque britannique réputée, il n'y aurait pas de FELIX pour hériter l'argent de son père, et pas de JALON pour l'aider à le dépenser ! »

Mais le rire qui s'ensuivit n'était pas franc, et la tension ne se dissipa nullement. Martha, qui conférait avec Newton et sa mystérieuse blonde, releva soudain la tête.

« Günther, Ian, Ax, pouce ! J'ai une question à vous poser : Vous êtes en train de me dire que vous pouvez réussir ce coup, les gars ? Parce que merde, si on fait un peu le point, on a une avocate gauchiste évaporée à deux doigts de la dépression nerveuse, un banquier anglais *has been* qui a le béguin pour elle, et un combattant de la liberté à moitié tchétchène qui a échappé à la justice russe, qui fait des avions en papier, qui écoute de la musique et qui pense devenir médecin un jour. Et vous croyez vraiment que vous pouvez les réunir tous les trois dans une pièce, et qu'ils vont arriver à coincer un blanchisseur d'argent islamiste pur beurre qui a passé sa vie entière à flairer les embrouilles ? J'ai bien tout compris ? Ou bien je suis un peu ramollo du cerveau, peut-être ? »

Au grand soulagement de Bachmann, Axelrod fut cette fois-ci en mesure de répondre avec autorité.

« Vu du point de vue de JALON, FELIX ne débarque pas comme ça de nulle part, Martha. Si vous consultez le dossier, vous verrez que nous lui avons fait un joli buzz sur les sites islamistes que nous contrôlons, et les techniciens de la surveillance me disent que nos efforts ont été récompensés. Sans compter que l'avis de recherche suédois et le rapport de police russe ne nous ont pas fait de mal. Des sites web dont on n'avait jamais entendu parler l'ont repéré et le présentent maintenant comme un grand combattant tchétchène, roi de l'évasion. D'ici à ce que la rencontre soit organisée, la réputation de FELIX l'aura précédé. »

* * *

Quelqu'un posa une question sur la procédure opérationnelle. Une fois JALON compromis et mis en lieu sûr, combien de temps Bachmann pourrait-il le retenir sans éveiller les soupçons sur sa disparition ?

Bachmann répondit que tout dépendrait des projets que JALON aurait faits pour ce soir-là. Le temps jouait contre eux. La fille et FELIX commençaient tous les deux à être sur les nerfs.

L'attention se concentra alors sur Arni Mohr. Cherchant désespérément à se faire remarquer, il entreprit de décrire sa visite de la veille au soir au quartier général de la police, où il avait brossé les grandes lignes (mais pas plus, évidemment) de l'opération envisagée à un public choisi.

En l'écoutant, Bachmann sentit le désespoir l'envahir comme un virus. La police se proposait de placer des tireurs d'élite autour de la banque, au cas où JALON porterait une ceinture d'explosifs, annonça fièrement Mohr.

Et puisqu'il fallait partir du principe que JALON serait armé, ils se proposaient aussi de couvrir la rencontre cruciale à la banque Brue Frères des cinq côtés : les rives de l'Alster, les deux trottoirs et les deux bouts de la rue.

Et aussi les toits, poursuivit Mohr. Son plan génial était de boucler le quartier dès que JALON serait entré dans la banque, et de le repeupler avec ses avatars d'humanité dans des voitures, sur des vélos ou à pied. Avec l'aide de la police, toutes les maisons et les hôtels du voisinage seraient évacués.

Keller approuva.

Burgdorf ne désapprouva pas.

Martha, quoique simple observatrice, accorda volontiers son approbation.

Newton mit à disposition tout l'attirail d'assistance : les joujoux, les machins à vision nocturne, en veux-tu, en voilà.

La blonde mystérieuse au visage en lame de couteau signifia son assentiment d'un hochement de tête, les lèvres serrées.

S'efforçant de tempérer le plan grandiose de Mohr, Axelrod lui rappela que les précautions que lui et la police recommandaient ne devaient laisser aucune trace, que ce soit avant, pendant ou après la visite de JALON chez Brue Frères. Si la chose se répandait, que ce soit dans les médias ou dans la communauté musulmane qui le tenait en si haute estime, tout espoir que JALON agisse en informateur d'envergure serait perdu.

Et oui, concéda Axelrod, en ce qui le concernait, Arni Mohr pouvait être présent quand la police procéderait à l'arrestation officielle de JALON, mais seulement si Bachmann estimait une arrestation souhaitable comme moyen de pression avant l'étape du recrutement. Tout le monde était d'accord là-dessus ?

Apparemment, tout le monde sauf Bachmann. Et soudain la réunion était terminée. Le jury, assisté de ses observateurs, allait se retirer pour délibérer, et Bachmann, une fois de plus, pouvait retourner à ses écuries se ronger les ongles.

« Excellent travail, Bachmann », le félicita Burgdorf en lui tapant sur l'épaule, contact physique rarissime de sa part.

Aux oreilles de Bachmann, cet éloge sonna comme un éloge funèbre.

* * *

Bachmann était assis à son bureau, la tête enfouie entre les mains, tandis que, en face de lui, Erna Frey travaillait consciencieusement à son ordinateur.

« Comment va-t-elle ? demanda-t-il.

– Aussi bien que possible.

– Mais encore ?

– Tant qu'elle pense qu'Issa est en plus mauvaise posture qu'elle, elle peut tenir le coup.

– Parfait.

– Vraiment ? »

Que pouvait-il dire de plus ? Était-ce sa faute à lui si Erna elle aussi s'était prise d'affection pour la jeune femme ? Était-ce celle d'Erna ? Tout le monde semblait s'être pris d'affection pour elle, alors pourquoi pas Erna ? L'affection devait se limiter à ce qui n'empêchait pas d'accomplir son travail.

Ailleurs dans les écuries, l'atmosphère était tout aussi morose. Maximilian et Niki s'occupaient à décrypter et examiner les messages entrants, tout plutôt que de retourner chez eux. Mais pas une voix n'arrivait aux oreilles de Bachmann, pas un rire, pas une exclamation, que ce soit des analystes dans le bureau d'à côté, des oreilles au bout du couloir ou de la petite bande de chauffeurs et de guetteurs à l'étage en dessous.

Debout devant la fenêtre, pris d'une impression de déjà-vu, Bachmann regarda l'hélicoptère officiel de Keller s'envoler pour Cologne, puis celui de Burgdorf pour Berlin avec sa cargaison de fonctionnaires, Axelrod, et, dernière à embarquer, Martha, mais sans son Newton ni sa blonde.

Une théorie de Mercedes noires se dirigeait vers la grille d'entrée. La barrière se releva et resta en l'air.

Le téléphone crypté sonnait sur le bureau de Bachmann. Il le porta à son oreille et grogna quelques « oui, Michael » et « non, Michael ».

Erna Frey ne quitta pas son ordinateur.

Bachmann dit : « Au revoir, Michael » et raccrocha. Erna Frey continua de travailler.

« On l'a, annonça Bachmann.

– On a quoi ?

– Le feu vert. Sous conditions. On peut y aller. Le plus vite possible. Ils ont peur qu'on soit assis sur une poudrière. J'aurai droit aux huit premières heures avec lui.

– *Huit*, pas neuf ?

– Huit, ça suffira. S'il n'a pas mordu à l'hameçon au bout de huit heures, Arni pourra le faire arrêter par la police.

– Et vous allez l'emmener où, pour vos huit heures, si je peux savoir ? À l'Atlantic ? Au Four Seasons ?

– À votre planque près du port.

– Vous allez l'y emmener par la peau du cou ?

– Je vais l'y inviter. Dès qu'il sortira de la banque. Herr Doktor, je représente le gouvernement allemand, et nous voudrions vous parler de certaines transactions financières illégales que vous venez de faire.

– Et lui, il répond quoi ?

– À ce moment-là, il est déjà dans la voiture. Il peut dire tout ce qu'il veut. »

13

Elle est catatonique.

Ils sont en train de la rendre folle.

Une autre semaine comme celle-ci et elle va leur claquer entre les doigts façon Georgie, si ce n'est déjà fait. Elle a sans doute pensé que je devenais fou moi aussi.

Lors de notre rencontre à l'Atlantic, j'étais ce bon vieux Tommy Brue, héritier à la dérive d'une banque à la dérive avec un mariage à la dérive, tel un ballon flottant au vent.

Chez les Turcs, j'étais un vieux con bourrelé de remords qui cherchait à s'introduire dans sa vie avec cinquante mille euros auxquels elle n'a jamais touché.

Et que suis-je à présent, dans ma voiture, direction le nord-ouest à la vitesse maximale autorisée de cent trente kilomètres par heure ? Le laquais malgré lui des corrupteurs de mon défunt père en route pour amadouer un vénérable érudit musulman dont 5 % sont mauvais, et faire en sorte qu'il sauve la vie du jeune homme dont elle est sans doute amoureuse.

« Vous ne faites qu'obéir aux desiderata d'un riche client, l'avait assuré Lantern au cours du briefing par ailleurs assez chaud de la veille au soir dans son horrible planque aux relents de chlore émanant de la piscine commune dans la cour six étages plus bas. Mais un client des services les plus interlopes de votre banque,

327

ce qui explique pourquoi vous faites preuve d'une extrême discrétion. Vous êtes sur le point de consulter le gestionnaire de fonds de son choix, quel qu'en soit l'acabit, et vous pouvez y gagner une jolie commission, quelle que soit la façon dont il partage le gâteau, ajouta-t-il d'un ton péremptoire de premier de la classe à l'école privée honnie où Brue était allé. C'est une situation tout ce qu'il y a de plus banal dans le secteur bancaire.

– Pas chez moi, non.

– Toujours conformément à la pratique bancaire normale, et selon les souhaits de votre client tels que vous les a transmis son conseiller juridique, vous avez entrepris de déterminer si l'homme auquel vous allez rendre visite remplit les critères requis, poursuivit Lantern en ignorant avec magnanimité l'impertinence de Brue. Est-ce là un bon résumé ?

– Si on veut, dit Brue, qui se servit un scotch bien tassé sans y avoir été invité.

– Perspicacité et objectivité. Dans votre grande sagesse professionnelle, vous déciderez quel est le meilleur chemin à prendre pour les deux parties concernées : votre client et votre banque. Les intérêts de l'éminent monsieur musulman que vous consultez vous importent peu, voire pas du tout.

– Et dans ma grande sagesse professionnelle, je déciderai s'il est ou non l'éminent monsieur musulman apte à cette mission, suggéra Brue sur le même mode.

– Ben, vous n'avez pas franchement l'embarras du choix, hein, Tommy ? » dit le petit Lantern, arborant son sourire ravageur.

* * *

Douze heures plus tôt, Mitzi aussi avait eu une nouvelle à lui annoncer.

« Bernhard devient casse-pieds, déclara-t-elle tandis que Brue était plongé dans son *Financial Times*. Hildegard le quitte. »

Brue but une gorgée de café et s'épongea les lèvres avec sa serviette. Dans le petit jeu qu'ils jouaient, la première règle était de ne jamais se montrer surpris par quoi que ce soit.

« Alors, c'est plutôt Hildegard qui est devenue casse-pieds, non ? suggéra-t-il.

– Hildegard a toujours été casse-pieds.

– Qu'a donc fait ce pauvre Bernhard pour devenir casse-pieds lui aussi ? s'informa Brue, prenant le parti de l'homme.

– Il m'a demandée en mariage. Je dois te quitter, divorcer et aller passer l'été à Sylt avec lui le temps qu'on décide où on ira couler le restant de nos jours, s'indigna-t-elle. Tu imagines un peu, partager la vieillesse de Bernhard ?

– J'ai du mal à imaginer de partager quoi que ce soit avec Bernhard, pour être honnête.

– Et Hildegard envisage de te faire un procès.

– À *moi* ?

– Ou à moi, ça revient au même. Pour avoir séduit son mari et l'avoir éloigné d'elle. Elle te croit très riche. Alors, tu vas devoir faire un procès à Bernhard pour la faire taire. Je vais demander à ton copain Westerheim quel est le meilleur avocat.

– Hildegard a-t-elle pensé à la mauvaise publicité que ça pourrait lui faire ?

– Elle *adore* la publicité. Elle se vautre dedans. C'est la chose la plus vulgaire que j'aie jamais entendue.

– As-tu accepté l'offre de mariage de Bernhard ?

– J'y réfléchis.

– Ah bon ! Et où en es-tu de tes réflexions ?

– Je ne suis pas certaine que nous ayons encore grand-chose à faire ensemble, Tommy.

– Toi et Bernhard ?

– Toi et moi. »

* * *

Le ciel était noir au-dessus de la campagne plate et peu hospitalière. L'*autobahn* luisait comme du verre. Les phares des voitures en sens inverse l'agressaient. Alors, on n'a plus grand-chose à faire ensemble. Parfait. Je serai très bien tout seul. Je vais vendre la banque tant qu'il y aura quelque chose à en tirer et je me referai une vie. Je pourrais même faire un saut en Californie pour le mariage de cette vieille Georgie. Il n'avait toujours pas annoncé à Mitzi qu'il allait être grand-père, ce qui lui plaisait bien. Il ne le lui dirait peut-être jamais.

Georgie avait-elle mis sa mère dans la confidence ? Il l'espérait. Cette bonne vieille Sue serait heureuse comme une reine. Elle n'était pas si méchante qu'elle en avait l'air, cette brave Sue, si on allait au-delà des coups de griffe. Franchement, il regrettait de ne pas s'en être aperçu un peu plus tôt. Avant Mitzi plutôt qu'après, en quelque sorte. Mais bon, c'était trop tard, maintenant que Sue filait le parfait amour avec son viticulteur italien. Un type sympa, aux dires de tous. Ils baptiseront peut-être une cuvée du nom du bébé.

Toute la joie fugitivement ressentie s'évanouit dans le fracas de la route mouillée et il en revint à Annabel, repensant à la colère protectrice qu'il avait éprouvée en voyant ce qu'ils avaient fait d'elle : la démarche de robot, le détachement de sa voix d'enfant de chœur, si loin de la ferveur avec laquelle elle l'avait assailli dans la chambre de Melik : *Mon client ne serait pas ici si ce n'était à cause de votre putain de banque !*

« La banque vous est *redevable*, Frau Richter, lança-t-il au pare-brise, singeant son propre ton pompeux. Je suis donc heureux d'annoncer que la banque va bientôt honorer sa dette. »

La banque vous adore, poursuivit-il dans sa tête. Non pas pour vous posséder, mais pour vous aider à retrouver votre courage afin que vous puissiez vivre la vie que j'ai manifestement été incapable de mener moi-même. Êtes-vous amoureuse d'Issa, Annabel ? Georgie tomberait instantanément amoureuse de lui. Et elle vous aimerait, vous aussi. Et elle vous conseillerait de veiller sur moi. C'est sa façon de voir les choses : tout le monde devrait veiller sur tout le monde. C'est pour ça qu'elle est si souvent déçue. Mais au fond, est-ce que cela importe, que vous éprouviez de l'amour pour Issa ? De l'amour selon la définition du dictionnaire ? Non, absolument pas. Ce qui importe, c'est que vous le libériez.

* * *

« Et que va-t-il advenir d'Annabel après toutes ces joyeusetés ? » avait demandé Brue à Lantern lors de ce même briefing interminable tout en sirotant son scotch (pas le premier, loin s'en faut) et Lantern son énième verre d'eau gazeuse.

La journée avait été particulièrement rude, même pour quelqu'un comme Brue : au petit déjeuner, la bombe de Mitzi au sujet de Bernhard ; au bureau, une révolte d'envergure du service comptabilité concernant les roulements pendant les jours fériés ; puis une heure de conversation avec son estimé avocat à Glasgow, qui semblait n'avoir jamais entendu parler de divorce auparavant ; puis deux heures d'un déjeuner pathétique au restaurant À la Carte, durant lesquelles il avait fait assaut d'un humour irrésistible pour deux riches clients d'Oldenburg qui en étaient totalement dénués ; puis une gueule de bois qu'il s'employait maintenant à aggraver.

« Qu'est-ce qu'il advient d'elle, Lantern ? répéta-t-il.

– C'est une affaire strictement allemande, Tommy, répliqua judicieusement Lantern, recourant une fois de plus à sa voix de premier de la classe. À mon humble avis, ils la laisseront tranquille. Tant qu'elle n'écrit pas ses mémoires ou qu'elle ne fait pas de vagues.

– Désolé, mais ça ne suffit pas.

– Qu'est-ce qui ne suffit pas ?

– Votre humble avis. Je veux des assurances solides. Écrites. À son attention, avec copie pour moi.

– Copie de quoi, au juste, Tommy ? J'ai l'impression que vous avez un petit coup dans le nez, non ? Peut-être qu'on pourrait reprendre cette conversation une autre fois. »

Brue arpentait la pièce miteuse à grands pas.

« Qui dit qu'il y aura une autre fois ? Et s'il n'y en avait pas ? Et si je retirais mes billes ? Vous feriez quoi, là, hein ?

– Eh bien, dans ce cas, Tommy, Londres pourrait n'avoir d'autre choix que d'appliquer à votre banque certaines sanctions dont nous disposons.

– Appliquez, appliquez, mon vieux, voilà mon conseil. Ne vous gênez pas. Faites-vous plaisir. Frères ferme boutique. Ça fera pleurer dans les chaumières. Mais pour combien de temps ? Et qui pleurera ? Qui ? »

Enfin le bras de fer. Il était grand temps, songea Brue. Les couteaux étaient tirés, et merde à tout le monde.

« Des banques qui ferment boutique, il y en a tous les jours. Surtout les vieilles banques boiteuses comme la mienne. Mais pour vous, votre opération de rêve qui part en eau de boudin, c'est autre chose, hein ? Je peux flairer les gros coups de très loin, et là, c'est un gros coup. *Dommage pour ce pauvre Ian. On le tenait en si haute estime. Espérons qu'il se trouvera un job correct dans le monde extérieur.* Santé ! À votre putain de santé et à tous ceux qui sont dans le même bateau que vous ! »

Il attendit que Lantern lui réponde « santé » et fut heureux de ne pas l'entendre.

« Dites-moi juste ce qui pourrait vous rassurer, Tommy, suggéra Lantern d'une voix aussi monocorde que celle de l'horloge parlante.

– Un titre d'officier de l'Ordre de l'Empire britannique, pour commencer. Le thé avec la reine. Et dix millions de livres de compensation pour avoir fait de Frères un Lavomatic russe.

– C'est une blague, je le sens bien.

– Absolument. Une énorme blague, comme toute cette opération. J'ai d'autres exigences. Et elles sont non négociables.

– Et quelles seraient-elles, ces exigences, Tommy ?

– *Premièrement…* Vous voulez prendre des notes, ou vous pensez que vous pouvez mémoriser ?

– Je vais m'en souvenir, merci.

– Une lettre officielle. Adressée à Frau Annabel Richter, avec copie pour moi. Signée et tamponnée par l'autorité allemande compétente, la remerciant de sa coopération et l'assurant qu'aucune action légale ou autre ne sera entreprise contre elle. Ça, c'est le hors-d'œuvre, vu ? Le plat de résistance est encore à venir, dit-il avant d'ajouter, parce qu'il avait saisi l'expression incrédule de Lantern : Je ne déconne pas, Lantern. Je suis très sérieux. Rien au monde ne me fera passer la porte d'Abdullah demain si je n'ai pas obtenu totale satisfaction. *Deuxièmement* : le droit de voir en avant-première le tout nouveau passeport allemand d'Issa Karpov, valide à la seconde où il signe le transfert de son argent. Je veux l'avoir *en main*, pour le montrer à Annabel avant le début des hostilités, comme preuve irréfutable que quiconque tire les ficelles va tenir ses promesses sans se défiler. Vous avez bien saisi le message ou vous voulez des sous-titres ?

– Ça, c'est carrément impossible. Vous me demandez d'aller voir les Allemands et de leur soutirer son passeport et de vous le *prêter* ? Mais vous planez à dix mille, mon vieux !

– Ben tiens ! Pardonnez ma grossièreté, mais ce que vous êtes en train de me servir, c'est de la merde en barre. Votre truc, c'est les coups de baguette magique, non ? Alors jouez-en, de votre baguette, aussi petite soit-elle. Et je vais vous dire autre chose.

– Quoi ?

– Au sujet du passeport.

– Quoi, le passeport ?

– Les passeports, c'est le pain quotidien de votre métier, à ce que je sais. Ils peuvent être contrefaits, annulés, retirés et porteurs de messages déplaisants pour les autorités d'autres pays. Pas vrai ?

– Et alors ?

– J'ai une prise sur vous. Veuillez ne pas l'oublier. Elle ne disparaîtra pas avec l'obtention du passeport d'Issa. Si jamais j'apprends que vous lui avez joué un tour de cochon, je vous dénonce, et pas qu'un peu, bien comme il faut. Lantern, de l'ambassade de Grande-Bretagne à Berlin. La barbouze qui ne tient pas ses promesses. Et le temps que vous me mettiez la main dessus, il sera trop tard. Bon, maintenant je vais rentrer chez moi. Appelez-moi quand vous aurez une réponse, quelle que soit l'heure.

– Et votre femme ? »

* * *

C'est vrai, ça, au fait, et sa femme ? Allongé dans son lit, il regardait le plafond tanguer et attendait qu'il se stabilise. Petit mot de Mitzi : *Conférence au sommet avec Bernhard.*

Bonne chance à elle. Vivent les conférences au sommet.

Il était minuit quand Lantern appela.

« Vous pouvez parler ?

– Je suis seul, si c'est ça que vous voulez savoir. »

Lantern avait joué de sa baguette magique.

* * *

Brue mit son clignotant à droite et regarda dans le rétroviseur. La bretelle approchait et ils étaient encore à ses basques : deux hommes dans une BMW qui le suivaient depuis le moment où il avait quitté sa maison. *Vos anges gardiens*, avait dit Lantern avec un sourire narquois.

La ville était un amas de brique rouge posé sur des champs embrumés. Une église rouge, une gare rouge, une caserne de pompiers, une rangée de pavillons mitoyens d'un côté de la rue principale, et, en face, une station-service et une école d'acier et de béton. Il y avait un terrain de football, mais personne ne jouait.

Le stationnement étant interdit dans la grand-rue, il trouva à se garer dans une rue transversale et revint à pied. Les anges gardiens de Lantern avaient disparu. Ils prenaient sans doute un café dans la station-service en se faisant passer pour ce qu'ils n'étaient pas.

Deux hommes râblés d'allure arabe en costume marron ample attendaient son arrivée. Le plus âgé des deux égrenait son *misbaha*, le plus jeune fumait une cigarette jaune d'allure répugnante. L'aîné fit un pas vers lui, les bras tendus. Cinquante mètres plus loin, deux policiers en uniforme sortirent de l'ombre d'une haie pour voir ce qui se passait.

« Vous permettez, monsieur ? »

Brue permettait. Épaules, revers de veste, aisselles, poches, dos, hanches, entrejambe, mollets, chevilles, toutes ses zones érogènes ou pas. Et à l'insistance de l'autre homme, qui avait écrasé sa cigarette, le contenu de ses poches de poitrine. *C'est un stylo-plume ordinaire*, avait dit Lantern. *Il ressemble à un stylo, il écrit comme un stylo, il écoute comme un stylo. Même s'ils le démontent, ça reste un stylo à plume ordinaire.*

Ils ne le démontèrent pas.

Une éclaircie soudaine embellit les lieux. Dans le jardin à l'herbe mal coupée, une femme vêtue de noir de la tête aux pieds, perchée sur un transat, berçait un bébé. Georgie, dans sept mois. La porte d'entrée était ouverte. À mi-hauteur, un garçonnet portant une calotte et une tunique blanche passa le bout du nez. Peut-être que c'est un garçon qu'elle aura.

« Soyez le bienvenu, monsieur Brue », déclama-t-il en anglais, avec un sourire jusqu'aux oreilles.

Du perron, Brue entra directement dans un salon. Par terre, trois petites filles habillées de blanc construisaient une ferme en Lego, tandis qu'une télévision, son coupé, montrait des minarets et des coupoles dorées. Au pied de l'escalier se tenait un jeune homme barbu vêtu d'un pantalon de coton et d'une longue chemise rayée.

« Monsieur Brue, je m'appelle Ismail, je suis le secrétaire particulier du Dr Abdullah. Soyez le bienvenu », dit-il, posant la main droite sur son cœur avant de la tendre pour serrer celle de Brue.

* * *

Si 5 % du Dr Abdullah étaient mauvais, comme l'affirmait Lantern, alors c'étaient 5 % de pas grand-chose. Il était minuscule, pétulant, paternel, chauve et affable, avec des yeux brillants, d'épais sourcils et une démarche chaloupée. Faisant d'un bond le tour de son bureau, il attrapa la main de Brue et la serra entre les deux siennes. Il portait un costume noir, une chemise blanche au col boutonné et des baskets sans lacets.

« Vous êtes le grand M. Brue ! lança-t-il dans un anglais de très bonne qualité et au débit très rapide. Votre nom ne nous est pas inconnu, monsieur. Votre banque avait des contacts arabes, fut un temps, pas les meilleurs contacts, mais des contacts quand même. Vous l'avez peut-être oublié. C'est un des problèmes majeurs de notre monde moderne, vous savez. L'oubli. La victime n'oublie *jamais*. Demandez à un Irlandais ce que lui ont fait les Anglais en 1920 et il vous dira le nom de chaque homme qu'ils ont tué, quel jour et à quelle heure. Demandez à un Iranien ce que les Anglais lui ont fait en 1953 et il vous le dira. Son fils vous le dira. Son petit-fils vous le dira. Et quand il en aura un, son arrière-petit-fils vous le dira aussi. Mais demandez à un Anglais…, dit-il en levant les mains en signe d'ignorance. S'il a jamais su, il a oublié. *Allez de l'avant !* nous dites-vous. *Allez de l'avant ! Oubliez ce que nous vous avons fait ! Demain est un autre jour !* Mais ce n'est pas vrai, monsieur Brue, dit-il en lui ayant repris la main. *Demain* a été créé hier, voyez-vous. C'est ça que j'essayais de vous faire comprendre. Et aussi avant-hier. Ignorer l'histoire, c'est ignorer le loup qui attend derrière la porte. Asseyez-vous, je vous en prie. Vous avez fait bon voyage, j'espère ?

– Oui, oui, très bon, merci.

– Pas si bon que ça, avec cette pluie. Maintenant, nous avons un rayon de soleil. Dans la vie, nous devons faire face à la réalité. Vous avez rencontré mon fils Ismail, mon secrétaire ? Voici Fatima, ma fille. En octobre prochain, si Dieu le veut, Fatima commencera ses études à la London School of Economics, et Ismail marchera bientôt sur les traces de son père au Caire, et je serai un homme seul mais fier. Vous avez des enfants, monsieur ?

– Une fille, oui.

– Alors vous aussi vous êtes béni.

– Mais pas tant que vous, à ce que j'en vois ! » s'exclama chaleureusement Brue.

Comme son frère, Fatima dépassait son père d'une tête. Elle avait un visage large d'une grande beauté. Son hijab marron retombait sur ses épaules comme une cape.

« Bonjour ! dit-elle, les yeux baissés, en plaçant la main droite sur son cœur en signe de salut.

– Les Américains sont pires que les Britanniques, mais eux, ils ont une excuse, poursuivit le Dr Abdullah du même ton jovial, guidant Brue vers le seul fauteuil bien rembourré, réservé aux visiteurs, sans lui lâcher le poignet. Leur excuse est leur *ignorance*. Ils ne savent pas ce qu'ils font de mal. Alors que vous, les Anglais, vous le savez parfaitement. Vous le savez depuis longtemps. Et vous le faites quand même. Vous n'avez rien contre les plaisanteries, j'imagine ? L'humour me conduira à ma perte, me dit-on. Mais ne me prenez surtout pas pour un philosophe, je vous en prie. La philosophie, c'est pour vous, pas pour moi. Je suis une autorité religieuse, oui. Mais la philosophie est réservée aux laïcs et aux infidèles. Notre région du monde est dans un piteux état, vous n'avez pas besoin de me le dire. À qui la faute ? Je me le demande. Il y a mille ans, nous avions plus d'hôpitaux par habitant à Cordoue que les Espagnols aujourd'hui. Nos médecins pratiquaient des opérations qui dépassent encore vos médecins actuels. Qu'est-ce qui a mal tourné ? nous demandons-nous. L'ingérence étrangère ? L'impérialisme russe ? La sécularisation ? Nous aussi, les musulmans, nous avons notre part de responsabilité. Certains d'entre nous avaient perdu foi en notre foi. Nous n'étions plus de vrais musulmans. C'est ça qui nous a arrêtés dans notre élan. Fatima, apporte-nous du thé, s'il te plaît. J'ai fait un an à Cambridge, à Caius College. J'imagine que vous le savez aussi. Avec Internet et la télévision, il n'y a plus de secrets. Mais attention, l'information n'est pas la connaissance. L'information, c'est du bois mort. Seul Dieu peut transformer l'information en connaissance. Et des petits gâteaux, Fatima. M. Brue a fait la route depuis Hambourg sous la pluie. Vous n'avez pas trop chaud ni trop froid, monsieur ? N'hésitez pas à nous le dire. Nous sommes des gens accueillants, nous faisons de notre mieux pour obéir aux commandements de Dieu. Nous voulons que vous soyez à votre aise. Si vous nous apportez de l'argent, nous voulons que vous soyez *très* à votre aise ! Plus vous serez à votre aise, mieux ce sera, pour nous ! Par ici, monsieur, je vous prie. Permettez-nous de vous conduire à notre salle de consultation ! Vous êtes un homme bon. Vous avez un bon visage, comme on dit. »

Mauvais à 5 %, comment ça ? enrageait Brue dans sa nervosité. Lantern, quand il lui avait posé la question, avait refusé d'expliquer : *Croyez-moi sur parole, Tommy. 5 %, c'est tout ce que vous avez besoin de savoir.* Alors dites-moi donc qui n'est pas mauvais à 5 % ? se demanda Brue tandis que, avec toute la famille, ils enfilaient à la queue leu leu un étroit couloir. Brue Frères, avec ses investissements douteux, ses clients douteux et ses lipizzans ? Et un petit délit d'initiés quand on en a l'occasion ? Moi, je nous donnerais plutôt dans les 15 %. Et notre galant président-directeur général, c'est-à-dire votre serviteur, ça nous fait quoi, ça ? Divorcé d'une bonne épouse, une fille oubliée en route que j'apprends à aimer quand c'est trop tard, une grande période de coucheries, un second mariage avec une greluche qui maintenant me met dehors… Moi, je me donnerais plutôt du 50 % de mauvais que du 5 %.

« Et qu'est-ce qu'il fait de ses 95 % restants ? »
avait-il demandé à Lantern.

Des bonnes œuvres, fut la réponse évasive.

Et moi, qu'est-ce que je fais du reste ? Putain de
merde. Si on nous met sur les plateaux de la balance et
qu'on fait la comparaison, c'est à se demander lequel
de nous deux est plus mauvais que l'autre de 5 %.

* * *

« Et maintenant, monsieur, veuillez commencer.
À votre rythme, mais en anglais, s'il vous plaît. Il est
très important pour les enfants qu'ils puissent pratiquer
leur anglais à la moindre occasion. Par ici, monsieur, je
vous prie. Merci. »

Ils s'étaient transportés dans le modeste antre de
l'érudit, qui donnait sur le jardinet derrière la maison.
Quand l'espace n'était pas occupé par des livres, il
l'était par des calligraphies. Assis derrière son bureau
en bois brut, le Dr Abdullah était penché au-dessus de
ses mains croisées. Fatima avait dû préparer le thé à
l'avance, parce qu'elle l'apporta aussitôt, avec une
assiette de biscuits. Derrière elle accourut le garçonnet
qui avait ouvert la porte à Brue, accompagné de la plus
hardie de ses trois petites sœurs. En montant l'escalier
derrière Ismail, Brue avait senti une goutte de sueur
courir le long de son flanc droit comme un insecte
glacé. Mais à présent qu'ils étaient installés, il avait
recouvré son calme de professionnel. Il était dans son
élément. Il avait les instructions de Lantern bien en
tête, et une mission à accomplir. Et, comme toujours
devant lui, Annabel.

« Docteur Abdullah, pardonnez-moi, commença-t-il
d'un ton d'autorité.

– Mais, monsieur, qu'y a-t-il donc à vous pardonner ?

– Comme je vous l'ai indiqué par téléphone, mon client exige un haut degré de confidentialité. Sa situation est pour le moins délicate. Je préférerais que nous discutions affaires en tête-à-tête. Je suis désolé.

– Mais vous ne voulez même pas me révéler son nom, monsieur Brue ! Comment puis-je compromettre votre estimé client si je ne sais pas qui c'est ? »

Il murmura quelques mots en arabe. Fatima se leva et quitta la pièce sans un regard à Brue, suivie par les petits puis par Ismail. Une fois la porte refermée derrière eux, Brue sortit une enveloppe non scellée de sa poche et la posa sur le bureau du Dr Abdullah.

« Vous avez fait tout ce chemin pour m'écrire ? » plaisanta le Dr Abdullah.

Au vu du sérieux de Brue, il chaussa des lunettes de lecture éraflées, ouvrit l'enveloppe, déplia la feuille de papier et étudia les colonnes de chiffres dactylographiés. Il ôta alors ses lunettes, se passa la main sur le visage, puis les remit.

« C'est une plaisanterie, monsieur Brue ?

– Une plaisanterie qui coûte cher, alors.

– Qui vous coûte cher à vous ?

– Pas à moi personnellement, non. À ma banque, oui. Aucune banque n'apprécie de dire au revoir à de telles sommes. »

Toujours incrédule, le Dr Abdullah regarda de nouveau les chiffres.

« Je n'ai pas plus l'habitude de leur dire bonjour, monsieur Brue. Que suis-je censé faire ? Dire *merci* ? Dire *non merci* ? Dire *oui* ? Vous êtes banquier, monsieur. Je suis un humble mendiant de Dieu. Est-ce là la réponse à mes prières ou êtes-vous en train de vous payer ma tête ?

– Il y a toutefois des conditions, prévint Brue d'un ton sévère en ignorant la question.

– Je suis ravi de l'apprendre. Plus il y a de conditions, mieux c'est. Avez-vous la moindre idée du total que toutes mes organisations caritatives ont réuni en Europe en un an ?

– Aucune.

– Moi qui croyais que les banquiers savaient tout. Un tiers de cette somme au maximum. Plutôt un quart. Allah est miséricordieux. »

Abdullah contemplait toujours la feuille de papier sur son bureau, les mains posées de chaque côté en un geste possessif. Au long de sa carrière dans la banque, Brue avait déjà eu le privilège de voir des hommes et des femmes de toutes conditions prendre conscience de l'étendue de leur nouvelle fortune. Jamais il n'avait vu quelqu'un irradier une telle joie innocente que le bon docteur aujourd'hui.

« Vous ne pouvez pas imaginer ce qu'une telle somme signifierait pour mon peuple », dit-il.

Au grand embarras de Brue, les yeux du Dr Abdullah s'emplirent de larmes. Il les ferma. Il baissa la tête. Mais quand il la releva, sa voix était claire et ferme.

« Puis-je me permettre de demander d'où vient une telle somme, comment elle a été obtenue, comment elle est arrivée entre les mains de votre client ?

– Pour l'essentiel, elle est en dépôt dans ma banque depuis dix ou vingt ans.

– Mais l'argent n'est pas *venu* de votre banque.

– Bien sûr que non.

– Alors, d'où vient-il, monsieur Brue ?

– Cet argent est un héritage. Mon client estime qu'il n'a pas été acquis honorablement. Cet argent a également rapporté des intérêts, ce qui, si j'ai bien compris, est contraire à la loi islamique. Avant que mon client fasse une requête officielle pour l'obtenir, il veut être certain d'agir dans le respect de sa religion.

– Vous avez dit qu'il y avait des conditions, monsieur Brue.

– Dans la distribution de sa richesse à vos associations caritatives qu'il vous demande de faire, mon client souhaite que la Tchétchénie reçoive la priorité.

– Votre client est tchétchène, monsieur Brue ? demanda le Dr Abdullah d'un ton de nouveau plus doux, mais avec un regard plus dur dans ses yeux plissés comme pour se protéger du soleil du désert.

– Mon client est très affecté par la souffrance du peuple tchétchène opprimé, répliqua Brue, éludant une fois encore la question. Sa toute première priorité serait de leur fournir des médicaments et des hôpitaux.

– Nous avons de nombreuses associations musulmanes qui se consacrent à cette tâche importante, monsieur Brue, dit le Dr Abdullah en braquant toujours ses petits yeux sombres sur ceux de Brue.

– Mon client espère pouvoir un jour devenir lui-même médecin. Pour pouvoir soigner les maux infligés aux Tchétchènes.

– Seul Dieu peut guérir, monsieur Brue. Les hommes ne font qu'assister. Quel âge a votre client, si je puis me permettre ? Est-ce un homme mûr ? Un homme qui a peut-être fait fortune lui-même dans un domaine respectable ?

– Quels que soient son âge et son statut social, mon client est résolu à étudier la médecine, et souhaite être le premier bénéficiaire de sa propre générosité. Plutôt que d'utiliser directement cet argent qu'il considère comme impur, il souhaite qu'une association musulmane finance toutes ses études de médecine ici en Europe. Le coût en serait négligeable par rapport à la totalité de la donation, mais cela lui donnerait l'assurance qu'il agit selon l'éthique. Sur tous ces points, il voudrait recueillir vos conseils en personne. À Hambourg, quand et où cela vous conviendra à tous les deux. »

Le regard du Dr Abdullah se posa de nouveau sur la feuille devant lui, puis sur Brue.

« Puis-je faire appel à vos lumières, monsieur Brue ?

– Bien sûr.

– Vous êtes un homme honorable, c'est évident. Bon et honorable. Peu importe ce que vous êtes par ailleurs. Chrétien, juif, cela m'est égal. Je me fie à votre apparence. Vous êtes père, comme moi. Vous êtes aussi un homme du monde.

– J'aime à le penser.

– Alors ayez la gentillesse de me dire pourquoi je devrais vous faire confiance.

– Pourquoi ne me feriez-vous pas confiance ?

– Parce que cette proposition mirobolante me laisse un drôle de goût dans la bouche. »

Vous n'êtes pas en train de mener quelqu'un à l'abattoir, avait dit Lantern. *Vous lui donnez une chance de se ranger et d'accomplir une bonne action. Alors pas besoin de nous faire un trip* mea culpa. *Dans un an, il vous dira merci.*

* * *

« Si vous avez un drôle de goût dans la bouche, je n'y suis pour rien, et mon client non plus. Peut-être est-ce dû à la façon dont l'argent a été acquis.

– Vous l'avez déjà dit, oui.

– Mon client est parfaitement conscient de l'origine regrettable de cet argent. Il en a longuement parlé avec son avocat, et vous êtes la solution qu'ils ont trouvée.

– Il a un avocat ?

– Oui.

– Ici, en Allemagne ? demanda le Dr Abdullah d'un ton plus incisif, ce qui arrangeait Brue.

– Oui, tout à fait, acquiesça-t-il.

– Un bon avocat ?

344

– Je suppose qu'elle est bonne, puisqu'il l'a choisie.

– Une femme, donc. Ce sont les meilleures, paraît-il. Votre client a-t-il pris conseil pour choisir cette avocate ?

– J'imagine.

– Est-elle musulmane ?

– Il vous faudra lui poser la question à elle.

– Votre client est-il un homme confiant comme moi, monsieur Brue ? »

Vous lui direz ceci, point final, l'avait averti Lantern. *Juste de quoi l'aguicher, mais rien de plus.*

« Mon client a connu une vie tragique, docteur Abdullah. Il a subi de nombreuses injustices. Il a survécu. Il a résisté. Mais il en a gardé des cicatrices.

– Et donc ?

– Et donc, par le biais de son avocate, il a exigé de ma banque que les sommes impures, comme il les considère, soient transférées directement aux associations que vous et lui aurez choisies ensemble. En sa présence et en la vôtre. De Brue Frères aux bénéficiaires, sans intermédiaires. Il a conscience de votre stature, il a étudié vos écrits et il ne veut pas d'autres conseils que les vôtres. Mais il veut être témoin des transactions *de visu*.

– Votre client parle-t-il arabe ?

– Désolé.

– Allemand ? Français ? Anglais ? S'il est tchétchène, il doit parler russe. Ou peut-être seulement tchétchène ?

– Quelle que soit la langue qu'il parle, je vous garantis qu'un interprète compétent sera fourni. »

Le Dr Abdullah manipula d'un air rêveur le papier devant lui et, reposant les yeux sur Brue, se replongea dans ses pensées.

« Vous êtes tout guilleret, finit-il par dire d'un ton chagrin. Vous semblez libéré d'un poids. Pourquoi ? Votre banque dit au revoir à une fortune, et vous, vous souriez, c'est paradoxal. Serait-ce un perfide sourire anglais ?

– Peut-être que mon sourire anglais est justifié.

– C'est peut-être cela qui me dérange.

– Mon client n'est pas le seul à trouver infâme la source de cet argent.

– Mais l'argent n'a pas d'odeur, paraît-il. Surtout pour un banquier, non ?

– Quoi qu'il en soit, je crois pouvoir dire que ma banque pousse un petit soupir de soulagement.

– La moralité de votre banque force le respect, alors. Dites-moi autre chose, s'il vous plaît.

– Si je peux. »

La goutte de sueur était revenue, cette fois sur l'autre flanc de Brue.

« Il y a un caractère d'urgence dans toute cette affaire. Pourquoi cette urgence ? Quel mystérieux train avons-nous à prendre ? Allons, monsieur. Nous sommes deux hommes honnêtes. Nous sommes entre nous.

– Mon client est en sursis. À tout instant, il peut cesser d'être en position d'autoriser ces dons. Ce qu'il me faut au plus vite de votre part, c'est une liste des associations que vous recommandez et un descriptif des causes qu'elles servent. Je la passerai à son avocate, qui la soumettra à notre client pour approbation, et nous pourrons conclure notre affaire. »

Comme Brue se levait pour prendre congé, le Dr Abdullah retrouva toute sa malice et son dynamisme.

« Bref, je n'ai pas le temps et je n'ai pas le choix, se plaignit-il d'un ton accusateur, serrant la main de Brue entre les deux siennes et lui adressant un sourire de ses yeux pétillants.

– Moi non plus, regretta Brue avec la même bonne humeur. À très bientôt, j'espère.

– Je vous souhaite un excellent voyage de retour, monsieur, jusque dans le giron de votre famille, comme on dit. Qu'Allah soit avec vous !

– Et prenez bien soin de vous aussi », répondit Brue avec une égale cordialité tandis qu'ils échangeaient une poignée de main empruntée.

En arrivant à sa voiture, Brue s'aperçut que la sueur avait trempé sa chemise et le col de sa veste. Quand il atteignit l'*autobahn*, ses deux anges gardiens se rangèrent derrière lui avec des sourires stupides. Brue ignorait ce qu'il avait bien pu faire pour les amuser. Et quand il s'était jamais autant dégoûté.

* * *

Depuis que Brue a quitté Abdullah il y a huit heures, Erna Frey et Günther Bachmann ont à peine échangé deux mots, et pourtant ils sont assis à quelques centimètres l'un de l'autre face au mur d'écrans de Maximilian. Un des écrans est relié au centre berlinois d'écoute des communications, un autre à la surveillance par satellite, un troisième à une équipe motorisée de cinq des guetteurs d'Arni Mohr.

À 15 h 48, dans un silence de mort, ils ont écouté les yeux mi-clos l'échange entre Brue et Abdullah relayé par le stylo-plume de Brue aux anges gardiens de Lantern postés dans le garage d'en face, puis retransmis aux écuries après cryptage. L'unique réaction de Bachmann a été une salve d'applaudissements silencieux. Erna Frey n'a pas réagi du tout.

À 17 h 10 a débuté une série d'appels téléphoniques interceptés depuis la maison d'Abdullah. La traduction simultanée d'arabe en allemand qui défilait sur l'écran du centre d'écoute était superflue pour Bachmann l'arabophone, mais pas pour Erna Frey et l'essentiel du reste de l'équipe.

À chaque appel, le nom du correspondant s'affichait en bas de l'écran, et un autre fournissait les renseignements personnels et les détails de la localisation. Les correspondants, six en tout, étaient tous de respectables musulmans, intermédiaires financiers et responsables d'associations. Selon les commentaires en parallèle des analystes, aucune des personnalités contactées ne faisait actuellement l'objet d'une enquête.

Le message était identique pour tous : nous sommes en fonds, mes frères, Allah le Miséricordieux dans Son infinie bonté nous a jugés dignes d'un immense présent, d'un présent historique. Un signe particulier de chacune des conversations était que le Dr Abdullah prétendait (sans être très convaincant) qu'il s'agissait d'un don de riz américain plutôt que de dollars. Dans ce code simpliste, les millions devenaient des tonnes.

Selon les commentaires parallèles, ce subterfuge s'expliquait par un simple souci de précaution : Abdullah ne souhaitait pas éveiller par accident l'intérêt d'un employé local qui aurait surpris la conversation. Il n'y avait guère de variations entre les différents appels. Une unique transcription aurait suffi pour les six :

« Douze *tonnes* et demie de la meilleure qualité, mon cher ami, des *tonnes américaines*, compris ? Oui, oui, je dis bien des *tonnes*. Chaque grain de ces tonnes sera distribué entre les fidèles. Mais oui, vieil imbécile ! Des *tonnes*. Dieu aurait-Il couvert de ses mains miséricordieuses vos stupides oreilles ? Il y a certaines conditions, comprenez-vous. Pas beaucoup, mais quand même. Vous m'écoutez toujours ? Nos frères opprimés de Tchétchénie reçoivent la première cargaison. Leurs affamés seront les premiers à être nourris. Et nous formerons plus de médecins, *Inch' Allah*. N'est-ce pas merveilleux ? En Europe également. Nous avons déjà un candidat ! »

Cet appel-ci a été passé à un certain Cheikh Rachid Hassan, ami de longue date et ancien camarade d'études d'Abdullah au Caire, actuellement résident de la ville anglaise de Weybridge dans le Surrey. Peut-être pour cette même raison était-ce l'appel le plus long et le plus intime. Toutefois, il s'est terminé de manière énigmatique, ce qui n'a pas échappé aux analystes :

Notre bon ami vous appellera certainement plus tard pour discuter de ce qu'il y a à discuter, promet Abdullah. La réponse est un grognement peu révélateur.

* * *

À 19 h 42 arrivent les premières images en direct.

Plan de JALON sortant de chez lui, l'air très européen avec son imperméable mastic Burberry et sa casquette de gentleman-farmer. Il est seul. Une berline Volvo noire l'attend devant sa maison, portière arrière ouverte.

Commentaire parallèle des analystes : La Volvo est immatriculée au nom d'une société turque de location de voitures de Flensburg, à plus de cent cinquante kilomètres au nord de Hambourg. Aucun fait à retenir contre cette société ou ses propriétaires.

JALON monte à l'arrière de la Volvo, assisté du plus âgé de ses deux gardes du corps, qui s'assoit ensuite à côté du chauffeur. La caméra de surveillance change d'angle, se place derrière la Volvo et la suit. Les hommes pieux ne conduisent pas volontiers eux-mêmes, songe Bachmann. Il fixe le garde du corps à l'avant, qui surveille les rétroviseurs central et latéraux.

La Volvo atteint l'*autobahn*, roule vers le nord-est sur vingt, quarante, cinquante-sept kilomètres. Le crépuscule tombe. La caméra passe au vert flou de l'objectif à vision nocturne. Durant tout le trajet, la tête du garde du corps n'a cessé d'osciller d'un rétroviseur à l'autre. Quand la Volvo s'arrête dans une aire de repos, sa vigilance s'accroît.

Le garde du corps sort de la voiture et va faire pipi, apparemment à l'affût d'une présence inopportune sur l'aire de repos. Il regarde droit vers la caméra, sans doute en fait parce qu'il jette un œil au véhicule de surveillance de Mohr garé à environ cinquante mètres derrière lui.

De retour à la Volvo, le garde du corps ouvre la portière arrière pour dire quelque chose au passager. JALON descend de voiture et, tenant sa casquette sur sa tête en raison du vent, avance vers une cabine téléphonique vitrée du côté est de l'aire de repos. Il y entre et insère aussitôt une carte qu'il tenait à la main. *Imbécile !* songe Bachmann. Mais peut-être que la carte, comme la Volvo, n'est pas celle de JALON.

JALON compose le numéro, et un nom apparaît au bas d'un des écrans de Maximilian. Le même Cheikh Rachid Hassan de Weybridge, que JALON a déjà appelé de chez lui plus tôt dans la soirée. Mais quelque chose d'étrange est arrivé à la voix de JALON dans l'intervalle, quand, avec un temps de retard et un petit décalage de synchronisation, le centre d'écoute de Berlin l'intercepte.

Au début, même Bachmann a grand-peine à démêler ce qu'il est en train d'entendre. Il doit s'en remettre à la traduction simultanée de l'écran d'à côté. JALON parle bien en arabe, mais dans un dialecte égyptien très vernaculaire dont il pense sans doute qu'il confondra toute personne qui pourrait être à l'écoute.

Si tel est le cas, il se trompe. Le traducteur simultané, quel qu'il soit, doit être un génie. Il n'hésite même pas :

JALON : Je parle bien à Cheikh Rachid ?
RACHID : Lui-même.

JALON : Je suis Fayçal, le cousin de votre distingué beau-père.

RACHID : Et alors ?

JALON : J'ai un message pour lui. Vous pouvez le lui transmettre ?

RACHID : (*après une pause*) Oui, je peux. *Inch' Allah.*

JALON : La livraison de prothèses et de fauteuils roulants pour l'hôpital de son frère à Mogadiscio a pris du retard.

RACHID : Et alors ?

JALON : Ce retard va être rattrapé immédiatement. Comme ça, il pourra prendre ses vacances à Chypre. Vous pouvez lui faire passer ce message ? Il va se réjouir de la nouvelle.

RACHID : Mon beau-père aura le message. *Inch' Allah.*

Cheikh Rachid raccroche.

14

« Frau Elli, commença Brue dans la veine de leur petit dialogue habituel.

– Monsieur Tommy, relança Frau Ellenberger, s'attendant à un de leurs échanges rituels, mais à tort, car cette fois-ci, Brue fonctionnait en patron.

– Frau Elli, j'ai le plaisir de vous annoncer que ce soir nous clôturons le dernier des comptes lipizzans.

– Je suis soulagée, monsieur Tommy. Il est grand temps.

– Je vais recevoir le requérant après la fermeture, selon ses desiderata.

– Je n'ai pas d'autre engagement. Je serai ravie de rester », répondit Frau Elli avec un empressement suspect.

Cherchait-elle ainsi à être présente pour l'enterrement des lipizzans, ou à rencontrer le fils bâtard du colonel Grigori Borissovitch Karpov ?

« Merci, Frau Elli, ce ne sera pas nécessaire. Le client exige une confidentialité totale. Mais je vous serais très reconnaissant de bien vouloir exhumer les documents appropriés et de les poser sur mon bureau.

– J'imagine que le requérant a une *clé*, monsieur Tommy ?

– D'après son avocat, il a une clé tout à fait adaptée. Et nous, nous avons la nôtre. Où est-elle ?

– Dans l'oubliette, monsieur Tommy. Dans le coffre mural. Celui qui a la double combinaison.

– À côté des coffres-forts ?

– À côté des coffres-forts.

– J'ai toujours cru que notre politique était de conserver les clés des coffres-forts aussi loin que possible des coffres-forts.

– Ça, c'était du temps de M. Edward. À Hambourg, vous avez adopté une politique plus souple.

– Eh bien, peut-être auriez-vous la bonté d'aller récupérer la clé pour moi ?

– Il faudra que je demande l'assistance de la caissière principale.

– Pourquoi ?

– C'est elle qui détient la seconde combinaison, monsieur Tommy.

– Bien sûr. Est-ce que vous êtes obligée de lui fournir des explications ?

– Non, monsieur Tommy.

– Alors, n'en faites rien, je vous prie. Et nous fermerons tôt, aujourd'hui. Je voudrais que tout le monde ait quitté la banque à 15 heures au plus tard.

– *Tout le monde ?*

– Tout le monde sauf moi, si cela ne vous ennuie pas.

– Très bien, monsieur Tommy. »

Mais la colère que révélait le visage de Frau Ellenberger l'avait troublé, d'autant plus qu'il ne la comprenait pas. À 15 heures, selon ses instructions, la banque était déserte, et Brue téléphona à Lantern pour le lui confirmer. Quelques minutes plus tard, on sonnait à la porte. Resté seul dans le bâtiment, Brue descendit à pas de loup et trouva quatre hommes en bleu de travail sur le seuil. Garée derrière eux dans l'avant-cour de la banque, une camionnette blanche censée appartenir à l'entreprise d'électricité Trois Océans, sise à Lübeck. *Paradoxalement, dans notre métier, on les appelle des plombiers*, lui avait confié Lantern alors qu'il le préparait à cette invasion.

« Monsieur Brue ? demanda le plus âgé des quatre, ses deux dents en or de pirate lançant des éclats.

– Que voulez-vous ?

– Nous avons rendez-vous pour vérifier votre système, monsieur, dit-il dans un anglais laborieux.

– Eh bien, entrez, grommela Brue en allemand. Faites ce que vous avez à faire. Mais n'abîmez pas les plâtres, s'il vous plaît. »

Il avait dit et répété à Lantern que Frères était bourré de caméras vidéo, à l'intérieur comme à l'extérieur. Si les *plombiers* de Lantern avaient vraiment besoin d'en installer d'autres, pourquoi ne se contentaient-ils pas d'adapter le câblage existant ? Mais non, il n'était pas assez bien pour ces gens que Lantern appelait à présent « nos amis allemands ». Pendant l'heure qui suivit, Brue, impuissant, arpenta son bureau tandis que les ouvriers s'affairaient en bas : le vestibule, l'accueil, l'escalier, la salle informatique des caissiers, le local des secrétaires, les toilettes et l'oubliette, qu'il dut ouvrir pour eux en utilisant son trousseau de clés personnel.

« Et maintenant, s'il vous plaît, votre bureau, monsieur Brue. Si vous permettez… », dit l'homme aux dents en or avec un sourire.

Brue attendit au rez-de-chaussée tandis qu'ils profanaient son bureau. Mais il eut beau s'ingénier à y chercher des dégâts, il ne trouva nulle part des traces de leur ouvrage. Et ses quartiers aussi, quand il en reprit possession, lui semblèrent intacts.

Après lui avoir exprimé leurs respects pour la forme, les hommes s'en allèrent et Brue, se retrouvant seul et en prenant soudain conscience, s'affala à son bureau sans même avoir envie de tendre la main vers la pile d'antiques dossiers lipizzans que Frau Ellenberger avait posés là à son attention.

Mais bientôt, c'est un Brue différent qui se révéla, que ce soit l'ancien ou une nouvelle version importait peu. Brue 2, le retour. Traversant la pièce à grands pas, les mains enfoncées dans les poches, il scruta le vieil arbre généalogique peint à la main qui, depuis trente-cinq ans, lui rappelait quotidiennement qu'il n'était pas à la hauteur. Nos amis allemands ont-ils collé un de leurs micros derrière ? Le grand fondateur lui-même espionne-t-il le moindre de mes gestes ?

Eh bien, qu'il en profite. D'ici quelques semaines, il finira son parcours dans une poubelle à roulettes verte.

Pivotant sur les talons, il se retourna pour embrasser la pièce d'un regard noir : *ma* pièce, *mon* bureau d'associé, *mon* foutu valet muet en bois de chez Randall's of Glasgow, *ma* bibliothèque – pas celle de mon père, ni celle du père de mon père, ni celle du père du père de mon père. Et les livres qu'elle contient, même si je ne les ai jamais ouverts, ils sont à moi eux aussi. Et il était grand temps qu'ils le sachent, grand temps que lui-même le sache : ils sont à moi et je peux en faire ce que je veux, les brûler, les vendre, ou en faire don aux damnés de la terre.

Alors qu'ils aillent se faire mettre, comme moi, je viens de me faire mettre... des micros, ha, ha !

Et, après avoir pensé cette petite obscénité, l'avoir ressassée, savourée, il la répéta à voix haute, courtoisement et en bon anglais, d'abord à l'attention de Lantern, puis pour les amis allemands de Lantern, et enfin pour tous ceux qui l'écoutaient, où qu'ils se trouvent. Est-ce qu'ils étaient déjà connectés ? Qu'ils aillent se faire mettre, eux aussi !

Puis il prépara le décor avec beaucoup de soin : Issa s'assoit ici, Abdullah s'assoit là, et moi, je reste ici, derrière mon bureau.

Et Annabel ?

On ne relègue pas Annabel au fond de la classe, non merci. Pas chez moi. Elle est ici sur mon invitation, et, nom d'une pipe, on la traitera comme je décide, moi, qu'elle mérite d'être traitée !

Ce pensant, il aperçut le fauteuil de son grand-père caché dans le coin le plus sombre où il l'avait relégué, l'horrible fauteuil aux sculptures surchargées, couronné des armoiries de la famille Brue, avec le tartan des Brue brodé sur son tissu fané. Il le sortit de son exil, jeta dessus deux coussins et se recula pour admirer son œuvre : c'est comme ça qu'elle aime être assise, bien droite, dérangez-moi si vous l'osez.

En guise de touche finale, il alla d'un pas décidé chercher dans le réfrigérateur de l'alcôve deux bouteilles d'eau minérale plate, qu'il posa sur la table basse pour qu'elles soient à température quand elle arriverait. Il envisagea de se servir un scotch pendant qu'il y était, mais il résista. Il y avait une dernière tâche essentielle à accomplir avant le début de la réunion du soir, et il avait hâte d'y être.

* * *

Sans donner de raison, Brue avait insisté pour que ce soit l'Atlantic. Lantern, après y être allé en reconnaissance, s'était plié à ce choix. Il était 19 heures, l'heure exacte à laquelle Annabel et lui s'étaient rencontrés pour la première fois. Dans le hall flottaient les mêmes parfums, le même Herr Schwarz était de service, le même brouhaha babélique émanait du bar, le même pianiste jouait des chansons d'amour pour un auditoire indifférent lorsque Brue s'installa à la même place sous les mêmes tableaux hanséatiques et garda les yeux braqués sur les mêmes portes battantes.

Seul le temps était différent. Un soleil bas printanier tombait sur la rue, libérant les passants et les faisant paraître plus grands. Du moins était-ce l'impression qu'en avait Brue, peut-être parce que lui-même se sentait plus libre et plus grand.

Il était arrivé en avance, mais Lantern et ses deux acolytes, tels trois cadres moyens, avaient déjà pris place entre le coin de Brue et les portes battantes, probablement pour lui couper la route s'il essayait de s'enfuir avec le passeport d'Issa. De l'autre côté de l'allée, près de l'entrée du grill, étaient assises les deux femmes qui avaient volé au secours d'Annabel chez Louise, l'air prêtes à recommencer : c'est sans sourire et mécaniquement qu'elles conversaient de façon peu convaincante, penchées sur un plan de la ville.

Elle s'était délestée de son sac à dos.

C'est la première chose que Brue remarqua quand elle négocia les portes battantes. Pas de sac à dos, une démarche plus lente, pas de vélo. Une Volvo couleur crème l'avait déposée devant la porte, pas un taxi, donc ce devait être la voiture de ses chaperons.

Elle portait autour du cou le foulard qu'elle avait utilisé comme hijab chez Leïla. Brue fut d'abord un peu surpris par la stricte jupe noire, le chemisier à manches longues et la veste, car on eût cru une avocate juste avant ou après une audience au tribunal, puis il se rappela que lui aussi avait choisi son costume le plus sombre pour le rendez-vous de ce soir avec le Dr Abdullah.

« De l'eau ? suggéra-t-il prudemment. Sans rondelle ? À température ? Comme la dernière fois ?

– Oui, s'il vous plaît », répondit-elle, mais sans sourire.

Il commanda de l'eau pour elle et pour lui. En lui serrant la main, il ne se permit qu'un coup d'œil en coin sur son visage par peur de ce qu'il pourrait y voir. Elle avait les traits tirés de quelqu'un qui manque de sommeil et les lèvres pincées dans son effort pour se maîtriser.

« Vous êtes accompagnée, si je ne m'abuse ? enchaîna-t-il du même ton jovial. On pourrait leur faire porter quelque chose à boire, si vous voulez. Une bouteille de champagne. »

Elle haussa les épaules à la manière de Georgie.

Il jouait un rôle pour elle, délibérément. Il incarnait l'archétype du benêt anglais. Il utilisait la comédie à des fins détournées, mais il n'aurait su faire autrement. Il était le vieil acteur cabotin qui la préparait pour sa grande scène et voulait lui montrer qu'il l'aimait.

« Pour ne rien vous cacher, je vous trouve un peu sous-protégée, Annabel. Étant donné la valeur que nous semblons avoir pour nos officiers traitants… Vous n'avez que deux gorilles, j'en ai trois. Les miens sont là-bas, si vous voulez jeter un coup d'œil, fit-il en les pointant du doigt. Le jeune nabot en costume est le cerveau. Il s'appelle Lantern. Ian Lantern, de l'ambassade de Grande-Bretagne à Berlin, vous pouvez vérifier son identité auprès de l'ambassadeur à votre gré. Les deux autres sont, euh, un peu *limités*, pour dire la vérité. Ils n'ont pas inventé le bouton à quatre trous. Je suppose que vous portez aussi un micro ?

– Oui. »

Avait-il vu une ébauche de sourire ? Il en eut l'impression.

« Bien. Alors nous sommes sûrs d'avoir un public assez large. Ou bien…, commença-t-il, comme pris d'une soudaine angoisse. Ou bien est-ce que vous croyez que vos gorilles n'entendent que vous et que les miens n'entendent que moi ? Non, ce n'est pas possible, quand même ? Je ne suis pas un génie de l'électronique, mais ils ne peuvent pas être sur des longueurs d'ondes différentes. Ou bien si ? »

Faisant mine de vérifier, il jeta des regards inquiets à gauche et à droite par-dessus l'épaule d'Annabel.

« Enfin, pas besoin de s'en faire pour eux, reprit-il, secouant la tête d'un air contrit. Après tout, ce soir, c'est nous les vedettes, eux ne sont que le public. Tout ce qu'ils peuvent faire, c'est écouter. »

Cette dernière réplique lui valut un sourire si encourageant, si naturel, qu'il eut l'impression qu'un monde nouveau lui ouvrait grand les portes.

« Vous avez son passeport, dit-elle en souriant toujours. On m'a expliqué que vous nous prépariez un beau geste.

– Eh bien, beau geste, je ne sais pas, mais j'ai pensé que cela vous ferait plaisir de le voir. Et j'ai pensé que moi aussi, j'aimerais bien le voir. On ne sait jamais à qui on a affaire, par les temps qui courent. Je ne peux pas encore vous le donner, malheureusement. Je ne peux que vous le montrer, puis le rendre au jeune M. Lantern qui est là, à votre droite, et qui le remettra à l'un de vos gorilles à vous, qui lui-même l'*activera*, si c'est comme ça qu'on dit, une fois que notre client aura fait ce qu'il entend faire – et qu'on entend qu'il fasse. »

Il lui tendait le passeport. Sans aucun souci de discrétion. Il lui passait juste un passeport par-dessus la table, avec tant d'ostentation que les deux groupes de guetteurs cessèrent de prétendre faire autre chose que les surveiller.

« Ou bien y a-t-il des variantes de votre côté ? poursuivit-il d'un ton dégagé. Avec ces gens-là, à ce que j'en sais, il est vital de comparer les versions. On ne peut pas dire que l'honnêteté les étouffe. Voici ce qu'ils m'ont dit à moi : Vous amenez votre client à la banque, il fait ce qu'il doit faire, ensuite on l'emmène – *directement*, m'a-t-on assuré – dans un établissement dont je n'ai pas le droit de connaître l'adresse, et là, il remplit quelques formulaires en trois exemplaires et on lui remet son passeport allemand. Celui-là même que nous avons ici, et qui, aussitôt, sera activé. Ça correspond ? Ou bien il y a un problème ?

– Ça correspond », convint-elle.

Elle lui prit le passeport et l'examina. D'abord la photographie, puis quelques anodins cachets d'entrée et de sortie, rien de trop récent. Puis la date d'expiration, distante de trois ans et sept mois.

« Il faudra que je l'accompagne quand il ira le récupérer, dit-elle, retrouvant un ton résolu, ce qui réjouit Brue.

– Bien entendu. Vous êtes son avocate, vous n'avez pas le choix.

– Il est malade. Il a besoin de repos.

– C'est évident. Après ce soir, il pourra en prendre autant qu'il voudra. Et j'ai un petit document pour vous *personnellement*, dit-il en lui reprenant le passeport et en plaçant dans sa main tendue une enveloppe non cachetée. Ne prenez pas la peine de le lire maintenant. Ce n'est pas un bijou compromettant, hélas, rien qu'un bout de papier. Mais qui vous rend votre liberté, à vous aussi. Pas de poursuites quelles qu'elles soient, pourvu que vous ne recommenciez pas, même si moi, naturellement, j'espère bien que vous recommencerez. Et des remerciements pour votre "coopération", en quelque sorte. Dans leur métier, c'est presque aussi flatteur qu'une demande en mariage.

– Je me moque bien qu'on me rende ma liberté.

– Eh bien, là, vous avez franchement tort », répondit-il.

Sauf que cette fois, il parla russe et non allemand, ce qui lui donna le plaisir de constater un affolement général dans les deux camps de part et d'autre de l'allée. Des têtes se relevèrent d'un coup, des regards interrogateurs furent désespérément échangés : y a-t-il quelqu'un qui parle russe parmi nous ? À en juger par leur air mystifié, non.

« Bon, maintenant que nous sommes seuls pour quelques instants, du moins je l'espère, il y a une ou deux affaires très personnelles et top secret que j'aimerais évoquer avec vous, poursuivit Brue dans son russe classique appris à Paris. Je peux ? »

Pour sa plus grande joie, le visage d'Annabel s'illumina de façon magique.

« Vous pouvez, monsieur Brue.

– Vous avez dit à propos de ma banque, de ma putain de banque, que sans elle, il ne serait pas ici. Eh bien, maintenant il est ici, et nous pensons qu'il peut y rester. Alors, vous regrettez toujours qu'il soit venu ?

– Non.

– Voilà qui me soulage. Je veux aussi que vous sachiez que j'ai une fille bien-aimée, Georgina. Je l'appelle Georgie, pour faire court. C'est l'enfant d'un mariage contracté quand j'étais très jeune, à une époque de ma vie où je ne comprenais pas la nature du mariage. Ni de l'amour, d'ailleurs. J'étais inapte au mariage et inapte à la paternité. Ce n'est plus le cas aujourd'hui. Georgie va avoir un bébé et je vais apprendre l'art d'être grand-père.

– C'est merveilleux.

– Merci. J'attendais de pouvoir le dire à quelqu'un, et maintenant que c'est fait j'en suis heureux. Georgie est dépressive. Je n'aime pas trop ce jargon-là, mais, dans son cas, je suis persuadé que le diagnostic a été bien posé. Il lui faut quelque chose pour l'équilibrer. Je crois que c'est le terme exact. Elle vit en Californie. Avec un écrivain. À une époque, elle a été anorexique. Elle était décharnée, personne n'y pouvait rien, c'était très dur, et mon divorce n'a pas arrangé les choses.

Elle a eu la sagesse de partir pour l'Amérique. En Californie. Elle vit là-bas, maintenant.

– Vous me l'avez dit, oui.

– Désolé. Ce que j'essaie de dire, c'est qu'elle s'est remise à flot. Je lui ai parlé l'autre soir. Parfois, il me semble que plus la distance est grande, au téléphone, plus il est facile de savoir à sa voix si elle est heureuse. Elle avait déjà eu un enfant, mais il est mort. Celui-ci ne mourra pas, j'en suis sûr. Je sais qu'il ne mourra pas. Mais je m'égare, excusez-moi. Bref, je me suis dit que, quand toute cette affaire serait réglée, j'allais prendre des vacances et faire un saut là-bas pour la voir. Peut-être rester un peu sur place. Pour ne rien vous cacher, la banque vit ses dernières heures, et je ne peux pas dire qu'elle me manquera. Tout a une fin. Et puis j'ai pensé : une fois que je serai là-bas, installé pour quelque temps, et que vous aussi, vous serez remise à flot, peut-être que cela vous dirait de venir nous rejoindre quelques jours – à mes frais, bien entendu – accompagnée, si vous voulez, et de faire la connaissance de Georgie et du bébé. Et du mari, qui doit être quelqu'un d'épouvantable.

– Ça me plairait bien, oui.

– Ne vous croyez pas obligée de me répondre tout de suite. Je ne suis pas en train de vous faire des avances. Pensez-y, c'est tout. Voilà ce que je voulais vous dire. Maintenant nous pouvons repasser à l'allemand avant que notre public ne s'inquiète trop.

– Je viendrai, dit-elle, toujours en russe. L'idée me plaît. Je n'ai pas besoin d'y réfléchir. L'idée me plaît, je le sais déjà.

– Parfait, reprit-il en allemand, consultant sa montre comme pour vérifier depuis combien de temps il avait quitté son bureau. Il y a encore une dernière chose, la liste des recommandations du Dr Abdullah concernant la Tchétchénie. Il a des propositions pour la communauté musulmane en général, mais ça c'est sa présélection pour la Tchétchénie. Il a pensé que notre client pourrait vouloir y jeter un coup d'œil avant la réunion de ce soir. Peut-être que cela l'aidera à passer le temps. Puis-je vous dire que je me réjouis de vous voir tous les deux ce soir, à 22 heures ?

– Vous pouvez. Oui, vous pouvez », répéta-t-elle avec un hochement de tête vigoureux pour souligner ces mots, avant de se tourner et de regagner d'un pas raide les portes battantes, où l'attendaient déjà ses chaperons.

« Rien de séditieux, Ian, assura Brue à Lantern d'un ton léger en lui rendant le passeport d'Issa. Nous voulions juste lâcher un peu la bride à notre libre arbitre. »

* * *

Il était 20 h 30 quand les chaperons d'Annabel la déposèrent sur le port et la laissèrent grimper seule l'escalier jusqu'à son appartement mansardé pour ce qu'elle considérait déjà comme la dernière fois : la dernière fois qu'Issa serait son prisonnier et elle sa prisonnière, la dernière fois qu'ils écouteraient de la musique russe à la lueur des lumières du port vacillant derrière la fenêtre cintrée, la dernière fois qu'il serait son enfant à nourrir et chouchouter, son amant intouchable, son précepteur en matière de souffrances insupportables et d'espoir. Dans une heure, elle le remettrait à Brue et au Dr Abdullah. Dans une heure, Bachmann et Erna Frey auraient ce qu'ils voulaient. Avec l'aide d'Issa, ils auraient sauvé plus de vies innocentes que le Sanctuaire ne pouvait en sauver en toute une vie – mais comment fait-on le décompte de ceux qui ont été épargnés ?

« Ce sont les recommandations du Dr Abdullah ? demanda Issa d'un ton quelque peu impérieux, debout sous le luminaire central pour lire.

– En partie. Il a donné la priorité à la Tchétchénie, comme vous l'aviez demandé.

– C'est un sage. Cette œuvre de bienfaisance qu'il mentionne ici est très connue en Tchétchénie. J'en ai entendu parler. Elle apporte des médicaments, des pansements et des anesthésiques à nos braves combattants des montagnes. Nous aiderons cette organisation.

– Bien.

– Mais avant tout, nous devons sauver les enfants de Grozny, dit-il en poursuivant sa lecture. Ensuite, les veuves. Les jeunes femmes qui ont été souillées sans leur consentement ne seront pas punies, mais logées dans des hôtels spéciaux, si Dieu le veut. Et même celles qu'on soupçonne consentantes, on les logera. C'est ce que je souhaite.

– Bien.

– Aucune ne sera punie, même par sa famille. On leur fournira des tuteurs compétents, dit-il en faisant glisser une page. Les enfants des martyrs seront favorisés, c'est la volonté d'Allah. Mais à la seule condition que leurs pères n'aient pas tué d'innocents. S'ils ont tué des innocents, ce qui est interdit par Allah, on les logera quand même. Vous êtes d'accord là-dessus, Annabel ?

– Ça m'a l'air parfait. Un peu confus, mais parfait, dit-elle en souriant.

– Cette association-là aussi, je l'admire. Je n'en ai pas entendu parler, mais je l'admire. Dans notre longue guerre pour l'indépendance, nous avons négligé l'éducation de nos enfants.

– Pourquoi ne pas cocher celles qui vous plaisent ? Vous avez un crayon ?

– Elles me plaisent toutes. Vous aussi, Annabel, vous me plaisez », déclara-t-il en repliant la liste pour la fourrer dans sa poche.

Ne dis rien, le suppliait-elle depuis sa place habituelle à l'autre bout du loft. Ne me fais pas promettre.

Ne nous fais pas miroiter le rêve inaccessible. Je ne suis pas assez forte pour ça. *Arrête !*

« Quand vous vous serez convertie à la foi de Dieu, qui est la religion de ma mère et de mon peuple, et que je serai un grand docteur avec un diplôme occidental, et que j'aurai une voiture comme celle de M. Brue, je consacrerai tout mon temps libre à votre bien-être. Je m'y engage, Annabel. Quand vous ne serez pas trop enceinte, vous serez infirmière dans mon hôpital. J'ai remarqué que vous avez beaucoup de compassion quand vous n'êtes pas sévère. Mais il faut d'abord que vous suiviez une formation. Un diplôme en droit ne suffit pas pour devenir infirmière.

– J'imagine que non.

– Vous m'écoutez, Annabel ? Concentrez-vous, s'il vous plaît.

– C'est juste que je surveille l'heure. M. Brue veut que nous soyons là bien avant le Dr Abdullah. Il faut d'abord que vous fassiez votre requête officielle, même si vous ne voulez pas garder l'argent.

– J'en suis conscient, Annabel. Je suis au fait de tous ces détails techniques. C'est pour ça que sa limousine vient me chercher ici en temps et heure. Est-ce que Melik et Leïla viennent assister à la cérémonie ?

– Non. Ils sont en Turquie.

– Alors je suis triste. Ce que je m'apprête à faire leur mettrait du baume au cœur. Je donnerai à nos enfants une éducation riche et variée. Pas en Tchétchénie, hélas, c'est trop dangereux. D'abord, ils étudieront le Coran, ensuite, la littérature et la musique. Ils aspireront à atteindre les Cinq Excellences. S'ils échouent, ils ne seront pas punis. Nous les aimerons et prierons souvent avec eux. Personnellement, je ne connais pas bien les étapes nécessaires à votre conversion. Un sage imam doit entreprendre cette tâche. Quand je me serai formé une opinion sur ce Dr Abdullah, dont je respecte les écrits, je verrai s'il convient. Je ne vous ai jamais manqué de respect, Annabel.

– Je sais.

– Et vous n'avez pas essayé de me séduire. Il y a eu des moments où j'ai craint que vous ne soyez sur le point de le faire. Mais vous vous êtes maîtrisée.

– Je crois qu'il faudrait qu'on commence à se préparer, non ?

– Nous allons mettre du Rachmaninov. »

Il s'approcha de la fenêtre cintrée et alluma le lecteur, réglé sur le volume élevé qu'il aimait bien quand il était seul. D'amples accords résonnèrent dans les poutres. Il se tourna vers la fenêtre et elle l'observa à contre-jour tandis qu'il s'habillait méthodiquement pour sa sortie. La veste en cuir de Karsten ne lui plaisait plus. Il lui préféra son vieux pardessus noir et son bonnet de laine, avec la sacoche jaune en bandoulière.

« Bon, Annabel. Vous me suivez, s'il vous plaît. Je vous protégerai. C'est notre tradition. »

Mais, arrivé à la porte, il s'arrêta net et regarda Annabel avec une candeur si inhabituelle qu'elle crut vraiment un instant qu'il allait refermer et la garder à l'intérieur avec lui, pour prolonger à jamais cette vie qu'ils avaient partagée, ici tout seuls dans leur petit monde.

Et peut-être faillit-elle souhaiter qu'il le fasse, mais il descendait déjà l'escalier et il était trop tard. Une longue limousine noire les attendait. Le chauffeur, un jeune homme blond dans la fleur de l'âge, tenait la portière arrière ouverte. Annabel monta à bord. Le chauffeur supposait qu'Issa allait la suivre, mais celui-ci déclina. Il ouvrit donc la portière avant, et Issa entra.

* * *

Brue ouvrit la marche jusqu'à son saint des saints, suivi d'Issa, puis d'Annabel, qui portait son tailleur noir d'avocate et son foulard. Issa, avait-il remarqué au premier coup d'œil, était un autre homme. Non plus le pieux fugitif musulman, mais le fils millionnaire d'un colonel de l'Armée rouge. À son entrée dans le vestibule, il avait regardé autour de lui d'un œil dédaigneux, comme si les nobles locaux de la banque décevaient ses attentes. Sans y être invité, il s'assit sur le fauteuil que Brue avait réservé à Annabel, croisa les bras et les jambes et attendit qu'on s'occupe de lui, reléguant du même coup Annabel au bout de la rangée de sièges.

« Rapprochez-vous donc un peu, Frau Richter, suggéra Brue en russe, leur langue commune.

– Merci, monsieur Brue, je suis très bien ici, répondit-elle avec son sourire retrouvé.

– Alors, je vais commencer », annonça Brue en ravalant sa déception.

Et il commença, malgré cette curieuse impression qu'il avait de s'adresser à une salle pleine et non à deux personnes assises à deux mètres de lui. Au nom de Brue Frères, il souhaita officiellement la bienvenue à Issa, fils d'un client de longue date de la banque, mais eut le tact de ne pas lui présenter ses condoléances pour le décès dudit client.

Issa se crispa, mais remercia d'un signe de tête. Brue s'éclaircit la gorge. Étant donné les circonstances, dit-il, il suggérait de réduire les formalités au strict minimum. L'avocat d'Issa – il s'inclina légèrement en direction d'Annabel – l'avait informé que son client se proposait de faire valoir ses droits sur son héritage à condition de le reverser aussitôt à des associations musulmanes de son choix.

« Je sais également qu'à cette fin vous serez conseillé par le Dr Abdullah, une autorité religieuse reconnue, à qui j'ai transmis vos instructions. Le Dr Abdullah aura le plaisir de nous rejoindre incessamment.

– Je serai conseillé par Allah, corrigea Issa d'un ton maussade, ne s'adressant pas à Brue mais au bracelet coranique en or qu'il serrait dans sa main. Ce sera la volonté de Dieu, monsieur. »

Or donc, poursuivit Brue sans se laisser décourager, dans des circonstances normales, il demanderait au requérant de prouver son identité. Cependant – grâce au pouvoir de persuasion de Frau Richter, soulignat-il –, il était d'avis qu'il pouvait se dispenser de cette formalité et en venir sans plus tarder à la requête de son client, si telle était toujours la volonté de celui-ci, ajouta-t-il en s'adressant de nouveau à Annabel.

« Oui, monsieur ! s'écria Issa avant qu'elle puisse répondre. Je présente ma requête ! Je présente ma requête au nom de tous les musulmans ! Je présente ma requête au nom de la Tchétchénie !

– Eh bien, dans ce cas, peut-être voudrez-vous me suivre », dit Brue.

Et il prit dans le plateau du courrier entrant une petite clé ingénieusement travaillée.

* * *

La porte de l'oubliette s'ouvrit en grinçant. Après le départ des techniciens, Brue n'avait enclenché qu'un seul des systèmes de sécurité. Les coffres vert foncé, munis chacun de deux serrures, occupaient toute la hauteur d'un mur. Edward Amadeus, qui adorait les surnoms ridicules, l'avait baptisé son pigeonnier. Certains des coffres n'avaient pas été ouverts depuis cinquante ans, Brue ne l'ignorait pas, et peut-être ne le seraient-ils plus jamais. Il se tourna vers Annabel et remarqua que son visage radieux exprimait une impatience prudente. Les yeux rivés sur lui, elle lui tendit la lettre qu'Issa avait reçue d'Anatoly, sur laquelle figurait en gros chiffres le numéro du coffre. Il le connaissait par cœur. Il connaissait le coffre, mais pas son contenu. Plus abîmé que ses voisins, il lui évoquait une caisse de munitions russes. L'inscription sur l'étiquette – une carte jaune tachée retenue aux quatre coins par une petite griffe en fer – était de l'écriture affectée d'Edward Amadeus : LIP, un trait, le numéro, et la légende *aucune opération sans en référer à EAB*.

« Votre clé, s'il vous plaît, monsieur ? » demanda Brue.

Issa renfila son bracelet à son poignet, déboutonna son long pardessus, plongea la main sous sa chemise pour en extraire la bourse en cuir, desserra le cordon et sortit la clé qu'il tendit sous le nez de Brue.

« Je suis désolé, Issa, mais c'est *vous* qui devez le faire, lui dit Brue avec un sourire paternel. J'ai la mienne, voyez-vous, expliqua-t-il en brandissant la clé de la banque pour qu'Issa la voie.

– C'est Issa qui commence ? s'enquit Annabel avec le plaisir que prend un enfant à un jeu de société.

– Je crois que c'est la procédure habituelle, pas vous, Frau Richter ?

– Issa, faites ce que demande M. Brue, je vous prie. Mettez la clé dans la serrure et tournez-la. »

Issa s'avança et enfonça sa clé dans la serrure de gauche. Mais, quand il voulut la tourner, elle résista. Contrarié, il retira la clé et essaya la serrure de droite. La clé s'enclencha. Il se recula. Brue fit un pas en avant et tourna la clé de la banque dans la serrure de gauche. Puis lui aussi recula.

Côte à côte, Brue et Annabel regardèrent le fils du colonel Grigori Borissovitch Karpov prendre possession avec une répugnance sans mélange des millions mal acquis par feu son père, puis mis à gauche pour lui par feu Edward Amadeus, officier de l'Ordre de l'Empire britannique, à l'instigation des services secrets anglais. À première vue, le contenu du coffre n'avait rien de sensationnel : une grande enveloppe de papier huilé, non cachetée, sans adresse.

Les mains effilées d'Issa tremblaient. Le plafonnier redessinait les ombres et méplats sur son visage de prisonnier figé dans une expression de dégoût. Entre l'index et le pouce, comme avec des pincettes, il sortit une gravure qui ressemblait à un grand billet de banque. Il coinça l'enveloppe sous son bras pour la réutiliser un autre jour, déplia le document et, tournant le dos à Brue et à Annabel, l'examina, mais plutôt comme un objet d'art que comme une source d'information car il était écrit en allemand, pas en russe.

« Peut-être que Frau Richter pourrait en faire la traduction là-haut, suggéra Brue d'une voix douce quand une ou deux minutes se furent écoulées sans qu'Issa ait bougé.

– Richter ? répéta Issa comme si c'était la première fois qu'il entendait ce nom.

– Annabel. Frau Richter. Votre avocate. La dame à qui vous devez d'être présent ici ce soir, et beaucoup d'autres choses, si je puis me permettre. »

Revenant sur terre, Issa passa le document, puis l'enveloppe, à Annabel.

« C'est de l'argent, ça, Annabel ?

– Pas encore, mais ça va le devenir. »

* * *

Quand ils furent remontés, Brue s'évertua à prendre un air détaché car il craignait qu'Issa, confronté à la réalité concrète de la monstruosité de son père, ne se rétracte. Partageant peut-être ses inquiétudes, Annabel lui emboîta vite le pas. Elle exposa tambour battant à son client les termes et conditions de son bon au porteur et lui demanda s'il avait des questions. À tout cela,

Issa répondit en acquiesçant vaguement d'un hausse-ment d'épaules. Il n'avait pas de questions. Il lui fallait signer un reçu, que Brue tendit à Annabel en l'invitant à en expliquer l'utilité à son client. Calmement, patiemment, elle expliqua à Issa ce que *reçu* signifiait.

Ce mot signifiait que l'argent était sien tant qu'il ne le redonnait pas. Si, une fois le reçu signé, il souhaitait changer d'avis et garder l'argent ou lui trouver un autre usage, il était libre de le faire. En disant cela à Issa, songea Brue, Annabel mettait sa loyauté envers son client au-dessus de sa loyauté envers ses officiers traitants manipulateurs, et c'était là une question de principe pour elle, mais aussi un acte de courage considérable, par lequel elle compromettait tout ce pour quoi on l'avait amenée ici.

Issa n'avait toutefois nulle intention de changer d'avis. Agitant le stylo de la main droite, pressant contre son front les doigts serrés de sa main gauche entre lesquels scintillait le bracelet en or, Issa signa le reçu d'une plume rageuse. Annabel oublia un instant ses bonnes manières musulmanes et effleura par inadvertance la main d'Issa quand elle tendit la sienne pour lui prendre le stylo. Il eut un mouvement de recul, mais elle récupéra quand même le stylo.

Un état financier avait été préparé par le directeur de la fondation du Liechtenstein. En vertu du bon au porteur et du reçu signé, Issa était le seul propriétaire de la fondation. Le total de ses avoirs, comme l'avait révélé Brue au Dr Abdullah, s'élevait à douze millions et demi de dollars américains ; ou, selon la formule choisie par le Dr Abdullah à l'attention de son ami de Weybridge dans le Surrey, douze tonnes et demie de riz américain.

« Issa », dit Annabel en essayant de l'arracher à sa torpeur.

Le regard fixé sur le bon au porteur, Issa passa ses paumes sur ses joues creusées tandis que ses lèvres articulaient une prière muette. Et Brue, fin connaisseur des petits signes typiques de qui reçoit soudain une fortune – la lueur réprimée de cupidité, de triomphe, de soulagement –, les chercha en vain chez Issa, comme il les avait cherchés en vain chez Abdullah. Ou bien, s'il les vit, il les vit d'abord se transmettre à Annabel puis disparaître sitôt apparus.

« Eh bien, à supposer que nous n'ayons rien d'autre à discuter, voilà ce que j'ai suggéré à Frau Richter que nous fassions, annonça-t-il gaiement. D'ailleurs, nous l'avons déjà fait, à titre provisoire, sous réserve de votre approbation, Issa. Nous plaçons temporairement la totalité de la somme sur un compte dans notre banque, de telle façon qu'elle puisse être *immédiatement* virée aux bénéficiaires que vous-même et le Dr Abdullah aurez choisis, en accord avec vos principes éthiques et religieux, dans, euh, disons, sept minutes, précisa-t-il après avoir tendu le bras pour consulter sa montre de luxe. Voire moins, si je ne m'abuse. »

Il ne s'abusait pas. Une voiture s'arrêtait dans l'avant-cour. Il y eut un échange à mi-voix en arabe. Le conducteur et son passager se disaient au revoir. Brue saisit un *Inch' Allah* et reconnut la voix du Dr Abdullah. Il entendit un *Salaam* d'adieu. La voiture redémarra et les pas d'une seule personne s'approchèrent du perron.

« Veuillez m'excuser un instant, Frau Richter », déclara-t-il avec componction avant de dévaler l'escalier pour le début de l'acte suivant.

* * *

Arni Mohr était fier de sa nouvelle camionnette de surveillance et ne s'en était séparé qu'à condition qu'elle soit postée à l'extérieur de la zone d'exclusion que lui-même et la police avaient délimitée autour de la banque de Brue. À l'intérieur de cette zone, les guetteurs d'Arni et les tireurs d'élite de la police ; à l'extérieur, la camionnette, Bachmann, son équipe de deux hommes et un taxi vide de couleur crème couvert de publicités. Tel était l'accord qui avait été approuvé par Keller et Burgdorf, contesté sans succès par Axelrod et accepté non sans protestations par Bachmann.

« Je n'ai pas les moyens de me battre avec eux sur tous les détails à la con, Günther, avait assené Axelrod avec plus de désespoir dans la voix que ne l'aurait souhaité Bachmann. Si je dois sacrifier quelques pions pour prendre leur reine, ça me va, avait-il ajouté en souvenir de leurs parties d'échecs dans l'abri antiaérien situé sous l'ambassade allemande à Beyrouth.

– Mais la reine, elle est toujours bien à nous, hein ? avait insisté Bachmann d'un ton inquiet.

– Selon les conditions fixées, oui. Si vous arrivez à ramener JALON dans votre planque et si vous arrivez à lui parler dans les termes sur lesquels nous sommes tombés d'accord, et si il a l'air de vouloir coopérer, alors, il est à nous. Ça répond à votre question ? »

Non, ça n'y répond pas.

Ça m'amène à me demander pourquoi il vous faut trois « si » pour dire oui.

Ça n'explique pas ce que faisait Martha à la réunion, ni pourquoi elle y a amené Newton, le coupeur de gorges de Beyrouth.

Ni qui était la blonde aux cheveux cendrés, au visage en lame de couteau et aux épaules carrées.

Ni pourquoi il a fallu l'introduire en douce dans la salle de réunion comme une marchandise de contrebande une fois que tout le monde était déjà assis, et après la faire sortir en douce comme une pute d'hôtel.

Ni pourquoi Axelrod, qui n'appréciait pas plus la présence américaine que Bachmann, n'avait pu l'empêcher ;

ni pourquoi Burgdorf avait apparemment fermé les yeux.

Contrairement à l'usage, la camionnette n'était pas maquillée en camion de déménagement ou en camion porte-conteneurs, mais restait ce gros pachyderme gris jadis affecté au nettoyage des rues, avec tout l'équipement d'origine. Et elle était invisible, aimait à se vanter Arni. Personne ne s'interrogeait sur sa présence, et notamment la nuit, quand elle parcourait le centre-ville à une allure d'escargot. Elle fonctionnait aussi bien en roulant qu'à l'arrêt. Elle pouvait patrouiller dans une rue à trois kilomètres à l'heure et personne n'y trouverait rien à redire.

Pour son positionnement, Bachmann avait choisi une contre-allée entre la rive de l'Alster et la rue principale, à cinq cents mètres de la banque de Brue. À la lueur ambrée des réverbères, son équipe pouvait admirer un bosquet de marronniers à travers le pare-brise, et, à travers des meurtrières dissimulées à l'arrière, la statue de bronze de deux fillettes éternellement sur le point de lancer leurs cerfs-volants.

Contrairement à Mohr, Bachmann avait misé sur une équipe réduite au minimum et un plan simple. Pour surveiller les multiples écrans vidéo et les images satellites, il avait adjoint à Maximilian son inséparable petite amie Niki, qui parlait couramment russe et arabe. Pour s'assurer du renfort en cas d'urgence imprévue, il avait posté juste à l'extérieur de la zone d'exclusion deux de ses guetteurs dans une Audi au moteur gonflé, avec pour consigne d'attendre son éventuel appel. Bachmann lui-même, tant qu'il serait dans la camionnette, gérerait tout contact avec Arni Mohr et Axelrod, resté au Pilotage à Berlin. Il avait supplié Erna Frey de l'accompagner, mais elle avait une fois de plus refusé tout net de se laisser convaincre.

« Cette pauvre enfant m'a assez supportée comme ça, et encore elle ne sait pas tout, avait répondu Erna avant d'ajouter après une longue pause, parce que Bachmann la dévisageait : Je lui ai menti. On lui avait dit qu'on ne lui mentirait jamais. On lui avait dit qu'on ne lui dirait pas toute la vérité mais que tout ce qu'on lui dirait serait vrai.

– Et alors ?

– Je lui ai menti.

– Vous l'avez déjà dit, oui. À propos de quoi ?

– De Melik et Leïla.

– Et puis-je vous demander ce que vous lui avez dit sur Melik et Leïla qui était un mensonge ?

– Épargnez-moi l'interrogatoire, Günther.

– L'interrogatoire a déjà commencé.

– Vous avez peut-être oublié que j'ai ma Gorge Profonde dans le camp d'Arni Mohr.

– La mauvaise joueuse de tennis ? Je n'ai pas oublié, non. Qu'est-ce que la mauvaise joueuse de tennis a à voir avec Melik et Leïla ?

– Annabel s'inquiétait pour eux. C'était en pleine nuit, elle est venue me voir dans ma chambre, elle voulait que je lui confirme que Melik et Leïla n'auraient pas à pâtir d'avoir hébergé Issa, parce que c'étaient des gens bien qui avaient fait une bonne action. Elle m'a dit qu'elle avait rêvé d'eux, mais je crois qu'elle n'arrivait pas à dormir et qu'elle se faisait du souci.

– Et qu'est-ce que vous lui avez dit ?

– Qu'ils allaient passer un bon moment au mariage de la fille de Leïla, qu'ils reviendraient reposés et enchantés, que Melik battrait tous ses challengers sur le ring, que Leïla se trouverait un autre mari et qu'ils vivraient heureux pour toujours. Un vrai conte de fées.

– Pourquoi un conte de fées ?

– Arni Mohr et le Dr Keller de Cologne ont émis l'avis de leur retirer leur permis de séjour au motif qu'ils en ont violé les conditions en abritant chez eux un criminel islamiste et en encourageant l'activisme dans la communauté turque. Ils suggèrent d'en aviser les autorités d'Ankara. Burgdorf est d'accord, sous réserve que les conditions de leur détention en Turquie ne soient pas de nature à compromettre l'opération JALON. »

Là-dessus, elle avait théâtralement éteint son ordinateur, enfermé ses papiers dans l'armoire en acier et pris le chemin de la planque devant le port pour préparer l'arrivée nocturne de JALON.

Resté seul, ivre de colère, Bachmann en avait une fois de plus appelé à Axelrod, dont la réaction avait été aussi négative qu'il le craignait :

« Bon Dieu, Günther, combien de batailles est-ce que vous voulez que je mène ici ? Vous voudriez que je débarque chez Burgdorf pour lui dire qu'on espionne les Protecteurs ? »

* * *

Au cours des deux dernières heures, les renseignements sur le déroulement de l'opération avaient régulièrement afflué à la camionnette, et tous étaient satisfaisants :

L'expédition de JALON la veille au soir avait à l'évidence été un cas unique puisqu'il n'avait aucun antécédent connu d'utilisation d'une cabine téléphonique et qu'il n'avait pas non plus pour habitude de laisser sa maison, sa femme et ses enfants sans protection à la nuit tombée. Ce soir, il en revenait à sa pratique de solliciter un voisin et ami serviable, ancien ingénieur des travaux publics, un Palestinien du nom de Fouad qui n'aimait rien tant dans la vie que servir de chauffeur au grand érudit religieux pour ses sorties et d'échanger avec lui de profondes réflexions. La veille au soir, Fouad assistait à une conférence à son institut culturel local, mais ce soir il était libre, et les deux gorilles de

JALON pouvaient rester de garde chez lui, à leur poste attitré.

Mais où JALON passerait-il la nuit à Hambourg après la réunion à la banque ? Où *comptait-il* passer la nuit, du moins ? Si des amis l'attendaient, s'il avait réservé un hôtel, s'il avait l'intention de rentrer en voiture chez lui, même tard, pour dormir dans son lit, les huit heures avec lui autorisées à Bachmann pourraient se réduire à trois ou quatre.

Mais, sur ce point au moins, les dieux avaient souri aux organisateurs. JALON avait accepté une invitation à dormir chez le beau-frère de Fouad, un Iranien du nom de Cyrus, chez qui il logeait souvent et qui lui avait confié une clé, puisqu'il était parti en famille rendre visite à des amis à Lübeck et ne reviendrait pas avant le lendemain matin.

Mieux encore, JALON s'y rendrait par ses propres moyens une fois le rendez-vous terminé. Fouad avait insisté pour l'attendre devant la banque, mais JALON avait été catégorique :

« S'il vous plaît, Fouad, vous irez immédiatement chez votre cher beau-frère, que Dieu le protège, et vous vous détendrez un peu, l'avait-il instruit au téléphone. C'est un ordre, cher ami. Vous avez trop bon cœur. Si vous ne vous ménagez pas, Allah vous rappellera à Lui avant l'heure. Je commanderai un taxi de la banque, ne vous en faites pas. »

D'où le taxi vide garé près de la camionnette.

D'où la photo d'identité de Bachmann sur la licence municipale plastifiée suspendue au-dessus du tableau de bord du taxi.

D'où le modeste blouson de Bachmann et sa casquette de marin accrochés à la porte centrale de la camionnette. Si tout se déroulait comme prévu, c'est le costume qu'il porterait quand, après avoir enlevé

JALON, il l'amènerait dans la planque du port pour le convertir et le ramener de force dans le droit chemin.

« Je voudrais que trois de mes vœux se réalisent d'ici à demain matin, lui avait dit Erna Frey avant sa sortie théâtrale. Qu'on ait mis la main sur JALON, que FELIX et cette pauvre enfant aient été relâchés dans la nature, et que vous soyez dans le train pour Berlin avec un aller simple. En deuxième classe.

– Rien pour vous ?

– Ma retraite et mon bateau qui vogue sur l'océan. »

* * *

JALON était attendu à la banque Brue Frères à 22 heures.

À 20 h 30, d'après les rapports des guetteurs de Mohr, Fouad était arrivé chez JALON dans son coupé BMW 335i flambant neuf, la fierté de sa vie. On avait appris trop tard qu'il allait s'en servir pour pouvoir y mettre des micros.

Sur le pas de sa porte, JALON avait eu l'air de bonne humeur. Ses recommandations à sa femme et à ses enfants, captées par des micros directionnels depuis l'autre trottoir, avaient été de rester vigilants et de louer Dieu. Les oreilles disaient avoir décelé dans sa voix « des accents historiques ». L'un employa le mot de « prémonition », un autre disait qu'il parlait « comme s'il partait pour un long voyage et ne savait pas quand il reviendrait ».

À 21 h 14, l'hélicoptère de surveillance signala l'arrivée de la BMW dans une banlieue du nord-ouest de la ville et son entrée dans un parking, sans doute pour qu'ils prient et tuent le temps jusqu'au rendez-vous de JALON à la banque. JALON était connu pour sa ponctualité maladive, contraire à la coutume arabe.

À 21 h 16, soit deux minutes plus tard, les guetteurs de Bachmann rapportèrent que FELIX et Annabel avait été réceptionnés sans problème pour leur trajet jusqu'à la banque de Brue dans la limousine que FELIX avait réclamée avec insistance et qu'Arni Mohr avait été trop heureux de fournir.

Depuis la zone d'exclusion, Mohr confirma leur arrivée, message totalement superflu puisque Bachmann avait suivi la scène sur l'écran de Maximilian, mais Arni Mohr avait toujours été du genre à prendre deux précautions plutôt qu'une.

À 21 h 29, Bachmann apprit d'une source qui n'était autre qu'Axelrod, à Berlin, que Ian Lantern avait trouvé le moyen de s'introduire dans la zone d'exclusion et de s'y garer dans une impasse avec vue imprenable sur la banque, et qu'il y avait *un passager non identifié* sur le siège avant de sa Peugeot.

Atterré mais maintenant tout à son opération, Bachmann se garda bien de hurler au scandale. Au lieu de cela, il demanda très posément à Axelrod sur la ligne cryptée quelle autorité avait pris sur elle d'inviter Lantern à la fête.

« Il a le droit d'être là tout autant que vous, Günther, avait fait remarquer Axelrod.

– Et même plus, visiblement.

– Vous vous faites du souci pour votre protégée, lui pour son banquier. »

Cette explication n'avait aucun sens pour Bachmann. Lantern était l'officier traitant de Brue, certes. Mais était-il aussi là, à sa disposition, pour lui tenir la main et lui souffler son texte en cas de trou ? La seule tâche qui lui restait, pour autant qu'en sache Bachmann, c'était de récupérer son *Joe* dès la fin de la réunion, de lui éponger le front, de le débriefer et de lui dire à quel point il avait été formidable. Et pour ça, il n'avait absolument pas besoin d'attendre dans les parages comme un père pendant l'accouchement, à cent mètres du lieu où se trouvait la cible. Et qui donc pouvait bien être le passager de Lantern ? Comment avait-il ou avait-elle obtenu son ticket d'entrée ?

Mais Axelrod avait raccroché, et Maximilian agitait le bras. Fouad, l'ingénieur à la retraite, venait de déposer JALON devant la banque Brue Frères.

15

Les préparatifs qu'avait faits Tommy Brue dans son saint des saints à l'étage portaient enfin leurs fruits. En assignant le fauteuil de son grand-père à « notre interprète distinguée », selon sa formule récurrente, il avait réussi à lui attribuer l'air de rien la position centrale. Elle était assise bien droite sur les coussins, exactement comme prévu. À sa gauche se trouvait Issa, et à sa droite le Dr Abdullah, séparé de Brue par le bureau. À la vue du Dr Abdullah, Issa s'était de nouveau métamorphosé en un homme timoré, intimidé et frustré de ne maîtriser aucune langue dans laquelle s'entretenir avec son nouveau mentor. Le Dr Abdullah l'avait salué, d'abord en arabe, puis coup sur coup en français, en anglais et en allemand. Il avait même adressé quelques mots en tchétchène à Issa, dont le visage s'était un instant éclairé, puis il avait baissé les yeux d'un air contrit quand il s'était retrouvé à court de mots.

Le Dr Abdullah lui aussi paraissait à Brue différent d'hier. Brue était nerveux, mais il n'aurait pas cru que le Dr Abdullah puisse l'être encore plus. Quand ce dernier s'était avancé d'un pas prudent vers Issa, les bras levés pour l'étreindre selon la coutume arabe, il avait semblé hésiter jusqu'à la dernière minute à effectuer cette accolade. Et quand il prit la parole, ayant finalement opté pour l'allemand et une traduction d'Annabel, son discours empreint d'une révérence tout en retenue ne lui vint pas naturellement.

« Notre cher ami M. Brue refuse à juste titre de me révéler votre nom, monsieur. C'est bien ainsi. Vous êtes monsieur X, et je ne suis pas autorisé à savoir d'où vous venez. Mais il n'est pas nécessaire que vous et moi ayons des secrets l'un pour l'autre. J'ai mes sources. Et vous avez les vôtres, sinon vous n'auriez pas envoyé votre banquier anglais m'évaluer. Eh bien, ce qu'on vous a dit de moi est vrai, Issa, mon frère. Je suis avant tout et par-dessus tout un homme de paix. Cela ne veut pas dire que je me distancie de notre noble combat. Je n'apprécie pas la violence, mais je respecte ceux qui nous reviennent du champ de bataille. Ils ont été au feu. Comme moi. Ils ont été torturés au service du Prophète et de Dieu. Ils ont été battus et emprisonnés, comme moi, mais pas brisés. La violence n'est pas de leur fait. Ils en sont les victimes. »

Dans l'attente d'une réponse, il dévisagea Issa d'un œil à la fois intrigué et compatissant pour déceler l'impact de ses paroles. Mais Issa, après avoir écouté la traduction d'Annabel, se contenta d'incliner la tête.

« Donc, je dois vous croire, monsieur, reprit Abdullah. C'est mon devoir devant Dieu. Si Dieu souhaite nous doter de telles richesses, qui suis-je, moi, Son humble serviteur, pour les refuser ? »

Et soudain, exactement comme lors de leur entrevue de la veille, Brue entendit la voix d'Abdullah se durcir.

« Par conséquent, répondez-moi, mon frère, ayez cette bonté. Par quelle munificence d'Allah, par quel ingénieux stratagème vous trouvez-vous en liberté dans ce pays ? Comment se fait-il que nous puissions être assis ici à converser avec vous, à vous toucher, alors que, selon certaines informations qui me sont parvenues par Internet et par d'autres moyens, toutes les polices du monde ou presque seraient ravies de vous jeter aux fers ? »

Issa se tourna vers Annabel pour écouter sa traduction, puis vers Abdullah quand elle-même fournit la réponse sans doute rédigée par ses officiers traitants, soupçonna Brue.

« La situation de mon client en Allemagne est précaire, docteur Abdullah, dit-elle en allemand, puis à voix basse en russe. La loi allemande interdit de le renvoyer dans un pays qui pratique la torture ou applique la peine de mort. Hélas, c'est une loi que les autorités allemandes, de même que celles d'autres démocraties occidentales, ne respectent pas toujours. Nous déposerons malgré tout une demande d'asile en Allemagne.

– Nous *déposerons* ? Depuis quand votre distingué client se trouve-t-il dans ce pays ?

– Il a été malade et s'en remet à peine.

– Et d'ici là ?

– D'ici là, mon client est recherché, apatride et en grand danger.

– Mais pourtant, par la grâce de Dieu, il est bien ici parmi nous ce soir, objecta le Dr Abdullah, toujours pas convaincu.

– D'ici là, tant que nous n'avons pas l'engagement formel des autorités allemandes que mon client, en aucune circonstance, ne sera expulsé vers la Turquie ou la Russie, il refuse de se remettre entre leurs mains, poursuivit Annabel d'une voix ferme.

– Et entre quelles mains se trouve-t-il *maintenant*, si je puis poser la question ? insista le Dr Abdullah, dont les yeux allaient et venaient entre Annabel, Issa et Brue. Est-il un leurre ? Êtes-vous un leurre ? Êtes-vous *tous* un leurre ? répéta-t-il en incluant Brue dans son regard circulaire. Je suis ici au service d'Allah, je n'ai pas le choix. Mais vous, au service de qui êtes-vous ? Je vous pose cette question du fond du cœur : Êtes-vous des gens bien, ou cherchez-vous à me détruire ? Êtes-vous là pour faire de moi le dindon d'une farce qui m'échappe ? Si ma question vous offense, pardonnez-moi, mais nous vivons une époque terrible. »

Bien décidé à se précipiter à la défense d'Annabel, Brue élaborait encore sa réponse quand elle le devança et se dispensa cette fois de traduire.

« Docteur Abdullah, dit-elle d'une voix dans laquelle résonnait de la colère ou du désespoir.

– Madame ?

– Mon client a pris de grands risques en venant ici ce soir pour faire don d'une très grosse somme d'argent à vos associations caritatives. Il ne demande qu'une chose : pouvoir donner et que vous puissiez recevoir. Il ne demande rien en échange…

– Dieu le récompensera.

– … sinon l'assurance que ses études de médecine seront financées par l'une des associations auxquelles il fait un don. Allez-vous lui donner cette assurance ou comptez-vous persister à mettre en doute ses intentions ?

– Si Dieu le veut, ses études seront financées.

– Cela étant dit, il exige votre silence absolu concernant son identité, sa situation ici en Allemagne et l'origine de l'argent qu'il est sur le point de reverser à vos associations. Ce sont là ses conditions. Si vous les respectez, il les respectera aussi. »

Le regard du Dr Abdullah se reporta sur Issa : les yeux hagards, le visage hâve aux traits tirés par la douleur et le désarroi, les longues mains décharnées jointes, le pardessus élimé, le bonnet de laine et la barbe courte. À cette vue, le regard d'Abdullah s'adoucit.

« Issa, mon fils.

– Monsieur ?

– Est-ce que j'ai raison de penser que vous n'avez pas reçu une éducation religieuse très approfondie ?

– Vous avez raison, monsieur ! » aboya Issa, sa voix échappant à son contrôle tant il était sur des charbons ardents.

Les petits yeux vifs d'Abdullah s'étaient rivés sur le bracelet qu'Issa faisait nerveusement passer entre ses doigts.

« Cet ornement que vous portez, Issa, il est en or ?

– Il est fait dans l'or le plus pur, monsieur, répondit Issa avec un regard inquiet vers Annabel tandis qu'elle traduisait.

– Le petit livre qui y est attaché, c'est une représentation du saint Coran ? »

Hochement de tête d'Issa bien avant qu'Annabel ait fini de traduire la question.

« Et ce qui est gravé sur les pages, c'est le nom d'Allah, et Ses paroles sacrées ?

– Oui, monsieur, répondit Issa à Annabel après une longue pause une fois qu'elle eut traduit.

– Et n'avez-vous pas entendu dire que de tels objets, de tels signes ostentatoires, n'étant guère que de piètres imitations de symboles chrétiens et juifs comme l'étoile de David ou la croix chrétienne, nous sont interdits, Issa ? »

Issa se rembrunit. Sa tête tomba en avant et il regarda intensément le bracelet dans sa main.

« C'était à sa mère, intervint Annabel, volant à son secours sans y avoir été incitée par les propos de son client. C'était la tradition de son peuple et de sa tribu. »

Ignorant son intervention comme si elle n'avait pas eu lieu, Abdullah continua à méditer sur la gravité de l'offense d'Issa.

« Remettez-le à votre poignet, Issa, finit-il par dire. Baissez votre manche par-dessus pour que je ne sois pas contraint de le voir. »

Puis, ayant écouté la traduction d'Annabel et attendu que son ordre ait été exécuté, il reprit son homélie.

« Il y a dans le monde des hommes qui ne s'intéressent qu'à la *dounia*, Issa, c'est-à-dire à l'argent et au statut matériel dans cette courte vie que nous menons ici-bas. Et il y a dans le monde des hommes qui se désintéressent totalement de la *dounia* et s'intéressent exclusivement à l'*akhira*, c'est-à-dire à la vie éternelle que nous mènerons ensuite, selon nos mérites et nos échecs aux yeux de Dieu. Notre vie dans la *dounia* est le temps qui nous est imparti pour semer. Dans l'*akhira*, nous verrons quelle moisson nous récolterons. Alors dites-moi, Issa, à quoi êtes-vous en train de renoncer, vous, et pour qui ? »

Annabel avait à peine fini de traduire qu'Issa se mit debout et cria : « Monsieur ! S'il vous plaît ! Je renonce aux péchés de mon père pour Dieu ! »

* * *

Penché en avant à côté de Maximilian, les poings serrés sur le plan de travail qui courait sous la rangée d'écrans, Bachmann avait analysé toutes les inflexions de voix et tous les mouvements des quatre acteurs. Rien de ce qu'il avait vu d'Issa ne l'avait surpris, tant il avait le sentiment de le connaître depuis son arrivée en Allemagne. Son premier examen attentif de JALON lui avait aussi révélé ce qu'il s'attendait à voir pour l'avoir déjà vu d'innombrables fois dans des émissions de télévision et sur les photos de presse illustrant des éditoriaux qui louaient l'esprit, la pondération et l'ouverture de l'un des musulmans allemands les plus en vue : un homme mûr, vif, charismatique, intelligent, tiraillé entre l'image de reclus qu'il cultivait et son désir de se mettre en avant.

Pourtant, c'est Annabel qui, pour lui, avait tenu le devant de la scène. Il restait muet d'admiration devant son habileté à jongler avec les questions d'Abdullah, et il n'était pas le seul. Maximilian était pétrifié, les mains écartées en suspens au-dessus de son clavier, tandis que Niki regardait l'écran entre ses doigts.

« Le Ciel nous protège des avocats, finit par murmurer Bachmann, ce qui fit fuser des rires soulagés. Je ne vous l'avais pas dit, que c'était une vraie pro ? »

Et, en lui-même, il pensa : Erna, tu aurais dû la voir, ta pauvre enfant, là.

**

Dans le bureau de Brue, l'atmosphère demeurait solennelle mais, pour Brue, plus ennuyeuse que tendue. Ayant découvert les lacunes dans la culture d'Issa, le Dr Abdullah lui faisait un cours sur la nature des associations musulmanes en tout genre qu'il soutenait et sur leur système de financement. Bien carré dans son fauteuil en cuir de directeur de banque, Brue l'écoutait, s'efforçant d'avoir l'air passionné tandis qu'il admirait la traduction d'Annabel.

Selon la loi musulmane, la *zakat* n'était pas un *impôt* mais un *acte au service de Dieu*, expliquait infatigablement le Dr Abdullah.

Quand Annabel eut traduit, Issa marmonna : « C'est tout à fait cela, monsieur. » Brue prit un air de pieuse approbation.

« La *zakat*, c'est *le cœur généreux de l'Islam*, poursuivit méthodiquement le Dr Abdullah, avant de marquer une pause pour permettre à Annabel de traduire. Dieu et le Prophète, que la paix soit sur Lui, recommandent à tout homme de donner une partie de sa fortune.

– Mais moi je vais en donner la totalité ! s'écria Issa en se levant de nouveau avant même la fin de la traduction d'Annabel. Jusqu'au dernier *kopek*, monsieur !

Vous allez voir ! Je vais faire un don de 100 %. À tous mes frères et sœurs de Tchétchénie !

– Mais aussi à la *Oumma* dans son ensemble, parce que nous formons tous une grande famille, lui rappela patiemment le Dr Abdullah.

– Monsieur ! Je vous en prie ! Les Tchétchènes sont ma famille ! s'étouffa Issa en plein milieu de la traduction d'Annabel. La Tchétchénie est ma mère !

– Toutefois, Issa, ce soir nous sommes en Occident, poursuivit avec fermeté le Dr Abdullah comme s'il ne l'avait pas entendu. Alors permettez-moi de vous apprendre que, de nos jours, beaucoup de musulmans occidentaux, plutôt que de donner leur *zakat* à des amis personnels ou à des parents, préfèrent la confier à nos nombreuses associations caritatives islamiques pour qu'elle soit distribuée au sein de la *Oumma* selon les besoins. J'ai cru comprendre que telle était aussi votre intention. »

Une pause le temps qu'Annabel traduise. Une autre pause le temps qu'Issa, tête baissée et sourcils froncés, digère ces propos et exprime son accord.

« Et c'est sur cette base que j'ai préparé une liste d'associations qui me semblent mériter votre générosité, reprit Abdullah, qui en arrivait enfin au fait. Je crois savoir que vous avez reçu cette liste, Issa, et que vous avez opté pour certains choix. C'est bien cela ? »

C'était bien cela.

« Donc cette liste vous convient, Issa ? Ou bien faut-il que je vous explique plus précisément la mission des associations que je vous ai recommandées ? »

Mais Issa en avait assez entendu.

« Monsieur ! s'exclama-t-il en se levant encore d'un bond. Docteur Abdullah ! Mon frère ! Assurez-moi d'une seule chose, s'il vous plaît ! Nous donnons cet argent à Dieu et à la Tchétchénie. C'est tout ce que j'ai besoin d'entendre ! C'est de l'argent qui vient de voleurs, de violeurs, de meurtriers. C'est de l'argent sale obtenu par le *riba* ! Il est *haram* ! Il provient de la vente d'alcool, de porc et de pornographie ! Ce n'est pas l'argent de Dieu ! C'est l'argent de Satan ! »

Abdullah écouta d'un air sévère la traduction d'Annabel, l'aidant pour les termes arabes, puis il fit une réponse mesurée.

« Vous donnez cet argent pour accomplir la volonté de Dieu, Issa, mon cher frère. Donner cet argent est sage et juste, et, quand vous l'aurez donné, vous serez libre d'étudier et d'adorer Dieu dans l'humilité et la chasteté. Il est peut-être vrai que cet argent a été volé, gagné par l'usure et par d'autres moyens interdits par la loi divine. Mais bientôt, ce sera l'argent de Dieu et de personne d'autre, et Il aura pitié de vous dans l'au-delà, quel qu'il soit, puisque Lui seul peut juger quelle doit être votre récompense, que ce soit au paradis ou en enfer. »

Sur ce, Brue eut le sentiment qu'il pouvait enfin intervenir.

« Bon ! dit-il d'un ton vif en se levant lui aussi. Puis-je suggérer que nous nous rendions maintenant au bureau du caissier et que nous en finissions avec notre affaire ? Si Frau Richter est d'accord, bien sûr. »

Frau Richter était d'accord.

* * *

« Maintenant, monsieur ? » demanda Maximilian à Bachmann quand ils virent Brue et JALON se diriger vers la porte, suivis d'Issa et d'Annabel.

Il voulait dire : Est-ce maintenant que vous montez dans votre taxi et que je dis à vos deux guetteurs de vous suivre dans l'Audi ?

Bachmann indiqua du pouce l'écran qui reliait la camionnette à Berlin.

« Pas de feu vert », objecta-t-il en s'obligeant à afficher un sourire désolé face aux mœurs étranges des bureaucrates berlinois.

Pas de feu vert définitif, ultime, irrévocable, indéniable, indiscutable *à la con* ! Pas de feu vert de Burgdorf, d'Axelrod ni de toute leur clique bouffie de faux derches en costume qui jouaient à la guéguerre en se retranchant derrière leurs avocats, voilà ce qu'il voulait dire. Le jury était-il vraiment encore en train de délibérer ? Le Pilotage était-il *à cet instant* en train de chercher sous ses luxueux canapés en cuir un autre moyen de dire non ? Étaient-ils peut-être en train de débattre afin de décider si 5 % de mauvais, c'était assez mauvais pour justifier qu'on retourne le fer dans la plaie de notre communauté musulmane modérée ?

Je vous offre la solution sur un plateau, bon Dieu ! hurla-t-il intérieurement à toute la bande. Faites les choses à ma façon, personne n'en saura jamais rien ! Ou peut-être que je devrais refiler le bébé à la police, prendre l'hélicoptère pour Berlin et vous expliquer à tous ce que 5 % de mauvais, ça signifie ici, dans le monde réel, duquel vous êtes si bien protégés : le sang de l'abattoir qui vous éclabousse les chaussures et les morts à 100 % éparpillés en petits morceaux de 5 % sur le kilomètre carré de la place du village !

Mais sa pire crainte, celle qu'il osait à peine formuler, fût-ce à lui-même, c'était Martha et ses congénères. Martha, qui observe et ne participe pas – comme s'il s'agissait là d'un rôle auquel elle pouvait se résigner. Martha, l'âme sœur néo-conservatrice de Burgdorf. Martha, qui se gausse de l'opération FELIX comme si c'était un genre de jeu de société européen organisé par une bande de dilettantes allemands gauchisants. Il l'imaginait en ce moment, à Berlin. Newton le coupeur de gorges était-il à ses côtés ? Non, il était resté à Hambourg avec la blonde cendrée. Martha dans la salle des opérations du Pilotage, disant à Burgdorf ce qu'il avait intérêt à faire s'il voulait le poste le plus élevé, l'assurant que Langley n'oublie jamais ses amis.

« Pas de feu vert, confirma Maximilian. On reste en attente jusqu'à nouvel ordre. »

* * *

Elle était son avocate et n'avait que sa mission en tête.

Sa mission, que lui avait imposée la situation désespérée d'Issa et qu'Erna Frey lui avait rabâchée, consistait à amener son client jusqu'à la table, lui faire signer la renonciation à son argent et lui donner son passeport pour la liberté.

Elle n'était pas juge comme sa mère, ni diplomate cul-béni comme son père. Elle était avocate, elle était mandatée pour défendre Issa, et que ce doux sage musulman ait raison ou tort, qu'il soit innocent ou coupable ne concernait en rien sa mission. Günther avait dit qu'il n'avait pas l'intention de toucher à un seul cheveu d'Issa, et elle le croyait. C'est du moins ce qu'elle se disait en descendant le bel escalier en marbre de la banque derrière Brue, Abdullah (pourquoi soudain tremblait-il autant ?) et Issa.

Issa se penchait en arrière, laissant traîner son bras droit pour qu'elle le prenne, mais rien que le tissu, jamais rien d'autre que le tissu, à travers lequel elle sentait la chaleur de son corps et s'imaginait entendre battre son pouls, mais c'était probablement le sien à elle.

« Qu'a donc fait Abdullah ? avait-elle demandé une fois de plus à Erna Frey au déjeuner, en espérant que l'imminence de l'action lui délierait la langue.

– C'est une toute petite pièce d'un gros navire mal tenu, avait répondu Erna, la passionnée de navigation, d'un ton énigmatique. Un peu comme une goupille. Et si on n'a pas ses repères sur un bateau, à peu près aussi difficile à dénicher. Et à peu près aussi facile à reperdre. »

Annabel porta son regard devant Issa et vit la calotte blanche du Dr Abdullah osciller périlleusement six marches plus bas. Une toute petite pièce d'un navire mal tenu.

La porte du bureau du caissier était ouverte. Brue, le père de Georgina, était debout devant l'ordinateur. Savait-il s'en servir ? S'il a besoin de mon aide, il l'aura.

* * *

Dans la camionnette, Bachmann et ses deux compères étaient frappés du même silence que les quatre personnes assemblées dans le bureau du caissier. Une caméra installée sur le mur du fond fournissait une vue d'ensemble de la pièce, une autre un gros plan de Brue assis devant le clavier, qui tapait laborieusement à deux doigts les codes guichet et les numéros de compte fournis par le Dr Abdullah sur un listing imprimé que scannait une troisième caméra dissimulée dans le plafonnier. Sur un écran distinct relayé depuis le Pilotage à Berlin, la même liste s'affichait au rythme hésitant de la frappe de Brue. Les associations caritatives qui ne figuraient pas sur la liste soumise au préalable à Issa par le Dr Abdullah étaient surlignées en rouge.

« Bon sang, Michael, si c'est pas le moment, là, ce sera quand ? plaida Bachmann sur la ligne directe d'Axelrod.

– Ne montez pas dans votre taxi, Günther.

– Mais ça y est, on l'a coincé, bordel ! Qu'est-ce qu'ils attendent ?

– Restez où vous êtes. Ne vous approchez pas plus de la banque tant que je ne vous en donne pas moi-même l'autorisation. C'est un ordre. »

Ne pas s'approcher plus de la banque que *qui* ? Arni Mohr ? Lantern et son passager non identifié ? Mais, encore une fois, Axelrod avait raccroché. Bachmann fixa les écrans, croisa le regard de Niki et détourna les yeux. C'est un ordre, avait-il dit. Un ordre de qui ? D'Axelrod ? De Burgdorf ? Avec Martha qui lui parlait à l'oreille ? Ou un ordre consensuel de ce comité en pleine guerre intestine qui vivait dans une bulle que ne pénétrait jamais l'odeur du sang frais ?

Il reporta vivement le regard sur Niki quand résonna la sonnerie classique d'un téléphone noir, incongru tant il était démodé, posé sur une tablette au-dessus des écrans. Le visage de Niki resta impassible. Elle ne leva pas un sourcil interrogateur, elle n'interpella pas Bachmann, elle ne marqua pas la même hésitation que lui. Elle laissa simplement le téléphone sonner en attendant son signal. Bachmann opina du chef : répondez. Elle inclina la tête, réclamant un ordre oral.

« Répondez », lui dit-il.

Elle décrocha et parla d'un ton pimpant, presque chantant, que relayèrent les baffles de la camionnette :

« Taxis Hansa ! Merci de votre appel. C'est pour où ? »

L'air plus détendu qu'il n'avait semblé l'être de toute la soirée, Brue dicta l'adresse de la banque assez lentement pour qu'elle puisse noter.

« Votre numéro de téléphone ? »

Brue le donna.

« Un instant, s'il vous plaît ! » chantonna Niki, qui fit une pause pour indiquer qu'elle consultait son ordinateur et mit la main sur le combiné du téléphone noir en attendant les nouvelles instructions de Bachmann.

Il réfléchit encore un moment, puis il se leva, puis il prit la casquette de marin accrochée à la porte et se l'enfonça sur la tête, puis il enfila le blouson une manche après l'autre, puis il tira dessus une dernière fois pour qu'il soit bien ajusté sur ses épaules.

« Dites-lui que j'arrive », ordonna-t-il.

Niki ôta sa main du combiné.

« Une voiture dans dix minutes », annonça-t-elle avant de raccrocher.

Depuis la porte, Bachmann jeta un dernier regard aux écrans.

« C'est juste *Go*, dit-il à Maximilian et à Niki. Si on obtient le feu vert, c'est tout ce que vous avez à me dire : *Go !*

– Et sinon ? demanda Niki pour eux deux.

– Quoi, sinon ?

– Si on l'obtient pas. Le feu vert.

– Eh ben, dans ce cas, vous ne dites rien. »

* * *

Brue haïssait jusqu'à la vue du bureau du caissier, aux murs tapissés de joujoux high-tech, et pas seulement en raison de sa propre incompétence. L'une des heures les plus sombres de sa vie l'avait vu dans son jardin de Vienne, flanqué de sa première épouse, Sue, et de Georgie, à regarder partir en fumée le célèbre fichier papier de Brue Frères. Encore une bataille perdue. Encore une époque qui disparaît. Dorénavant, nous serons comme tous les autres.

Le Dr Abdullah sent le talc, constata-t-il tandis qu'il saisissait laborieusement une série de chiffres. Chez lui, Brue ne l'avait pas remarqué. Peut-être le bonhomme avait-il mis la double dose pour l'occasion. Il se demanda si Annabel l'avait senti aussi. Quand tout ça serait fini, il lui poserait la question.

La chemise d'Abdullah et sa calotte brillaient d'une blancheur éclatante sous l'éclairage au néon. Il se collait à Brue, le frôlant de son épaule chaque fois qu'il pointait obligeamment de l'index un code guichet ou le montant à transférer.

À dire vrai, entre le contact physique, l'odeur de talc et la chaleur ambiante, Brue trouvait qu'Abdullah envahissait un peu trop son espace à son goût. Mais il avait lu quelque part que les hommes arabes n'y attachent pas d'importance : cela ne les dérange nullement de se promener dans la rue ou de s'asseoir à des terrasses de café en se tenant par la main, même les plus machos. Malgré tout, il aurait bien voulu qu'Abdullah s'écarte un peu, cette proximité lui faisait perdre ses moyens.

Ismail. Pourquoi pensait-il soudain à Ismail ? Peut-être parce qu'il avait toujours regretté de ne pas avoir donné un frère à Georgie. Cet Ismail, c'est quelqu'un ! Si je lui avais ressemblé à son âge, j'aurais fait un sacré parcours. Ou peut-être que je lui ressemblais et que je n'ai pas réussi à faire un sacré parcours. Enfin, c'est la vie. Et Fatima, en route pour… pour où, déjà ? Balliol ? Non, la London School of Economics. C'est ça. Georgie n'a jamais atteint ces sommets. Du vif-argent, cette brave Georgie, elle vous perce à jour en un clin d'œil, rien ne lui échappe, mais ce n'est pas le genre d'esprit qu'on peut éduquer. Elle est née éduquée dans bien des domaines. Mais elle n'était pas faite pour les études au sens classique du terme, pas Georgie, non.

Encore un effluve de talc. Abdullah le serrait de près. Bon Dieu, si ça continue, il va finir assis sur mes genoux. Et tous ces petits enfants ! Trois ? Quatre ? Plus le bébé dans le jardin ? Ça doit être fantastique, de se reproduire comme ça. De se reproduire pratiquement sans y penser. De se donner à fond, d'accomplir la volonté de Dieu.

L'index d'Abdullah était descendu d'une ligne ou deux. Une compagnie maritime de Chypre. Non mais quel rapport avec la choucroute ? On est sur une association caritative musulmane connue dans le monde entier avec siège social à Riyad, et là on passe à une compagnie maritime bidon de Nicosie. En partie pour échapper au contact d'Abdullah et en partie pour être rassuré, Brue se retourna vers Annabel.

« Celle-là, elle vous convient à tous les deux ? demanda-t-il en allemand. Apparemment, elle n'est pas cochée. Tout ce que j'ai, c'est le montant. 50 000 dollars US. Pour la Seven Friends Navigation Company, à Nicosie.

– Ah, celle-là, elle est vitale pour les malheureux du Yémen, expliqua Abdullah à Brue avant qu'Annabel ait pu poser la question à Issa. Si votre client tient vraiment à fournir une assistance médicale dans toute la *Oumma*, voilà un moyen très efficace d'atteindre cet objectif. »

Les mains posées de chaque côté du clavier, Brue écouta la traduction d'Annabel en russe :

« Le Dr Abdullah dit que les Yéménites souffrent d'une très grande pauvreté. Cette compagnie maritime très fiable a une longue expérience dans l'apport d'aide humanitaire à ces gens. Vous voulez donner à celle-là, ou pas ? »

Issa hésita, oui, non, haussement d'épaules. Puis il vit soudain la lumière.

« Dans ma prison en Turquie, il y avait un Yéménite si malade qu'il est mort ! Eh bien, cela ne se reproduira pas. Allez-y, allez-y, monsieur Tommy. »

Obéissant, Brue entra les coordonnées de la compagnie maritime et suivit par l'imagination leur trajet virtuel : d'abord, la banque de dépôt par laquelle Brue Frères devait faire transiter ses transferts (à l'âge préinformatique, le nom *Brue* aurait suffi), puis Ankara, puis une petite banque turco-chypriote miteuse de Nicosie qui ressemblait sans doute à une sanisette sur le seuil de laquelle des tas de chiens galeux se réchauffaient au soleil. Annabel lui tapotait l'épaule. À l'exception d'une poignée de main, elle ne l'avait jamais touché auparavant.

« Ça, c'est une esperluette. Vous avez mis un slash.

– Ah oui ? Où ça ? Grands dieux, mais c'est vrai. Suis-je bête ! Merci. »

Il mit une esperluette. Il avait fait son boulot. Quatorze banques et une petite compagnie maritime merdique. Il ne lui restait plus qu'à appuyer sur la touche ENTER.

« Alors, en avons-nous fini, Frau Richter ? demanda-t-il d'un ton jovial, sa main planant au-dessus du clavier, le majeur relevé.

– Issa ? » s'enquit-elle.

Issa fit un signe de tête distrait et retourna à ses pensées.

« Docteur Abdullah, tout va bien ?

– Oui, merci. Je suis tout à fait satisfait, cela va de soi. »

Satisfait à 100 % ? songea Brue.

Fixant toujours la touche ENTER, il se demanda comment il était censé effectuer son geste et avec quelle expression sur le visage.

Celle d'un banquier heureux de délester sa banque de douze millions et demi de dollars ? Sans doute pas, non.

Celle d'un banquier très heureux de rendre service au fils d'un vieux client de la banque ?

Ou celle d'un banquier encore plus heureux d'aider Annabel à se sortir d'un pétrin terrible et Issa à échapper à la prison à vie, sinon pire ?

La dernière solution était la bonne, mais, par sécurité, il revêtit son expression des jours de conseil d'administration et frappa la touche ENTER plus fort qu'il n'en avait eu l'intention tant il se sentait par avance soulagé.

Liquidé, le dernier lipizzan ! Au revoir, Edward Amadeus, officier de l'Ordre de l'Empire britannique !

Et au revoir, Ian Lantern, que Dieu vous aide, ainsi que tous ceux qui sont dans le même bateau que vous !

Il ne lui restait plus qu'une dernière tâche.

« Docteur Abdullah, permettez-moi de vous appeler un taxi aux frais de la banque. »

Et sans attendre la réponse du bon docteur, il composa le numéro que Lantern lui avait donné à cette fin.

* * *

Au volant de son taxi, Bachmann se faufila entre les cônes invisibles délimitant la zone d'exclusion de Mohr, passa devant des voitures trop anodines pour être honnêtes arrêtées à des carrefours, des piétons baraqués très occupés à prendre un air innocent et des ouvriers qui, à la lumière de leurs lampes, farfouillaient de façon peu convaincante dans des boîtes de dérivation, puis il se gara dans l'avant-cour surélevée de la banque Brue Frères, remonta le col de son blouson et, comme tout chauffeur de taxi qui attend son client, s'installa pour écouter la radio en regardant le pare-brise d'un œil blasé, et d'un œil moins blasé l'écran de son relais satellite discrètement allumé tout en bas du tableau de bord. Il avait l'image mais, à cause d'un cafouillage de dernière minute des techniciens de Mohr, pas le son.

Dès qu'il eut arrêté son taxi, ses deux guetteurs garèrent leur Audi dans la rue en contrebas. Ils étaient là pour le cas fâcheux où JALON n'apprécierait pas d'être enlevé et emmené vers une destination inconnue. Les consignes que Bachmann leur avait chantées sur tous les tons consistaient à rester dans leur voiture jusqu'à ce qu'il fasse appel à eux. Pas d'embrouille avec les hommes de Mohr, sous peine d'excommunication.

Bachmann passa discrètement en revue les maisons d'un bout à l'autre de la rue et fut horrifié d'apercevoir deux ombres sur un toit et deux autres à l'entrée d'un cul-de-sac qui partait de la rive de la Binnenalster. Les images muettes de son relais satellite montraient Annabel et FELIX qui s'attardaient dans le hall tandis que Brue accompagnait JALON jusqu'aux toilettes du rez-de-chaussée, puis remontait, probablement pour aller aux toilettes lui aussi ou peut-être parce qu'il avait besoin d'un petit coup à boire.

Sur l'écran, Annabel et FELIX se font face, à deux mètres l'un de l'autre, et rient d'un rire un peu forcé. C'est la première fois que Bachmann voit Annabel coiffée d'un foulard. C'est la première fois qu'il la voit rire. FELIX écarte les bras, les lève au-dessus de sa tête et exécute une petite gigue, sans doute une danse tchétchène, suppose Bachmann. En jupe longue, Annabel l'accompagne timidement. La danse se termine avant d'avoir commencé.

Bachmann ferma les yeux, puis les rouvrit et, oui, il était toujours là, toujours à attendre l'ultime feu vert définitif, toujours en violation directe des ordres d'Axelrod, mais Günther Bachmann était un sacré filou et rien ne le changerait jamais. L'homme de terrain est toujours le mieux placé : telle était la loi de Bachmann. Mais pourquoi, oh, pourquoi cette attente et encore de l'attente, pourquoi, pourquoi ? Sauf si Berlin avait foiré (ce qui restait totalement dans le domaine de l'envisageable), Abdullah avait été pris la main dans le sac, voire le bras dans le sac, et l'opération était un triomphe. Alors pourquoi la fanfare ne résonnait-elle pas, pourquoi ne lui donnait-on pas le feu vert alors qu'il ne restait plus que quelques minutes ?

Son portable sonnait. C'était Niki, parlant au nom de Maximilian.

« C'est un ordre écrit. Il vient d'arriver.

– Lisez-le, murmura Bachmann.

– "Projet retardé. Évacuez la zone maintenant et retournez à la gare de Hambourg."

– Qui a signé cet ordre, Niki ?

– Le Pilotage. Il y a votre logo en haut et celui du Pilotage en bas.

– Pas de nom ?

– Pas de nom », confirma Niki.

C'était donc une décision consensuelle, comme toutes celles du Pilotage. Peu importait qui tirait les ficelles.

« *Projet*, c'est bien ça ? *Projet* retardé ? Pas *opération* retardée ?

– C'est exact, *projet*. Pas de référence à une opération.

– Et rien sur FELIX ?

– Rien.

– Ni sur JALON ?

– Rien sur JALON. Je vous ai lu l'intégralité du message. »

Il essaya de joindre Axelrod sur son portable : boîte vocale. Il essaya la ligne directe du Pilotage : occupé. Il essaya le standard : pas de réponse. Sur l'écran à hauteur de ses genoux, Brue redescend de l'étage. Tous les trois attendent maintenant dans le hall que JALON sorte des toilettes.

Projet retardé, avaient-ils dit.

Pour combien de temps ? Pour cinq minutes ou pour toujours ?

Axelrod a perdu la bataille. Il a perdu la bataille, mais on l'a laissé rédiger l'ordre et il a volontairement choisi une formulation confuse pour que je puisse comprendre de travers.

Ni JALON, ni FELIX, ni *opération*, juste *projet*. Axelrod me fait comprendre que c'est à moi de prendre l'initiative. Si vous pouvez y aller, allez-y, mais ne dites pas que ça vient de moi, dites juste que vous n'avez pas compris le message. C'est non, je répète : oui.

Issa, Annabel et Brue attendaient toujours que JALON sorte des toilettes, et Bachmann avec eux.

Mais qu'est-ce qu'il fout là-dedans depuis tout ce temps ? Il se prépare pour le martyre ? Bachmann se rappela l'expression sur le visage d'Abdullah quand il s'était approché d'Issa pour cette première accolade : est-ce mon frère que je vais étreindre ou ma propre mort ? Il avait vu la même expression sur le visage des allumés de Beyrouth lorsqu'ils partaient se faire tuer.

Ça y est, JALON est enfin sorti des toilettes, vêtu d'un imperméable Burberry de couleur fauve mais sans sa calotte blanche. L'a-t-il laissée dans les toilettes, ou rangée dans sa serviette ? Ou bien est-il en train de nous dire quelque chose ? Est-il en train de nous dire ce qu'il pense depuis le début : prenez-moi. Je me suis jeté dans votre piège en toute connaissance de cause parce que je n'avais d'autre moyen de me réconcilier avec Dieu, alors prenez-moi.

JALON s'est placé devant Issa et lève des yeux adorateurs vers lui. Issa le regarde d'un air perplexe. JALON tend les bras et étreint chaleureusement Issa en lui tapotant les omoplates. *Mon fils.* JALON caresse le visage d'Issa, lui prend les mains et les serre tendrement contre son cœur, tandis que les deux Occidentaux les observent par-delà le fossé culturel. Avec un temps de retard, Issa remercie son guide et mentor et lui rend hommage. Annabel Richter traduit. Les adieux s'éternisent.

« Toujours rien, Niki ?

– Le noir total. On n'a plus rien sur les écrans, rien. »

Me voilà seul, une fois de plus. L'homme de terrain est toujours le mieux placé. Et je les emmerde tous !

Miracle : l'écran de Bachmann fonctionne encore, lui, même s'il n'y a pas de son. Le vestibule est vide. Les quatre acteurs ont disparu. Encore un bel exploit des techniciens de Mohr. Il n'y a pas de vidéo surveillance de l'entrée.

La porte de la banque s'ouvre. Les caméras et les écrans sont superflus. L'œil nu prend enfin le relais. Des projecteurs de sécurité aveuglants illuminent le perron et les piliers alentour. JALON sort le premier, d'un pas mal assuré. Il est mort de trouille.

Issa aussi a remarqué sa fragilité et marche à son côté, une main soutenant le bras du maître. Issa sourit.

Derrière lui, Annabel sourit elle aussi. L'air libre, enfin. Les étoiles. Et même la lune. Annabel et Brue ferment la marche. Voilà Brue qui sourit, lui aussi. Il n'y a qu'Abdullah qui ait l'air malheureux, ce qui me convient très bien. D'abord, je lui dirai que son pire cauchemar s'est réalisé, et ensuite je deviendrai son meilleur ami, son seul soutien dans son malheur.

Ils se dirigent vers moi. Issa et Annabel parlent de tout et de rien à Abdullah, qui finit par sourire, mais tremble comme une feuille.

* * *

En un mouvement très étudié, Bachmann lève lentement la tête à l'approche du petit groupe. Je suis un chauffeur de taxi hambourgeois fatigué, plus qu'une course et j'aurai fini ma journée.

C'est Brue qui ouvre la marche, maintenant. Brue, le gentleman anglais qui a pris la tête du groupe pour raccompagner son hôte à la grille du parc.

Coiffé de sa casquette et vêtu de son blouson miteux, Bachmann, qui, voilà seulement quinze secondes, a éteint son relais satellite, baisse sa vitre et adresse à Brue le petit salut nonchalant du chauffeur de taxi en fin de soirée.

« Vous êtes le taxi pour Brue Frères ? demande gaiement Brue, se penchant par la vitre ouverte de Bachmann, une main sur la poignée de la portière arrière. Formidable ! Alors où allons-nous ce soir, docteur, si je puis me permettre ? demanda-t-il du même ton jovial en se retournant vers JALON. Où vous voudrez, aucun problème pour la banque. C'est tellement rare de faire affaire dans une ambiance si amicale, monsieur. »

Mais Abdullah n'eut pas le temps de répondre, ou bien Bachmann ne l'entendit pas. Un grand minibus blanc avait foncé dans la cour, embouti le taxi de Bachmann en le propulsant de biais, faisant une fêlure en étoile dans la vitre et enfonçant la porte côté conducteur. Arrosé de verre brisé, étalé de tout son long sur le siège passager, Bachmann eut une vision au ralenti de Brue qui plongeait au sol pour se mettre à l'abri, la veste de son costume se gonflant derrière lui comme si elle flottait sur l'eau. Il se redressa à moitié et vit une Mercedes aux vitres noires suivre de près le minibus et une seconde arriver à toute vitesse en marche arrière pour se positionner juste devant. Quoique tout étourdi par le choc et la lumière des phares, il vit, comme en plein jour derrière le pare-brise, le visage en lame de couteau et les cheveux blond cendré de la femme assise à côté du conducteur cagoulé de la première Mercedes quand elle pila dans un crissement de pneus derrière le minibus blanc.

* * *

Annabel crut d'abord rêver, puis elle comprit que c'était la réalité. Elle fit un pas en avant et se rendit compte qu'elle était seule. Abdullah s'était arrêté net et restait planté là, ses petits pieds joints tournés vers l'intérieur, à regarder fixement la rue au-delà d'Annabel. S'il ne s'était agi d'un grand lettré musulman, elle aurait suivi son instinct et l'aurait agrippé par le bras, car il s'était mis à chanceler et elle craignait qu'il ne soit en train d'avoir une attaque et ne tombe à la renverse.

Pourtant, il ne tomba pas.

Elle fut soulagée de constater qu'il se redressait, mais c'était pour continuer à fixer la rue avec l'expression angoissée, horrifiée de quelqu'un qui voit ses pires craintes se réaliser. Elle remarqua aussi qu'il avait rentré sa petite tête dans les épaules en un geste d'autoprotection, comme s'il s'imaginait qu'on lui tapait déjà dessus par-derrière, bien qu'il n'y eût personne dans son dos.

Son regard dépassa Abdullah et se coula vers Issa, dont elle voulait capter l'attention pour lui communiquer son angoisse, mais le dépassa lui aussi et découvrit enfin ce qu'ils fixaient déjà, même si cette vision ne la frappa pas aussitôt de terreur comme Abdullah.

Certes, dans le cadre de son travail au Sanctuaire, elle avait entendu parler d'hommes qu'il fallait physiquement maîtriser, voire battre parfois, pour qu'ils se soumettent à l'expulsion. Et elle garderait jusqu'à la mort le souvenir de Magomed lui faisant signe par le hublot de son avion en partance.

Mais là s'arrêtait son expérience de ces choses-là, d'où la lenteur de son esprit à saisir ce fait inimaginable mais bien réel : non seulement l'avant-cour était le théâtre d'un accident de la circulation complexe impliquant un taxi couleur crème en stationnement et deux Mercedes folles aux vitres noires, mais le minibus blanc qui était clairement à l'origine de l'accident était arrêté en biais, portières grandes ouvertes, et quatre, non, cinq hommes portant des passe-montagnes, des baskets et des survêtements noirs en sortaient sans se presser.

Et parce qu'elle fut si lente à comprendre ce qui se passait, ce fut un jeu d'enfant pour eux. Ils se saisirent d'Abdullah, qui se trouvait près d'elle, aussi facilement qu'ils lui auraient arraché son sac à main, alors qu'Issa, plus averti de ce qu'est la force brute, s'accrochait désespérément à son mentor, l'agrippant de ses bras grêles et tombant à genoux avec lui pour mieux le protéger.

Mais toute résistance fut vaine quand les quatre ou cinq hommes cagoulés formèrent un groupe autour de leurs deux proies – un genre de *testudo*, comme disaient les Romains de ses cours de latin – et les traînèrent jusqu'au minibus, dans lequel ils les jetèrent avant de sauter derrière eux et de claquer les portières pour plus d'intimité.

Elle vit Brue accourir près d'elle et l'entendit hurler à pleins poumons sur les hommes cagoulés, et elle se demanda pourquoi il hurlait en anglais. Puis elle se rappela que les hommes cagoulés avaient échangé des jurons staccato en anglais avec un accent américain, ce qui expliquait le choix linguistique de Brue, mais, vu tout l'effet que cela leur faisait, il aurait tout aussi bien pu économiser son souffle.

Et c'est sans doute la présence de Brue à ses côtés qui lui permit de recouvrer ses esprits et de se secouer pour courir à toutes jambes vers le minibus qui démarrait, avec l'intention de lui barrer la route si seulement elle arrivait à se glisser entre son capot bosselé et la Mercedes qui avait reculé pour se coller à lui.

* * *

Bachmann s'aida de son bras droit pour s'extirper du taxi côté passager et courut en boitant près du minibus, dont il martela la carrosserie blanche de son poing indemne. Il se jeta sur le capot de la Mercedes de tête et la franchit d'une glissade, pieds les premiers, à la totale indifférence des deux hommes en passe-montagne assis à l'avant. Le minibus démarrait, ses portières latérales se fermaient, mais Bachmann eut le temps d'apercevoir des hommes debout en survêtement et passe-montagne noirs et, à leurs pieds, deux corps étalés sur le sol bras et jambes écartés, l'un portant un long pardessus noir et l'autre un Burberry fauve. Il entendit alors des cris. C'était Annabel, qui avait agrippé la poignée d'une des portières latérales et se laissait traîner en ne cessant de hurler en anglais : « Ouvrez la porte, ouvrez la porte, ouvrez la porte ! »

La Mercedes de soutien conduite par le chauffeur cagoulé, avec à son bord la blonde cendrée au visage en lame de couteau, s'était rangée à côté pour la bloquer et le minibus accélérait, mais Annabel ne lâchait pas prise et criait : « Salauds ! Salauds ! » aussi en anglais. Puis Bachmann l'entendit crier « Je vous retrouverai ! », en russe cette fois, et comprit qu'elle s'adressait à Issa et non à ses ravisseurs. *Je vous retrouverai, même si c'est la dernière chose...* Elle allait sans doute dire « même si c'est la dernière chose que je fais dans ma vie », mais elle était déjà littéralement en train de battre l'air de ses poings parce que Brue l'avait attrapée et lui avait fait lâcher prise. Et lorsqu'il la remit sur ses pieds, elle garda les bras tendus vers le minibus comme pour le ramener à elle.

Bachmann descendit la rampe menant de l'avant-cour à la rue principale, où ses deux guetteurs attendaient sagement dans leur Audi qu'il fasse appel à eux. Il poursuivit cahin-caha jusqu'au cul-de-sac où il avait repéré la voiture de surveillance d'Arni Mohr. Elle n'était plus là, mais Arni Mohr était debout sur le trottoir, sous un réverbère, et bavardait avec Newton, l'ancien de Beyrouth. Près d'eux, attendant qu'on l'intègre au groupe, se trouvait le petit Ian Lantern, toujours aussi souriant. Bachmann en conclut que Newton était le passager non identifié dans la voiture de Lantern.

À l'approche de Bachmann, Arni Mohr afficha une expression étudiée de détachement et éprouva le besoin de passer un coup de téléphone qui l'amena à s'éloigner dans la rue, mais Newton, avec sa barbiche noire toute neuve, s'avança aimablement pour accueillir son vieux camarade.

« Eh ben merde alors, Günther Bachmann ! T'as été repêché au dernier moment, comment ça se fait ? On pensait que t'étais dans les jupes d'Axelrod. Tonton Burgdorf t'a invité aux premières loges, finalement ? »

Mais lorsque Newton s'approcha de Bachmann et vit son allure débraillée, son bras amoché et son regard illuminé et accusateur, il comprit qu'il s'était trompé sur son homme et s'arrêta tout net.

« Écoute. Désolé pour ton taxi, OK ? Ces ploucs de la Ferme conduisent comme des pieds. Allez, va te faire soigner le bras. Ian va te conduire à l'hôpital. Tout de suite. D'accord, Ian ? Il a dit d'accord. Partez, maintenant.

– Où est-ce que vous l'avez emmené ? demanda Bachmann.

– Abdullah ? On s'en branle, non ? Pour autant que je sache, un trou perdu dans le désert. *Justice a été rendue, mon vieux. On peut tous rentrer à la maison.* »

Il avait prononcé ces derniers mots en anglais, *Justice has been rendered*, mais, dans son état d'hébétude, Bachmann n'arriva pas à en comprendre la signification.

« *Rendered* ? répéta-t-il bêtement. Qu'est-ce qui a été rendu ? De quelle justice tu parles ?

– De la justice américaine, pauvre con ! Qu'est-ce que tu croyais ? La justice droit au but, mon gars. La justice couillue, voilà quelle justice ! La justice où il n'y a pas de putain d'avocats pour tout embrouiller. *Extraordinary rendition*, ça te dit rien ? Non ? Il serait temps que vous trouviez une traduction en boche, pour ça. Ben, t'as perdu ta langue, ou quoi ? »

Mais comme Bachmann ne disait toujours rien, Newton poursuivit.

« Œil pour œil, bordel ! La justice punitive, OK, Günther ? Abdullah tuait des *Américains*. Pour nous, c'est le péché originel. Vous voulez jouer à vos petits jeux d'espions à la noix ? Allez jouer avec des Europygmées.

– Je te parlais d'Issa, dit Bachmann.

– Mais Issa, c'était *peanuts*, mon vieux ! répliqua Newton, à présent vraiment en colère. Et de toute façon, le fric, il venait de qui, au départ ? Issa Karpov finance le terrorisme, point barre. Issa Karpov envoie de l'argent à de vrais salauds. Il vient encore de le faire. Je t'emmerde, Günther, c'est compris ? lança-t-il, avant d'ajouter, l'air de penser qu'il n'avait pas bien fait passer le message : Et ces activistes tchétchènes avec qui il traînait, hein ? Tu vas peut-être me dire que c'étaient des enfants de chœur ?

– Il est innocent.

– Tu déconnes, ou quoi ? Issa Karpov était complice à 100 %, et dans une quinzaine de jours, s'il tient même jusque-là, il le reconnaîtra. Alors maintenant, casse-toi avant que je te jette dehors. »

Dans l'ombre du grand Américain, Lantern sembla approuver.

Un vent nocturne piquant soufflait depuis le lac, apportant du port une odeur de pétrole. Annabel se tenait au milieu de l'avant-cour et scrutait la rue restée déserte après le départ du minibus. Brue se trouvait à côté d'elle. Le foulard d'Annabel lui était tombé sur le cou. D'un geste machinal, elle le remonta sur sa tête et le rattacha sous son menton. Brue entendit des pas et se retourna pour voir le chauffeur du taxi embouti venir vers eux en boitant. Puis Annabel se tourna, elle aussi, et reconnut en ce chauffeur Günther Bachmann, l'homme qui forçait le destin. Il se tenait à dix mètres d'elle, sans oser s'approcher. Elle le dévisagea, puis secoua la tête et se mit à frissonner. Brue lui passa un bras autour des épaules, comme il en avait envie depuis toujours, mais douta qu'elle ait seulement conscience de sa présence.

L'AUTEUR TIENT À REMERCIER :

Yassin Musharbash de l'édition en ligne du *Spiegel*, pour avoir inlassablement effectué des recherches ; Clive Stafford Smith, Saadiya Chaudary et Alexandra Zernova, de l'association caritative britannique Reprieve[*] et Bernhard Docke[**], de Brême, pour leurs conseils juridiques ; l'écrivain et journaliste Michael Jürgs, de Hambourg, pour les personnes intéressantes qu'il m'a présentées et ses relectures pointilleuses des premières versions de ce livre ; Helmuth Landwehr, banquier privé à la retraite, qui m'a initié aux pratiques de ses anciens collègues moins scrupuleux que lui ; Anne Harms et Annette Heise de flucht • punkt[*] à Hambourg, qui m'ont permis de créer en Sanctuaire Nord une organisation imaginaire cousine de la leur, avec son personnel imaginaire et ses clients imaginaires ; l'auteur et expert du Moyen-Orient Said Aburish pour ses suggestions judicieuses ; et enfin Carla Hornstein qui, par un hasard de la vie, m'a embarqué dans ce voyage et m'a fourni des contacts et des conseils inappréciables.

[*] Reprieve utilise des voies juridiques pour que justice soit faite et pour sauver des vies, que ce soit dans le couloir de la mort ou à Guantanamo. flucht • punkt fournit conseils juridiques et assistance aux demandeurs d'asile et apatrides de la région de Hambourg. Ces deux associations sont des ONG reconnues d'utilité publique *(NdA)*.

[**] Bernhard Docke est l'avocat bénévole de Murat Kurnaz, le musulman allemand d'origine turque injustement retenu à Guantanamo depuis quatre ans et demi *(NdA)*.

Chandelles noires
Gallimard, 1963
« Folio », n° 2177
et Robert Laffont, « Bouquins », œuvres t. 1, 1991

L'Espion qui venait du froid
Gallimard, 1964
« Folio », n° 414
et Robert Laffont, « Bouquins », œuvres t. 1, 1991

Le Miroir aux espions
Robert Laffont, 1965
LGF, « Le Livre de poche », n° 2164
Seuil, 2004
et « Points », n° P1475

Une petite ville en Allemagne
Robert Laffont, 1969
« Bouquins », œuvres t. 2, 1991
« 10/18 », n° 1542
Seuil, 2005
et « Points », n° P1474

Un amant naïf et sentimental
Robert Laffont, 1972
« Bouquins », œuvres t. 3, 1991
LGF, « Le Livre de poche », n° 3591
Seuil, 2003
et « Points », n° P1276

L'Appel du mort
Gallimard, 1973
« Folio », n° 2178
et Robert Laffont, « Bouquins », œuvres t. 1, 1991

La Taupe
Robert Laffont, 1974
« Bouquins », œuvres t. 1, 1991
LGF, « Le Livre de poche », n° 4747
Seuil, 2001
et « Points », n° P921

Comme un collégien
Robert Laffont, 1977
« Bouquins », œuvres t. 1, 1991
LGF, « Le Livre de poche », n° 5299
Seuil, 2001
et « Points », n° P922

Les Gens de Smiley
Robert Laffont, 1980
« Bouquins », œuvres t. 2, 1991
LGF, « Le Livre de poche », n° 5575
Seuil, 2001
et « Points », n° P923

La Petite Fille au tambour
Robert Laffont, 1983
« Bouquins », œuvres t. 2, 1991
et LGF, « Le Livre de poche », n° 7542

Un pur espion
Robert Laffont, 1986
Seuil, 2001
et « Points », n° P996

Le Bout du voyage
théâtre
Robert Laffont, 1987
et « Bouquins », œuvres t. 2, 1991

La Maison Russie
Robert Laffont, 1987
« Bouquins », œuvres t. 3, 1991
Gallimard, « Folio », n° 2262
LGF, « Le Livre de poche », n° 14112
Seuil, 2003
et « Points », n° P1130

Le Voyageur secret
Robert Laffont, 1991
et LGF, « Le Livre de poche », n° 9559

Une paix insoutenable
essai
Robert Laffont, 1991
et LGF, « Le Livre de poche », n° 9560

Le Directeur de nuit
Robert Laffont, 1993
LGF, « Le Livre de poche », n° 13765
et Seuil, 2003

Notre Jeu
Seuil, 1996
et « Points », n° P330

Le Tailleur de Panama
Seuil, 1997
et « Points », n° P563

Single & Single
Seuil, 1999
et « Points », n° P776

La Constance du jardinier
Seuil, 2001
et « Points », n° P1024

Une amitié absolue
Seuil, 2004
et « Points », n° P1326

Le Chant de la mission
Seuil, 2007
et « Points », n° P2028

COMPOSITION : NORD COMPO MULTIMÉDIA
7 RUE DE FIVES - 59650 VILLENEUVE-D'ASCQ

Cet ouvrage a été imprimé en France par
CPI Bussière
à Saint-Amand-Montrond (Cher)
en juin 2010.
N° d'édition : 100192-3. - N° d'impression : 101057.
Dépôt légal : septembre 2009.